PROPERTY OF E. /
900 No. 3rd
LARAMIE, WYO.

Y0-BVX-188

© COPYRIGHT, 1952, BY GINN AND COMPANY

ALL RIGHTS RESERVED

257.6

D

SHORTER GERM

READING GRAMM

By B. Q. MORGAN

and F. W. STROTHMANN

of Stanford University

GINN AND COMPANY

BOSTON • NEW YORK • CHICAGO • ATLANTA • DALLAS • COLUMBUS

SAN FRANCISCO • TORONTO • LONDON

PREFACE

Ever since the *German Reading Grammar* of Sharp and Strothmann was first published, teachers have been voicing a desire for a book constructed along the same lines which could be completed in one semester. The present book has been written to satisfy that desire; and acknowledgment is hereby made to Stanley L. Sharp for his help in making the necessary arrangements with the publisher.

This *Shorter German Reading Grammar*, as we have called it, quite frankly attempts to be what it is called: a reading grammar. And that for the following reasons:

The great majority of our students learn German in order to read it. But the syntactical patterns of written German, particularly scientific German, differ widely from those of conversational style. The claim that anybody who can talk German can also read German is therefore obviously unjustified. We should like to see the student, trained exclusively by an oral method, who is capable of disentangling or even understanding the sentence „Als die Mathematik das Dreikörperproblem nicht lösen konnte, wurde solange gesucht, bis ein anderer das Verlangte leistender Weg gefunden war." Syntactical patterns like the above simply do not occur in conversation, but they are quite normal in writing and not even difficult for the properly trained student.

Furthermore, while a good teacher can use any book (including this one) and any material to get a conversation going, even the best teacher cannot teach students how to read unless he has a text prepared with that end in view. Clearly, such a text must contain an abundance of those syntactical patterns which the student has to know in order to read even the shortest magazine article.

The texts in our book have been selected with this point of view in mind. They furnish, just like all other texts of comparable interest, material for conversation; but they are primarily de-

iii

signed to acquaint the student with the common patterns of written German.

The early introduction of modals, relatives, anticipative pronouns,—in fact, the entire sequence in which we introduce grammatical material,—springs from our desire to lead the student as early as possible to syntactical maturity.

Obviously, not as much can be done in one semester as in a whole year, and certain reductions and omissions are therefore necessary for a shorter reading grammar. This reduction was achieved in the main by cutting down the vocabulary and limiting the number of reading texts to thirteen. As a result, it should be possible, by stressing the essentials in each lesson, to finish the book in one semester.

We should like to call attention to the following features of this grammar:

Vocabulary. The "vocabulary burden" consists of less than 600 word stems. All but 20 of these were taken from the first thousand words of the Minimum Standard German Vocabulary, and these 600 words embrace all the first 350 words in the *German Frequency Word Book* which are included among the starred words in the MSGV.

Grammar. The fundamentals of German grammar remain constant, and the student who wishes to read German must know them. But a beginning grammar can dispense with some of the matter traditionally placed in it. Thus, we have dropped the complex and unrewarding classification of noun genders and noun plurals; we have abandoned the future perfect tense in both indicative and subjunctive; and we have simplified the discussion of the modal auxiliaries, the passive voice, and the subjunctive mood.

However, we have not attempted to achieve simplification at the expense of clarity. Grammatical rules, when presented with too much "brevity" and "precision," generally force the teacher to waste a great deal of time explaining what these rules actually mean. We have therefore tried to make our descriptions sufficiently detailed to be really helpful. Analogies or contrasts with

English usage have been stressed, and should help the student to grasp the "queer" phenomena in German grammar.

The Principle of Repetition. All of the words introduced in Lessons I–VII are used in at least four different lessons, most of them occurring ten times or more. The words introduced in Lessons IX–XIII occur in as many additional lessons as was technically possible. Our reason for stressing repetition, however, is not only that of drill. It is our conviction that it is a mistake to let even the beginner believe that each German word corresponds to just one English word or concept. We want him to get acquainted with the fact that all words have a range of meaning, which can be understood but not adequately described by means of the basic vocabulary entry.

Word Formation. Since word-building as a principle is even more active in German than in English, we believe it to be the function of even a beginning grammar to acquaint the student with the most frequently used suffixes and prefixes, as well as with the common practice of forming new words by putting two or more stems together. Our Word-Building Exercises should be done in class under the guidance of the teacher, and they can and should be handled rapidly, without devoting too much time to individual formations.

Texts. The texts in this book are not easy. The teacher should not expect the student to "prepare" the translation by himself for the next day. Instead, we recommend, at least for the first half of the book, that the teacher read the text aloud and explain it to the class. Then it should be the student's task, after he has understood the text, to read it aloud so often that he almost knows it by heart. Only by following this method, we believe, is it possible to actually achieve a reading mastery of German.

Tests. The two tests following the review exercises after Lesson VIII, and the final test on page 188, are provided for the convenience of the teacher and as a self-help exercise for the student. To this end, it is suggested that the material be reproduced locally by mimeograph or other expedient means.

One last word. We do not expect any teacher to use in a single semester *all* the material contained in this book, with the exception of the B texts, the Vocabularies, and the Grammar, which we consider essential. The other matter has been made so abundant as to allow the individual teacher a variety of classroom procedures in accordance with his particular preferences. After all, every experienced teacher has a method of his own. And we should be the last ones to suggest that he abandon it in favor of ours.

B. Q. M.

F. W. S.

CONTENTS

ᐁᐧ

SHORTER GERMAN
READING GRAMMAR

INTRODUCTORY MATTER

THE GERMAN ALPHABET

German employs two types of printed characters, one derived from Latin and called *Antiqua*, the other resembling Old English and called *Fraktur*. They are given below.

Antiqua		Fraktur		Antiqua		Fraktur	
A	a	𝔄	𝔞	N	n	𝔑	𝔫
B	b	𝔅	𝔟	O	o	𝔒	𝔬
C	c	ℭ	𝔠	P	p	𝔓	𝔭
D	d	𝔇	𝔡	Q	q	𝔔	𝔮
E	e	𝔈	𝔢	R	r	𝔑	𝔯
F	f	𝔉	𝔣	S	s	𝔖	ſ s
G	g	𝔊	𝔤	T	t	𝔗	𝔱
H	h	𝔥	𝔥	U	u	𝔘	𝔲
I	i	𝔍	𝔦	V	v	𝔙	𝔳
J	j	𝔍	𝔧	W	w	𝔚	𝔴
K	k	𝔎	𝔨	X	x	𝔛	𝔵
L	l	𝔏	𝔩	Y	y	𝔜	𝔶
M	m	𝔐	𝔪	Z	z	𝔷	𝔷

In addition to the above, German has the so-called "*Umlaute*" (modified vowels): 𝔄 ä, 𝔒 ö, 𝔘 ü, and the diphthong 𝔄u, äu. German printers also use the combined letters ch, ck, tz, and the special digraph ß.

The German names of the letters should be given by the instructor and learned by imitation; German letters should never be given English names.

ACCENT

Simple (that is, uncompounded) German words regularly accent the stem syllable, which is usually the first one: ſchreiben. Compound nouns accent the first component: Schreibfeder, Landhaus. For the accenting of prefixes, see § 50, p. 69; beſchreiben, anſagen. Foreign words regularly retain the foreign accent.

3

QUANTITY

Unaccented syllables and words are regularly short.

Accented vowels are long when doubled (aa, ee, oo), when followed by ḥ in the same syllable (neḥ=men, iḥm), and usually when followed by a single consonant (leben, Gabe). The vowel spelled ie is always long: die, Tier, lieb. If a verb has a long vowel in the infinitive, the vowel remains long throughout the conjugation: leben, lebſt, lebt.

ORTHOGRAPHY

Nouns and words used as nouns are capitalized: der Mann, *the man*; die Alten, *the old (ones)*; etwas Gutes, *something good.*

The pronouns and possessives of polite address are capitalized: Sie, *you*; Ihr, *your.* The first person pronoun ich is not capitalized.

Geographical adjectives are not capitalized: das deutſche Land, *the German land.* But das Deutſche Reich, *the German Republic,* uses a capital because Deutſches Reich is a proper noun.

ſſ is used only between vowels when the preceding vowel is short: faſſen, Waſſer. Elsewhere it is written ß: at the end of a word or syllable: Fluß, *river*; before a consonant: mußte; after a long vowel: Straße, *street.* In default of German type or script, *ss* should be written, not *sz.* The symbol s, instead of ſ, is used at the end of words and at the end of the first part of compounds and derivatives. This s, called "round s," is always voiceless: das Haus, *the house*; Weisheit, *wisdom.*

Note the use of spaced type (Sperrdruck) to indicate emphasis.

SYLLABICATION

In separating words at the end of a line, a single consonant goes with the following vowel: le=ben, ſe=hen. Of two or more consonants, the last goes with the following vowel: Er=de, ſin=gen. But ſch, ch, ſt, and ß are not divided: wa=ſchen, ma=chen, ra=ſten, Fü=ße; ck is divided as k=k: bek=ken (= decken).

PUNCTUATION

The comma is used to set off all dependent clauses, whether introduced by a conjunction, a relative, or an interrogative word. It is not used to set off adverbs in the middle of the sentence. It is only used before und and oder when these connect complete sentences.

The colon is always used before a direct quotation.

COGNATES

German and English are both Germanic languages and have many roots in common, called cognates. The recognition of these is made difficult by differences in the external forms of the two languages, and still further by changes of meaning in identical roots. Yet the reader can gain much aid from the presence of cognates by knowing what form a given consonant is likely to take in English, as shown in the following examples:*

b=: Bart, *beard*; =b=: heben, *heave*; =b: ab, *off*.

=ch=: machen, *make*; =ch: Licht, *light*.

d=: dies, *this*; doppelt, *double*; =d=: Boden, *bottom*; Bruder, *brother*; =d: Tod, *death*; Hand, *hand*.

f=: frei, *free*; =f=: Hafen, *haven*; hoffen, *hope*; =f: Schaf, *sheep*; Schiff, *ship, skiff*.

g=: gut, *good*; =g=: Wagen, *wagon*; Bogen, *bow*; sagen, *say*; Morgen, *morrow*; =g: Tag, *day*; Bug, *bow*.

h=: haben, *have*.

j=: ja, *yes*.

k=: kleiden, *clothe*; Kinn, *chin*; =k: Brücke, *bridge*; stecken, *stick*.

l=, =l=, =l: lieben, *love*; fallen, *fall*; Ball, *ball*.

m=, =m=, =m: Mond, *moon*; schwimmen, *swim*; Baum, *beam*.

n=, =n=, =n: nein, *no*; kennen, *ken*; Mann, *man*.

=nk=, =ng=: sinken, *sink*; singen, *sing*.

p=: paar, *pair*; pf=: Pfennig, *penny*; =pf=: Apfel, *apple*.

r=, =r=, =r: reich, *rich*; irren, *err*; Haar, *hair*.

---

*b= means initial b; =b= means medial b; =b means final b; etc.

ſ=: Sonne, *sun*; =ſ=: Roſe, *rose*; =ſſ=: Waſſer, *water*; =ß: Glas, *glass*.

ſch=: ſchießen, *shoot*; ſchlafen, *sleep*; ſchrauben, *screw*; =ſch: waſchen, *wash*.

t=: Tod, *death*; treten, *tread*; =t=: Vater, *father*; =tt=: Butter, *butter*; Mutter, *mother*; =t: tot, *dead*.

v=: Volf, *folk*.

w=: wer, *who*.

z=: zahm, *tame*; =tz=: ſitzen, *sit*; =tz: Sitz, *seat*.

PRONUNCIATION

The following descriptions are intended as supplements to, not substitutes for, classroom demonstrations and drills. These descriptions are based on the standard pronunciation prescribed for German theaters and listed in phonetic notation in Viëtor's *Deutsches Aussprachewörterbuch*.

Vowels and Diphthongs

THE SIMPLE VOWELS

Note that whereas British and Americans tend to slur the long vowels, Continental speakers do not do so. Be especially careful with e and o in this respect.

Long a resembles the *a* in *father*: Vater, Haar, Jahr.

Short a resembles the *a* in *artistic*: dann, halten.

Long e resembles the (unslurred) *a* in *hate*: mehr, geben, Seele.

Long ä resembles the *ai* in *fair*: ſpät, zählen.

Short (accented) e resembles the *e* in *end*: Bett, Ende, kennen.

Short ä is pronounced like short e: fällt (cf. Feld), Hände (cf. Ende).

Unaccented e resembles the final *a* in *Julia*: beginnen, Frage, findet.

Long i resembles the *i* in *machine*: viel, ihm, lieben. (The vowel i is never doubled; ie or ih is often used to indicate length.)

Short i resembles the *i* in *bit*: mit, bitten, beſtimmt.

Long o resembles the (unslurred) *o* in *hope*: ſo, oder, wohnen.

Short o resembles the *o* in *forty*: oft, hoffen, gewollt.

Long u resembles the *u* in *June*: tun, rufen, Natur.

Short u resembles the *u* in *pull*: jung, Butter, geſund.

THE ROUNDED VOWELS

Unlike English, German has some vowels which combine a forward position of the tongue with rounded lips. (In our American speech all rounded vowels are back vowels.) These are called modified or umlaut vowels; in spelling, we read "umlaut o," "umlaut u," etc.

To pronounce long ü correctly, first say *bee*, then round the lips and say the same word again with rounded lips.

To pronounce short ü, follow the same procedure with *bin*.

To pronounce long ö, first say *bay*, then round the lips and repeat the word with rounded lips.

To pronounce short ö, follow the same procedure with *beck*.

In the following word pairs, the second column is obtained by pronouncing each word in the first column with lips well rounded.

Biene	Bühne	Binde	Bünde	Beete	Böte	Becken	Böcken
dienen	Dünen	missen	müssen	heben	höben	Recke	Röcke
miete	mühte	Bitte	Bütte	sehnen	Söhnen	kennen	können
sieden	Süden	sticken	Stücken	Räte	Röte	stecke	Stöcke

DIPHTHONGS

au resembles *ou* in *house*: auf, Haus, bauen.

ei and ai resemble the *ei* in *height*: Mai, mein, allein, Kaiser.

eu and äu resemble the *oi* in *noise*: heute, Häuser, Leute, Geläute

CONSONANTS

Terms. A *stop* occurs when the breath is momentarily stopped, as in *p, t, k.*

A *fricative* occurs when the breath is impeded by a narrowed opening, as in *f, s, sh.*

A *nasal* occurs when the breath has to escape through the nose, as in *m, n, ng.*

Stops and fricatives may be *unvoiced*, as in *p, t, k; f, s, sh;* or *voiced*, as in *b, d, g; v, z, zh.* All final consonants in German are unvoiced.

The liquids l and r are normally voiced, but with a minimum of friction sound. Nasals are always voiced.

b before or between vowels is a voiced stop, as in English: bei, geben. Final b is a voiceless stop like English *p*: ab.

c (except in ch) is normally like English *k*.

ch after a, o, u, and au is a voiceless velar fricative; in all other cases it is a voiceless palatal fricative. (In words of foreign origin like Chrift it may sound like *k*.)

To learn the palatal sound the following procedure is suggested: Whisper *hue* loudly, and strengthen the rubbing sound that will result; prefix (German) i to it, still whispering; then pronounce without the final *u*-sound. The result will be ich. Now prefix the labial consonants to ich, then the others, as desired; then add consonants and syllables to make such forms as dichte, nichte, lichte, etc.

To learn the velar sound the following procedure is suggested, after the palatal fricative has been learned: Throw the head back, open the mouth wide, and say *ah*. Then bring tongue and soft palate (velum) close enough together to make a rubbing sound after the *ah*. Combine with prefixed and suffixed consonants as in the case of ich; bring in the other back vowels.

chs occurs in some words as part of the stem; it is then pronounced like *x*: fechs, wachfen.

d before or between vowels is a voiced stop, as in English: denken, oder. Final d is a voiceless stop like English *t*: und, Feld.

f is a voiceless labiodental fricative, as in English: frei, fchlafen, Schiff.

g before or between vowels is a voiced stop like English g in *go*: gut, legen. Final g is normally a voiceless stop like English *k*: weg. The suffix ₌ig, however, is pronounced like ich: eifig, König. In the combination ₌ng it is silent: lang, fingen.

h is pronounced only before a vowel in a stem syllable: Herr, Hausherr. Elsewhere it is silent and serves usually as a sign of length: nah, mehr, fahren, gehen.

j is like English *y* in *yes*: ja, Jahr, bejahrt.

ꞙ is like English *k*: fein, faufen. Medially and finally it usually appears as ď: Blick, blicken. Note fn in Knabe.

l is like English *l* before a vowel, the tip of the tongue touching the back of the upper teeth: lieben, fallen, Ball. Never use in German the English *l* spoken in *all*.

m is the bilabial nasal, as in English: man, kommen, kam.

n is the dental nasal, as in English: nein, nennen. Before g and f, n is the velar nasal, as in English, and has the sound of -*ng* in *sing*: Ding, Dank, fingen, finken.

p is the voiceless bilabial stop, as in English: Paar, Suppe. Note pf in Apfel, Pferd, Knopf.

q is phonetically the same as f but occurs only with u; qu is like English *kv*: quer, Quelle.

r has two main values. The tongue-tip r (often trilled) is used before a vowel: rot, reden, Herren. This is very similar to English initial *r*. The velar, or uvular, r—which must be learned by imitation and practice—is regularly used after a vowel, and may be most easily identified in final ꞊er: Vater, Bruder, Mutter. Never use the American apical *r* (with curled, or retracted, tongue) in German words.

ſ when used singly before a vowel or between vowels is a voiced fricative like English *z*: ſo, leſen. Before a consonant it is always voiceless, like English *s*: haſt, koſten. For ſp꞊ and ſt꞊ see below.

s is always voiceless: es, was, dieſes; Häuschen (from Haus); Weisheit (from weiſe).

ff is always voiceless: Waſſer, müſſen, faſſen, eſſen.

ß is always voiceless: muß, daß; mußte, faßte; Füße, Straße.

ſch is pronounced like English *sh* in *she*, but with rounded lips: Schaf, ſchlafen.

ſp and ſt in initial position are pronounced like ſchp and ſcht: ſpielen, ſpitz; ſtehen, ſtreben; Fußſpitze, Hausſtand.

t is the voiceless dental stop, as in English: Tag, bitten, tat.

tz is like English *ts* in *cats*: Katze, ſitzen.

v is regularly the voiceless labiodental fricative, like English *f*: viel, vergeſſen, Vater. In some words of foreign origin it is voiced, like English *v*: November.

ⱳ is the voiced labiodental fricative, like English *v*: ᵂie, Löwe. (German has no sound like English *w* in *win*.)

ⱹ occurs rarely, and then only in words of foreign origin; it is pronounced as in English: eⱹtra, Taⱹe.

ⱬ is like English *ts* in *flotsam*: ⱬu, ⱬwei, ⱬwiſchen. In medial and final position it appears as ⱦ: troⱦ, troⱦen.

GLOTTAL STOP

Unwritten is the glottal stop, which is caused by the closing and sudden opening of the vocal bands before every initial accented vowel. It can best be heard in a compound in which the second element begins with an accented vowel: Verein', erin'nern. (Cf. *Hawai'i*, in which the glottal stop is clearly heard.)

EXERCISES IN PRONUNCIATION*

Practice the *rounded vowels* by making the sequence long i, long e, short i, short e, and then repeating the sequence with rounded lips. Now pronounce the following words from left to right, observing that the vowel changes are those of the sequence just established.

Güte	Goethe	Stücke	Stöcke
Tüte	töte	bücke	Böcke
Hüh	Höh	füllig	völlig
führe	Föhre	Hülle	Hölle
rühren	Röhren	Müller	Möller
Sühne	Söhne	pflücken	Pflöcken

THE PALATAL FRICATIVE

ich, mich, nicht, Nichte, nichts
echt, recht, Rechte, rechts
echt, ächzen, ächzte, krächzen, krächzte
ich, =ichen, =chen, Mädchen, Hündchen, Häuschen, Bißchen, Gärtchen

---

*The instructor serving as demonstrator.

THE VELAR FRICATIVE

ach, nach, Nacht, nachts
=och, noch, mocht, mochte, gemocht
=uch, Buch, sucht, suchte, gesucht
auch, Rauch, Brauch, brauchte, gebraucht

THE LIQUIDS l AND r

laß, lieben, alles, fallen, Ball, voll, will; rot, reden, irren, fahren, Ohren,
Butter, bitter, außer, inner

THE GLOTTAL STOP

Ehre, Unehre, verehren; ein, Verein, vereinigen, vereinigt; in, inner,
erinnern, Erinnerung

INITIAL ſp= AND ſt=

Spiel, sprechen, Sprecher, Sprache
Stein, streben, streichen, Strom

Initial kn=: Knabe, Knie, Knochen, Knopf

Initial pf=: Pfennig, Pferd, Pflanze, Pflicht

Initial zw=: zwei, Zweifel, Zweig, zwingen, zwischen, zwölf

TONGUE-TWISTERS AND JAWBREAKERS

griechische Geschichte
Psychoanalytische Heilmethode
Lebensversicherungsgesellschaft
Eisenbahnbetriebsmittelgemeinschaft

Ein Schüttelreim

Da klapperten die Klapperschlangen,
bis ihre Klappern schlapper klangen.

LESSON I*

ᖚ

VOCABULARY

aber but
acht *eight*
alles *all*, everything
an at; to; of
auch also
behaupten to maintain
denken (an) to *think* (of)
Deutſch *German*
ein *a, one*
gerade just; exactly; straight
das† Haar the *hair*
haben to *have*
haſſen to *hate*
heißen to be named
der Herr the gentleman
   Herr Mr.
ja yes
kein no, not a
das Kind the child
der Lehrer the teacher
leider unfortunately
lernen to learn
leuchten to shine, *light*
lieben to love
machen to *make*; do
meinen to *mean*; think; say
neben beside
nein (*interj.*) *no*
neun *nine*
nicht *not*
nichts nothing, *nought*
ſagen to *say*

ſchlafen (ä) to *sleep*
ſehr very
ſein to be
ſitzen to *sit*
der Sohn the *son*
tun to *do*
die Uhr the clock
um around; at
der Vater the *father*
viel much
wer, was *who, what*
wie how; as
zu *to; too*

PERSONAL PRONOUNS
(§ 13)

ich *I*
du you (*thou*)
er, ſie, es he, *she, it*
wir *we*
ihr you (*ye*)
ſie they
Sie you

POSSESSIVE ADJECTIVES
(§ 16)

mein *my, mine*	unſer *our*
dein your (*thine*)	euer *your*
ſein his, its	ihr their
ihr *her*	Ihr *your*

IDIOM

um acht Uhr at eight o'clock

---

*Cognates are printed in italics.
†The definite article, which shows the gender, case, and number of a noun, does not occur in the text of this lesson. It is discussed in Lesson II.

13

TEXT

Bob sitzt neben Mary. Neben Mary sitzt Bob. Liebt Bob Mary? Ja,
er liebt Mary sehr. Mary liebt Bob nicht. Haßt sie Bob? Ich liebe Mary
nicht. Mary liebe ich nicht. Nicht Mary liebe ich. Ich hasse Mary. Hassen
Sie Mary auch? Ja, auch ich hasse Mary. Ja, ich hasse Mary auch.

5   Wer ist Bob? Bob ist mein Sohn. Mein Sohn heißt Bob. Bob heißt
er. Er lernt gerade Deutsch. Er sagt nicht „ich", er sagt „if". Wer ist sein
Lehrer? Sein Lehrer heißt Meyer. Herr Meyer ist unser Lehrer. Mein
Sohn lernt nicht viel Deutsch. Er lernt nichts.

Wie heißt du, mein Kind? Ich heiße Mary. Wie heißen Sie? Wer
10 sind Sie? Wie heißen Sie, Herr Lehrer? Meyer heiße ich. Ich heiße
Gustav Meyer. Ich bin Herr Meyer.

Mary hat um acht Uhr Deutsch. Auch Mary hat um acht Uhr Deutsch.
Um acht Uhr habe ich auch Deutsch. Was haben wir um neun? Um neun
Uhr haben wir kein Deutsch; um neun haben wir Psychologie. Deutsch
15 haben wir um acht, Psychologie um neun.

Haben Sie ein Kind, Herr Meyer? Nein, ich habe leider kein Kind. Ein
Kind habe ich leider nicht. Ich habe nicht viel. Viel habe ich auch nicht.
Meyer hat alles, aber wir haben nichts.

Was denken Sie gerade? Ich denke gerade an Mary. Was macht Mary?
20 Sie lernt Deutsch; sie lernt auch Psychologie; aber ich denke, sie schläft
gerade. Ich schlafe viel, lerne aber nichts. Meinen Sie, Mary schläft? Ja,
ich behaupte, sie schläft. Bob behauptet, sie denkt an Emil.

Ist Ihr Vater blond? Mein Vater hat kein Haar. Ist ihr Vater blond?
Nein, ihr Vater hat kein Haar. Ist euer Vater blond? Ja, unser Vater ist
25 sehr blond.

Schläfst du? Nein, ich schlafe nicht.—Schlafen Sie? Nein, ich schlafe
nicht.—Schlafen Sie? Nein, wir schlafen nicht.—Schlafen sie? Nein, sie
schlafen nicht.—Schlaft ihr? Nein, wir schlafen nicht.

Marys Haar leuchtet. Es ist sehr blond.

30   Haben Sie nichts zu tun? Nein, ich habe nichts zu tun. Viel tut er auch
nicht. Sie tun sehr viel. Was tun Sie gerade? Ich lerne Deutsch.

Was, du liebst Mary? Ich hasse sie.—Warum (Why) haßt du sie? Sie
ist intelligent, sie ist schön, und sie ist blond.—Das ist es gerade! Sie ist
zu intelligent!—Du denkst zu viel an sie. Ich behaupte, du liebst sie.—
35 Ja, das denkst du!

G R A M M A R

1. The Personal Pronouns. German has three ways of expressing English *you*. The forms bu (singular) and ifr (plural) correspond to the archaic English *thou* and *ye*. They are used, today, only in prayer and in addressing members of the family, intimate friends, young children, and animals. They should therefore be avoided in the classroom. The so-called "polite form" Sie is used in addressing either one or several adults. It is always capitalized and always takes the same ending as the third person plural, sie.

Among adults the intimate forms bu and ifr can be used only when the person addressed is called by his or her first name. The polite form Sie is used only when the person addressed is called by his or her last name. Thus, Maria, wo (*where*) bist bu? and Frau Meyer, wo sind Sie? are right. But Frau Meyer, wo bist bu? is wrong, and Maria, wo sind Sie? suggests frequently that Maria is a maid or of inferior social position.

2. The Possessive Adjectives. Since bein corresponds to bu and euer to ifr, both bein and euer should be avoided in the classroom. The possessive Ihr corresponds to the polite form Sie of the personal pronoun and is therefore both singular and plural.

3. The Infinitive. As can be seen from the English sentences *It is good to love, It is good to be loved, It is good to have loved,* and *It is good to have been loved,* most verbs have really four infinitives. *To love* is the present active infinitive and is generally just called "infinitive" and used as a vocabulary entry. This (present active) infinitive of almost all German verbs ends in =en; only a few—for example, sein and tun—end in =n.

4. The Stem of a Verb. The stem of a verb is found by dropping the =en or =n of the infinitive: thus, the stem of lieben is lieb=, and the stem of tun is tu=.

5. The Present Tense. *a. Regular Form.* The present tense is formed by adding to the stem the personal endings =e, =st, =t, =en, =t, =en. Thus, thousands of German verbs are conjugated in the present as follows:

SINGULAR		PLURAL	
ich liebe	I love	wir lieben	we love
Sie lieben	you love	Sie lieben	you love
du liebst*	you love	ihr liebt	you love
er	he	sie lieben	they love
sie liebt	she loves		
es	it		
ich sage	I say	wir sagen	we say
Sie sagen	you say	Sie sagen	you say
du sagst	you say	ihr sagt	you say
er	he	sie sagen	they say
sie sagt	she says		
es	it		

b. Variation One: Connecting e. The endings =ft and =t must be clearly audible to the listener. Hence =ft becomes =eft and =t becomes =et if the stem of a verb ends in =d or =t. Thus, behaupten is conjugated as follows:

SINGULAR	PLURAL
ich behaupte	wir behaupten
Sie behaupten	Sie behaupten
du behauptest	ihr behauptet
er behauptet	sie behaupten

c. Variation Two: =t *in the Second Singular.* If the stem of a verb ends in an *s*-like sound (f, ff, ß, fch, tz, x, z), the ending of the du-form is =t, not =ft. Hence in these verbs the du=form and the er=form are alike.

ich hasse	ich heiße	ich sitze
Sie hassen	Sie heißen	Sie sitzen
du haßt	du heißt	du sitzt
er haßt	er heißt	er sitzt

---

*Since only the Sie-form is proper in the classroom, we suggest that the student memorize the forms in bold type; teachers who prefer to retain the older style of paradigm can easily do so.

d. Variation Three: Vowel Change. In the English verb *to do* there is a vowel change from the first person singular, *I do*, to the third person singular, *he does*. Many German verbs show a vowel change not only in the er-form, but also in the bu-form. The plural of such verbs is free from vowel change. Vowel changes are indicated in the lesson vocabularies by printing the changed vowel in parentheses after the infinitive: ſchlafen (ä) to *sleep*.

SINGULAR	PLURAL
ich ſchlafe	wir ſchlafen
Sie ſchlafen	Sie ſchlafen
bu ſchläfſt	ihr ſchlaft
er ſchläft	ſie ſchlafen

e. Variation Four: -n instead of -en. When the infinitive of a verb ends in -n, the wir-form, the ſie-form, and the Sie-form, which are always spelled like the infinitive, also end in -n, not -en.

SINGULAR	PLURAL
ich tue	wir tun
Sie tun	Sie tun
bu tuſt	ihr tut
er tut	ſie tun

6. Haben, ſein. The three most frequently used German verbs are haben (*to have*), ſein (*to be*), and werden (*to become*). They are irregular. In the present tense haben and ſein are conjugated as follows:

SINGULAR		PLURAL	
ich habe	I have	wir haben	we have
Sie haben / bu haſt	you have	Sie haben / ihr habt	you have
er hat	he has	ſie haben	they have
ich bin	I am	wir ſind	we are
Sie ſind / bu biſt	you are	Sie ſind / ihr ſeib	you are
er iſt	he is	ſie ſind	they are

7. Verb-Second Position. In declarative sentences the in-flected verb, that is, the verb with the personal ending, is the second element of the sentence. The first element must be one single psychological unit. It may consist of one word, a phrase, or even an entire clause; but it always represents the answer to just one of such questions as: Who did it? Why? When? Where? and so forth. Adverbs and objects in initial position acquire a special emphasis. As a rule, the subject is either the first or the third element of the declarative sentence; that is, it must either precede or follow the inflected verb. Examples:

> Ich habe um acht Uhr Deutsch.
> I have German at eight.

> Deutsch habe ich um acht Uhr.
> (It is) German I have at eight.

> Um acht Uhr habe ich Deutsch.
> At eight I have German.

> Mein Sohn lernt nichts, behaupte ich.
> My son is learning nothing, I maintain.

8. Questions. In German as in English there are three ways of asking a question. First, by sentence intonation one can change any statement into a question: Sie haben um acht Uhr Deutsch? (*You have German at eight o'clock?*) Second, a question may begin with one of the interrogatives Was (*What*), Wer (*Who*), Wie (*How*), and so forth. Third, questions which permit only the answer *yes* or *no* begin with the inflected verb: Liebt Bob Mary? (*Does Bob love Mary?*)

NOTE. Observe that German does not, in simple tense forms, employ any auxiliary verb in asking a question.

9. English Progressive and Emphatic Forms. German has neither progressive nor emphatic forms of the verb. Hence, ich lerne can mean *I learn*, *I am learning*, and *I do learn*. Only the context shows which is the correct translation.

EXERCISES

I

Conjugate in the present tense all the verbs listed in the vocabulary.

II

Drill. Use the scheme on this and the following page as a basis for the formulation of simple questions and answers·

Was lerne	ich?	Ich	lerne	alles.
Was lernt	Bob? Emil? Mary? Meyer?	Er Sie	lernt	viel. sehr viel. Deutsch.
Was lernen	wir? Sie?	Wir Sie	lernen	Psychologie.
Wie heißen	Sie?	Ich heiße_ _ _ _ _ _ _ _ _ _ _ _ _ _ _ _ _ _ _ _.		
Wie heißt	er? sie? der Lehrer? der Vater? der Sohn? der Herr? das Kind?	Er Sie Es	heißt _ _ _ _ _ _ _ _ _ _ _ _ _ _·.	
Was	denkt _ _ _ _ _ _ _ _ _? sagt _ _ _ _ _ _ _ _ _? meint _ _ _ _ _ _ _ _ _? behauptet _ _ _ _ _ _ _ _?	Er Sie	denkt, _ _ _ _ _ _ _ _ _ _ _ _. sagt, _ _ _ _ _ _ _ _ _ _ _. meint, _ _ _ _ _ _ _ _ _ _ _. behauptet, _ _ _ _ _ _ _ _	
Was	macht tut	er? sie? der Lehrer?	Er Sie Der Lehrer	denkt lernt behauptet	alles. nichts. viel. sehr viel.

Liebt _ _ _ _ _ _ _ _ _ _ _ _ _ _ _ _ _ _ ?				Ja, _ _ _ _ _ liebt _ _ _ _ _ _ _ _ _ _ _ . Nein, _ _ _ _ _ liebt _ _ _ _ _ _ _ _ nicht.				
Haßt _ _ _ _ _ _ _ _ _ _ _ _ _ _ _ ?				Ja, _ _ _ _ _ haßt _ _ _ _ _ _ _ _ _ _ . Nein, _ _ _ _ _ haßt _ _ _ _ _ _ _ nicht.				
Was hat	er sie Vater	zu	tun? machen? sagen? behaupten? lernen?	Er Sie	hat	alles viel nichts	zu	tun. machen. sagen. behaupten. lernen.
Wer	sitzt neben _ _ _ _ _ ? schläft (gerade)? denkt viel? lernt Deutsch? liebt Deutsch? tut viel (nichts)?			Er Sie	sitzt neben Mary. schläft (gerade). denkt viel. lernt Deutsch. liebt Deutsch. tut viel (nichts).			

LESSON II

༄

VOCABULARY

alt *old*

aus (*prep.*) *out* of

außer (*prep.*) *out*side (of), besides

bei (*prep.*) *by*, at; with

bis (*prep. or conj.*) to, until

doch yet, still; after all

durch (*prep.*) *through*

die Frau the woman; wife

Frau Mrs.

für (*prep.*) *for*

gegen (*prep.*) *against*

genug *enough*

halten (ä) to hold; think (of)

die Hose the trousers, (*hose*)

in (*prep.*) *in*; into

lang(e)* *long*

laut *loud*

der Mensch the human being; *man*

mit (*prep.*) with

der Morgen the *morning*

morgen t*omorrow*

die Mutter the *mother*

nach (*prep.*) after; toward; according to

die Nacht the *night*

nehmen (nimmt) to take (from)

oder *or*

ohne (*prep.*) *without*

der Rock the coat; skirt

die Seele the *soul*

seit (*prep.*) *since*

und *and*

der Verstand the intelligence, sense

von (*prep.*) *from*; of

wach *awake*

wider (*prep.*) against (*cf. withstand*)

wieder again

zeigen to show

IDIOMS

denken an to think of, be mindful of

denken von | to think of, have an

halten von | opinion about

TEXT

Schlafen Sie, oder sind Sie wach? Wie lange schläft er? Er schläft zu lange. Er schläft mir viel zu lange! Du schläfst mir viel zu lange, mein Kind. Morgen schläfst du nicht wieder bis neun Uhr. Bis neun Uhr schläfst du morgen nicht wieder.

Was denken Sie von Meyer? Ich halte nicht viel von Meyer. Von 5 Meyer halte ich nicht viel. Viel halte ich von Meyer nicht. Ich halte nichts

---

*The -e is an optional variant, not a special ending; so we can say, Er sitzt lang or Er sitzt lange.

von ihm. Nichts halte ich von ihm. Von ihm halte ich nichts. Hm, und er hält nicht viel von Ihnen. Von Ihnen hält er auch nicht viel.

Meyer, sage ich Ihnen, ist kein Mensch. Der Mensch hat einen Verstand; und Meyer hat keinen Verstand. Nein, einen Verstand hat er nicht.—Mary,
5 sagen Sie, hat auch keinen Verstand? Mary hat eine Seele.

Lieben Sie Bob? Nein, ich liebe Bob nicht. Nein, ich liebe ihn nicht. Nein, ihn liebe ich nicht. Er ist mir zu alt. Ja, er ist zu alt für Sie.

Du bist sehr laut, mein Kind. Du bist mir zu laut. Deinem Vater bist du auch zu laut. Vater, Mutter sagt, ich bin dir zu laut. Nein, mein
10 Kind, mir bist du nicht zu laut. Aber deiner Mutter bist du zu laut.— Sind wir euch zu laut? Nein, ihr seid uns nicht zu laut. Uns seid ihr nicht zu laut.

Ist Mary intelligent? Mir ist sie intelligent genug.—Ja, für dich ist sie intelligent genug.—Ist Bob intelligent? Für Mary ist er viel zu in=
15 telligent. Für sie ist er viel zu intelligent.

Was haben Sie gegen Mary? Was haben Sie gegen sie? Sie tut Ihnen doch nichts.—Ich habe nichts gegen Mary. Ich habe nichts gegen sie. Gegen sie habe ich nichts. Gegen Bob habe ich auch nichts. Gegen ihn habe ich auch nichts. Auch gegen ihn habe ich nichts.—Was habt ihr gegen uns? Wir
20 tun euch doch nichts.—Wir haben nichts gegen euch. Gegen euch haben wir nichts.

Außer dir liebt sie kein Mensch. Und außer ihr liebt dich kein Mensch. Dich liebt kein Mensch außer ihr.

Meine Mutter macht mir eine Hose aus Vaters Rock.—Aus was macht
25 sie dir eine Hose? Sie macht sie mir aus Vaters Rock.

Ich schlafe morgen bis acht Uhr. Wir schlafen eine Nacht in Berlin und eine Nacht in Hamburg.

Ich zeige ihm meinen Rock. Wir zeigen ihm das Kind. Er zeigt es mir nicht. Wir zeigen die Uhr der Mutter. Wir zeigen der Mutter die Uhr.
30 Wir zeigen meine Uhr der Mutter. Wir zeigen der Mutter meine Uhr. Der Mutter zeigen wir unsere Uhr. Wir zeigen sie unserer Mutter. Wir zeigen sie ihr. Ihr zeigen wir sie nicht. Unserer Mutter zeigen wir sie nicht.

Sie nimmt ihm seine Uhr. Ihm nehme ich seine Uhr. Ich nehme sie ihm.
35 Ich sitze bei meinem Vater. Ich sitze bei ihm. Er sitzt bei mir.

Ich zeige mich nicht mit Bob. Ich zeige mich nicht mit ihm. Mit ihm zeige ich mich nicht.

GRAMMAR

10. Gender of Nouns. In English one can refer to the sun or the moon as *she*, *he*, or *it*. In German, the gender of all nouns is fixed by the article and does not vary. Moreover, except when gender agrees with sex, as it generally does in the case of living beings, one can give no reason why, for instance, Tiſch (*table*) should be masculine, Bank (*bench*) feminine, and Pult (*desk*) neuter. The student should therefore not try to rationalize about gender.

The nominative singular of the definite article shows the gender of its noun: der is the masculine, die the feminine, das the neuter form. Examples: der Vater, die Mutter, das Kind.

11. Agreement. The personal pronoun of the third person (together with the corresponding possessives) must agree in gender and number with the noun to which it refers. Hence English *it* may be er, ſie, or es in the nominative (see § 17, p. 25), or ihn, ſie, or es in the accusative (see § 22, p. 26). Examples:

> Er (*that is*, der Rock) iſt blau. It is blue.
> Ich habe ſie (*that is*, die Uhr). I have it.

12. Cases. Most of the syntactical relations between nouns (and pronouns) and other sentence elements, especially verbs, are indicated by the so-called "cases." English expresses case partly by form (cf. *I love him, He loves me, Him I love*), but mostly by position (cf. *The boy loves the dog, The dog loves the boy*). In German, case is expressed as a rule by form only. We distinguish in German four cases: nominative, genitive, dative, accusative.

13. Declension of Personal Pronouns. The personal pronouns no longer have a genitive. They are declined as follows:

SINGULAR

	First Person	Second Person	Third Person
Nom.	ich	du, Sie	er, ſie, es
Gen.	—	—	—
Dat.	mir	dir, Ihnen	ihm, ihr, ihm
Acc.	mich	dich, Sie	ihn, ſie, es

PLURAL

Nom.	wir	ihr, Sie	ſie
Gen.	—	—	—
Dat.	uns	euch, Jhnen	ihnen
Acc.	uns	euch, Sie	ſie

14. The Singular of the Definite Article. In the singular, the definite article is declined as follows:

	Masculine	Feminine	Neuter
Nom.	der	die	das
Gen.	des	der	des
Dat.	dem	der	dem
Acc.	den	die	das

15. The Singular of the Indefinite Article. The singular of the indefinite article, ein, and the singular of its negative, kein, are declined as follows:

	Masculine		Feminine		Neuter	
Nom.	ein	kein	eine	keine	ein	kein
Gen.	eines	keines	einer	keiner	eines	keines
Dat.	einem	keinem	einer	keiner	einem	keinem
Acc.	einen	keinen	eine	keine	ein	kein

16. Declension of kein-words. The possessive adjectives (mein, dein, ſein, unſer, euer, ihr, Jhr) are declined exactly like kein (or ein), and are therefore called kein-words. Examples:

	Masculine	Feminine	Neuter
Nom.	mein	meine	mein
Gen.	meines	meiner	meines
Dat.	meinem	meiner	meinem
Acc.	meinen	meine	mein
Nom.	unſer	unſere	unſer
Gen.	unſeres	unſerer	unſeres
Dat.	unſerem	unſerer	unſerem
Acc.	unſeren	unſere	unſer

17. The Nominative. The nominative is always used for vocabulary entries. In the sentence it is used for the subject of a verb, for the predicate after the verbs fein, werden (*to become*), heißen, and a few others.

18. The Genitive. The genitive is used to denote possession. The English genitive of *mother* (and all other nouns) assumes two forms: *the mother's* (the so-called "possessive case") and *of the mother* (a prepositional phrase). In German, the one form der Mutter is equivalent to both English forms; thus, we have

das Kind der Mutter	the child of the mother
der Mutter Kind	the mother's child

Note that in both English and German the genitive, when placed before a noun, replaces the definite article of that noun.

Proper names form the genitive by adding s: Amerikas Reichtum (*America's wealth*). Personal names, regardless of sex, are treated similarly: Marys Haar (*Mary's hair*), Mutters Deutsch (*Mother's German*).*

19. The Dative. The German dative might be called the "giving-and-taking case," for it is used

a. In connection with verbs of giving to designate the person (or thing) to whom (or which) something is given, offered, explained, shown, etc. Whereas English expresses this idea either by the preposition *to* (*He gave the book to me*) or by position (*He gave me the book, He gave the child a ball*), German expresses it only by form. Thus:

Er zeigt mir das Kind.	He shows me the child.
Das Kind zeigt er mir.	He shows the child to me.
Mir zeigt er das Kind.	

b. In connection with verbs of taking (*to take, steal, withdraw,* etc.) to indicate the person (or thing) from whom (or which)

---

*Both Mutter and Vater are often treated like proper names, as in this case.

something is taken. English expresses this idea mostly by the
preposition *from*. Examples:

> Er nimmt mir mein Kind. ⎫
> Mein Kind nimmt er mir. ⎬ He takes my child from me.
> Mir nimmt er mein Kind. ⎭

20. Prepositions with the Dative. The following prepositions always govern the dative:

aus	bei	nach	von
außer	mit	seit	zu

Do not memorize the series just given, but instead learn by
heart the following combinations:

aus mir	von mir
außer mir	zu mir
bei mir	seitdem (*since then*; literally, *since that,*
mit mir	that is, *since that time*; dem =
nach mir	dative of das)

21. The Dative with Adjectives. When used in connection with
adjectives, the dative gives any statement a subjective flavor.
Thus:

> Sie ist mir zu alt. (I think) she is too old for me.
> Sie ist zu alt für mich. (It is a fact that) she is too old for me.
> Das ist mir recht. It is all right with me.
> Das ist mir interessant. I find that interesting.

22. The Accusative. The accusative is the case of the direct object of a transitive verb. Examples:

> Der Vater liebt den Sohn. ⎫
> Den Sohn liebt der Vater. ⎬ The father loves the son.

> Der Sohn liebt den Vater. ⎫
> Den Vater liebt der Sohn. ⎬ The son loves the father.

23. Prepositions with the Accusative. The following prepositions invariably govern the accusative:

durdſ	für	gegen	oḥne	um	wiber

Memorize the following phrases:

durdſ miḑ	gegen miḑ	um miḑ
für miḑ	oḥne miḑ	wiber miḑ*

24. The Accusative of Time. The accusative of a noun is used to express time in all cases in which, as in English *one night, next week, every morning,* a specific preposition is not required. Thus:

Wir ſdſlafen eine Nadſt in Berlin.

25. Order of Objects. If a verb has both a dative (indirect) and an accusative (direct) object, their sequence after a verb is governed by the principle that the less weighty precedes. Thus:

a. If both objects are nouns, the less important precedes the more important one.

b. If both objects are pronouns, the accusative precedes the dative.

c. If one object is a noun, the pronoun always precedes. Note that for the sake of emphasis either object can begin the sentence.

EXERCISES

I

Find the inflected verb in each main clause of the Text and see whether it is always the second element in its clause. Determine also whether in each case the subject either precedes or follows the verb immediately.

II

Conjugate in the present tense: ḥalten, neḥmen, zeigen. Review the present tense of ſein, ḥaben, beḥaupten, ḥaſſen, ḥeißen, leudſten, ſdſlafen, ſißen, tun.

---

*We have intentionally omitted bis, which is almost never used by itself, but only in combination with other prepositions: bis an, bis auf, etc.

III

Use the correct possessive in each of the following sentences:

I love my	
He loves his	father.
She loves her	mother.
We love our	child.
They love their	
You love your	

IV

Translate into German: 1. With him I have nothing to do. 2. Is she thinking of (an + *acc.*) me or of you? 3. We have German at eight o'clock. 4. I love my father and my mother. 5. Bob says, "I am no child and Emil also is no child." 6. I maintain Mary's hair shines.

LESSON III

TEXT A*

Jeder Mensch hat zwei Augen, aber nur eine Seele.—Woher wissen Sie
das? Meyer hat nur noch ein Auge; und eine Seele hat er nicht, das weiß
ich.

Haben Sie Kinder, Frau Meyer?—Ja, ich habe neun Kinder.—Sind
Ihnen Ihre neun Kinder nicht zu viel?—Mir nicht, aber meinem Mann. 5

Ich schlafe jede Nacht neun Stunden. Dann bin ich um acht Uhr wach.—
Um acht Uhr haben wir Deutsch. Dann schlafen Sie auch, das weiß ich.

Jede Mutter liebt ihre Kinder, aber nicht jedes Kind liebt seine Mutter.
Jeder Vater liebt seine Söhne. Jeder Sohn, so behauptet die Psychologie,
haßt seinen Vater. 10

Mary, es ist neun Uhr. Wo ist Fritz?—Fritz schläft noch.—So, der
Herr Sohn schläft noch? Das ist ja interessant. Mir, deinem Mann,
sagst du, ich schlafe zu lang; aber deinem Sohn sagst du nichts. Deinen
Sohn liebst du, aber mich liebst du nicht. Habe ich nicht recht?—Ja, du
hast recht. Ihr Männer habt immer recht. Aber einen Verstand habt ihr 15
nicht.

Ich behaupte, Mary ist häßlich. Ich weiß, sie ist häßlich.—Für dich ist
sie häßlich. Für mich ist sie schön. Für dich sind alle Mädchen häßlich. Du
liebst sie nicht, und sie lieben dich nicht. Ja, sie hassen dich.—Ich weiß, ich
bin den Mädchen nicht interessant genug. Ich bin ihnen zu intelligent.—Ich 20
bin Psychologe. In meinen Augen bist du nicht intelligent, aber sehr interessant. Männer wie du sind für jeden Psychologen interessant.

Ich weiß, Sie lieben mich. Aber Sie lieben nicht nur mich. Sie lieben alle
Frauen.—Nicht jeder Mann liebt jede Frau, aber alle Männer lieben eine
Frau, und alle Frauen lieben einen Mann. 25

Ich bin Student. Aber ich studiere (study) nicht, ich lerne nichts, und
ich habe nichts zu tun.—Das ist interessant. Ich gebe Ihnen „Das
Kapital" von Karl Marx. Dann haben Sie genug zu tun.

---

*Text A is intended to activate the vocabulary and to introduce new grammati-
cal principles. The sentences are generally disconnected in thought, and somewhat
colloquial in style.

VOCABULARY

alles everything
alle *all* (*pl.*)
arm poor
auf (*prep.*) on, upon
das Auge, –n the *eye*
blau *blue*
blicken to look
  der Blick, –e the look, glance
dann *then*
denn (*conj.*) for
dieser *this*
einige (*pl.*) a few, some
das Fach, ⁓er the subject (of specialization)
folgen (*w. dat.*) to *follow*
hassen to *hate*
  häßlich (*hate*ful), ugly
das Hemd, –en the shirt
immer always
interessant'* *interesting*
jeder every
jener (*yon*), that
klar *clear*
der Knochen, — the bone
leuchten to shine
  die Leuchte, –n the (shining) *light*
das Mädchen, — the girl, (*maiden*)

mancher many a; (*pl.*) some
der Mann, ⁓er the *man*; husband
noch yet, still
nur only
recht *right*
  recht haben to be *right*
scharf *sharp*; keen
schön beautiful
schreiben (*script*), to write
so *so*, thus; (is that) *so?*
solcher *such* (a)
der Student', –en the *student*
  die Studen'tin, –en the (female) *student*
die Stunde, –n the hour; lesson
tief *deep*
tragen (ä) (*drag*); to carry
un= *un-*
weder ... noch neither ... nor
welcher *which*
die Weste, –n the *vest*
wissen to know
wo *where*
woher *where* from
das Wort, –e the *word* (in context)
das Wort, ⁓er the (single) *word*
zwei *two*

NOUNS FROM LESSONS I AND II

die Frau, –en the woman; wife
das Haar, –e the hair
die Hose, –n the trousers
das Kind, –er the child

der Lehrer, — the teacher
der Morgen, — the morning
die Mutter, ⁓ the mother
die Nacht, ⁓e the night

---

*Irregular accents will be indicated in the vocabularies. Observe, however, that German has no written accents.

der Rod, ⸚e	the coat; skirt		die Uhr, –en	the clock
die Seele, –n	the soul		der Vater, ⸚	the father
der Sohn, ⸚e	the son			

TEXT B

Siegmund Seelentief ist eine Leuchte seines Fachs. Sein Wissen leuchtet scharf und klar tief in die Seelen der Menschen. Röntgenstrahlen[1] leuchten durch Rod, Weste, Hosenträger und Hemd bis auf die Knochen und zeigen mir, was ich bin: ein Skelett.[2] Die Psychoanalyse[3] aber leuchtet durch Egoismus und Altruismus, durch Religion und Politik, durch Mutterliebe 5 und Kindesliebe bis auf das Es[4] und zeigt: Alles Hassen, alles Lieben kommt aus dem Es.

Jeden Morgen um neun leuchtet Seelentief in die Seele seiner Studenten, blickt auch in die Seele Bobs. Bob liebt diese Stunde. Das hat leider nichts mit Seelentief zu tun. Aber es hat sehr viel mit seinem Es zu tun. Denn 10 um neun sitzt Bob neben Mary. (Um acht Uhr hat er Deutsch. Dann sitzt Emil bei Mary. Und das macht die Deutschstunde für Bob nicht gerade interessant.)

Marys Haar ist blond, ihre Augen sind blau, ihr Verstand ist klar und wach. Um acht Uhr sagt sie laut: „Ich liebe dich, du liebst mich, er liebt sie, 15 und sie liebt ihn." Doch denkt sie bei diesen Worten weder an Vater noch Mutter, weder an Bob noch an Emil. Sie denkt nur an Nominativ und Akkusativ. Um neun Uhr lernt sie, was ein Ödipuskomplex ist, und schreibt: „Jeder Sohn haßt seinen Vater; jeder Vater haßt seinen Sohn." Und wieder denkt sie weder an Vater noch an Mutter. Sie denkt nur: „Woher 20 weiß Seelentief das alles? Er hat doch keinen Sohn. Die arme Frau Seelentief!"

„Eine ideale Studentin!" meint Herr Meyer, der Deutschlehrer Marys. „Viel zu objektiv und unemotional!" behauptet Herr Seelentief. „Seelentief hat recht!" denkt Bob; nur sagt er es nicht.   25

[Fortsetzung[5] folgt.]

NOTES. 1. roentgen rays, X rays.   2. skeleton.   3. psychoanalysis. 4. Freudian term, *it*, translated into English by the Latin *id*. According to Freud, the *Es*, or id, is the reservoir of psychic energy, or libido. The pleasure principle reigns supreme in it.   5. continuation, sequel.

Fragen*

1. Was ist Siegmund Seelentief? 2. Was zeigen mir die Röntgen=
strahlen? 3. Was zeigt die Psychoanalyse? 4. Was kommt aus dem Es?
5. In was leuchtet Seelentief jeden Morgen um neun? 6. Liebt Bob diese
Stunde? 7. Was hat das mit Seelentief zu tun? 8. Wo sitzt Bob um
neun? 9. Wer sitzt um acht Uhr bei Mary? 10. Wie ist Marys Haar?
11. Sind ihre Augen blau? 12. Ist ihr Verstand klar? 13. Was sagt
sie um acht? 14. Denkt sie an ihren Vater? 15. Was lernt sie um neun?
16. Hat Seelentief einen Sohn? 17. Was meint Herr Meyer? 18. Was
sagt Seelentief von Mary? 19. Was denkt Bob? 20. Sagt er es?

GRAMMAR

26. Plural of Nouns. Most English nouns form the plural by
adding -s to the singular. (Modern English, however, still retains
some exceptional plural forms of a different kind: *foot, feet; mouse,
mice; sheep, sheep; ox, oxen; child, children.*) In German only a
few modern nouns of non-German origin form a plural in =s,
especially those which end in a vowel. Examples:

Diva, Divas   Café, Cafés   Nazi, Nazis   Auto, Autos   Sofa, Sofas

German nouns regularly form the plural in four ways:

a. By adding no ending (but sometimes with umlaut).
b. By adding =e (sometimes with umlaut).
c. By adding =er (regularly with umlaut).
d. By adding =n or =en (never with umlaut).

By applying a set of rather complicated rules, one can generally
make an intelligent guess as to the plural form of a given noun;
but the exceptions are discouragingly frequent. We therefore
recommend that the student learn the nominative plural along
with the nominative singular, both of which will be given here-
after in the vocabularies.

---

*Questions. These are based on Text B, and are to be answered in German in
complete sentences.

27. Declension of Nouns. To decline almost all German nouns correctly, once the nominative singular and the nominative plural are known, the student need only remember two simple rules:

a. First-declension Rule. Masculine and neuter nouns of one syllable add ⸗es or ⸗s, those of two or more syllables add ⸗s, to form the genitive singular. (Feminine nouns remain unchanged throughout the singular. Monosyllabic masculines and neuters may add ⸗e in the dative singular.)

b. Second-declension Rule. All nouns add ⸗n to form the dative plural, unless the nominative plural already ends in ⸗n.

Note the following examples:

Vocabulary Entry

der Knochen, –	der Rock, ⸗̈e	der Mann, ⸗̈er

Declension

SINGULAR

der Knochen	der Rock	der Mann
des Knochens	des Rockes	des Mannes
dem Knochen	dem Rock(e)	dem Mann(e)
den Knochen	den Rock	den Mann

PLURAL

die Knochen	die Röcke	die Männer
der Knochen	der Röcke	der Männer
den Knochen	den Röcken	den Männern
die Knochen	die Röcke	die Männer

Vocabulary Entry

die Mutter, ⸗̈	die Nacht, ⸗̈e	die Stunde, –n

Declension

SINGULAR

die Mutter	die Nacht	die Stunde
der Mutter	der Nacht	der Stunde
der Mutter	der Nacht	der Stunde
die Mutter	die Nacht	die Stunde

PLURAL

bie Mütter	bie Nächte	bie Stunden
ber Mütter	ber Nächte	ber Stunden
ben Müttern	ben Nächten	ben Stunden
bie Mütter	bie Nächte	bie Stunden

Vocabulary Entry

bas Mädchen, —   bas Haar, ‑e   bas Kind, ‑er   bas Auge, ‑n

Declension

SINGULAR

bas Mädchen	bas Haar	bas Kind	bas Auge
bes Mädchens	bes Haares	bes Kindes	bes Auges
bem Mädchen	bem Haar(e)	bem Kind(e)	bem Auge
bas Mädchen	bas Haar	bas Kind	bas Auge

PLURAL

bie Mädchen	bie Haare	bie Kinder	bie Augen
ber Mädchen	ber Haare	ber Kinder	ber Augen
ben Mädchen	ben Haaren	ben Kindern	ben Augen
bie Mädchen	bie Haare	bie Kinder	bie Augen

28. Der-words and fein-words. *a. Der-words.* The complete declension of the definite article is as follows:

	SINGULAR			PLURAL (All Genders)
Nom.	ber	bie	bas	bie
Gen.	bes	ber	bes	ber
Dat.	bem	ber	bem	ben
Acc.	ben	bie	bas	bie

The adjectives biefer, einige (*pl.*), jeber (*pl.* alle), jener, mancher, folcher, and welcher are declined like ber and are therefore called ber-words. Examples:

SINGULAR

biefer Mann	biefe Frau	biefes Kind
biefes Mannes	biefer Frau	biefes Kindes
biefem Mann(e)	biefer Frau	biefem Kind(e)
biefen Mann	biefe Frau	biefes Kind

PLURAL

dieſe	Männer	dieſe	Frauen	dieſe	Kinder
dieſer	Männer	dieſer	Frauen	dieſer	Kinder
dieſen	Männern	dieſen	Frauen	dieſen	Kindern
dieſe	Männer	dieſe	Frauen	dieſe	Kinder

SINGULAR

jeder	Mann	jede	Frau	jedes	Kind
jedes	Mannes	jeder	Frau	jedes	Kindes
jedem	Mann(e)	jeder	Frau	jedem	Kind(e)
jeden	Mann	jede	Frau	jedes	Kind

PLURAL

alle	Männer	alle	Frauen	alle	Kinder
aller	Männer	aller	Frauen	aller	Kinder
allen	Männern	allen	Frauen	allen	Kindern
alle	Männer	alle	Frauen	alle	Kinder

b. Kein-words. The declension of the kein-words (§16, p. 24) is as follows. Observe that ein has no plural. Examples:

SINGULAR

ein	Mann	meine	Uhr	kein	Kind	unſer*	Kind
eines	Mannes	meiner	Uhr	keines	Kindes	unſeres	Kindes
einem	Mann(e)	meiner	Uhr	keinem	Kind(e)	unſerem	Kind(e)
einen	Mann	meine	Uhr	kein	Kind	unſer	Kind

PLURAL

Männer†		meine	Uhren	keine	Kinder	unſere	Kinder
Männer		meiner	Uhren	keiner	Kinder	unſerer	Kinder
Männern		meinen	Uhren	keinen	Kindern	unſeren	Kindern
Männer		meine	Uhren	keine	Kinder	unſere	Kinder

NOTE. When any kein-word is used as a pronoun (that is, without a noun), it becomes a der-word and is inflected like dieſer. Thus:

> einer meiner Röcke one of my coats
> eines dieſer Kinder one of these children
> Dies iſt mein Rock, das iſt ſeiner. This is my coat; that is his.

---

*The =er of unſer and euer belongs to the stem and is not an ending.

†In English the plural of *the girl* is *the girls*, but the plural of *a girl* is *girls*. Similarly, the plural of ein Mann is Männer.

29. Wiſſen. The verb wiſſen is irregular, and is conjugated in the present tense as follows:

ich	weiß	wir	wiſſen
Sie	wiſſen	Sie	wiſſen
du	weißt	ihr	wißt
er	weiß	ſie	wiſſen

30. Irregular Nouns. The following nouns, which have already occurred, differ somewhat in declension from the examples given above:

SINGULAR	der Menſch	der Herr
	des Menſchen	des Herrn
	dem Menſchen	dem Herrn
	den Menſchen	den Herrn
PLURAL	die Menſchen	die Herren
	der Menſchen	der Herren
	den Menſchen	den Herren
	die Menſchen	die Herren

31. Days of the Week, Months of the Year. The names of the seven days of the week (die Woche, ≈n) are masculine nouns, as follows:

(der) Sonntag	Dienstag	Freitag
Montag	Mittwoch	Sonnabend (or Samstag)
	Donnerstag	

The names of the twelve months (der Monat, ≈e) are also masculine nouns, as follows:

(der) Januar	Mai	September
Februar	Juni	Oktober
März	Juli	November
April'	Auguſt'	Dezember

NOTE. Sonntag, or am Sonntag, *Sunday*; Sonntags, *Sundays*; im Auguſt, *in August.*

EXERCISES

I

Read through Text B, determine the case of each noun and pronoun, and give the reason for the use of that case.

II

Replace each of the following nouns by the proper pronoun (for example, burdj den Rod, burdj ibn):

burdj die Wefte	gegen meinen Bater	mit Mary
bis auf die Knocjen	für unfer Kind	bei den Müttern
bei meiner Mutter	mit Bob	außer den Bätern

III

Replace the following genitives by the correct possessive adjectives (for example, die Ubr meiner Mutter, ihre Ubr): das Haar meiner Mutter; das Haar meines Baters; für die Seele diefer Frauen; mit den Seelen diefer Frauen; mit der Seele diefes Mannes; die Ubr meines Baters; die Hemden meines Sohnes; mit den Hemden meines Sohnes; für den Bater diefes Kindes; für den Bater diefer Kinder; für den Bater diefer Frau.

IV

Translate into German: 1. Not all girls hate all men. 2. Where is Mr. Meyer? He is sitting by his wife. 3. I have only two shirts and one coat. 4. Every night she sleeps nine hours. 5. The girls do not love me. I am too intelligent for them. 6. I am thinking of (an + acc.) my mother and of my father. 7. I am one (see § 28, note) of nine children. 8. All men have two eyes. 9. Has every man a soul? Has every woman a soul?

VOCABULARY REVIEW

The list on the following page contains all the words used in Lessons I–III inclusive. It is suggested that the student use the list for quick review. Remember that all these words will be used in the following lessons, most of them many times; it will save time in the end if they are memorized now.

aber	einige	Kind	nicht	tragen
acht		klar	nichts	tun
alle	Fach	Knochen	noch	
alles	Frau		nur	Uhr
alt	für	lang(e)		um
an		laut	ober	und
arm	gegen	Lehrer	ohne	
auch	genug	leider		Vater
auf	gerade	lernen	recht	Verstand
Auge		leuchten	Rock	viel
aus	Haar	lieben		von
außer	haben		sagen	
	halten	machen	scharf	wach
behaupten	hassen	Mädchen	schlafen	weder . . . noch
bei	heißen	mancher	schön	welcher
bis (auf)	Hemd	Mann	schreiben	wer, was
blau	Herr	meinen	Seele	Weste
blicken	Hose	Mensch	sehr	wider
		mit	sein	wie
dann	immer	Morgen	seit	wieder
denken	in	Mutter	sitzen	wissen
denn	interessant		so	wo
Deutsch		nach	Sohn	Wort
dieser	ja	Nacht	solcher	
doch	jeder	neben	Student	zeigen
durch	jener	nehmen	Stunde	zu
		nein		zwei
ein	kein	neun	tief	

LESSON IV

❧

TEXT A

Ich weiß, Sie haben recht. Ich weiß, daß Sie recht haben. Ich weiß nicht, ob Sie recht haben. Daß Sie recht haben, weiß ich. Ob Sie recht haben, das weiß ich nicht.

Sie will heiraten. Mich will sie nicht heiraten. Heiraten will sie mich nicht. Warum will sie Sie nicht heiraten? Sie meint, sie muß bei ihrer Mutter bleiben. Sie meint, daß sie bei ihrer Mutter bleiben muß. Sie kann nicht heiraten, denn sie meint, daß sie bei ihrer Mutter bleiben muß. 5

Frau Meyer, Sie müssen jede Nacht neun Stunden schlafen.—Fritz, der Doktor sagt, ich soll jede Nacht neun Stunden schlafen, und das will ich auch.—Warum nicht, du hast nichts zu tun. 10

Wie heißt seine Frau?—Seine Frau soll Amanda heißen. Amanda soll sie heißen.—Amanda?! Wie kann eine Frau nur Amanda heißen?! Wenn sie Amanda heißt, will ich sie nicht sehen. Wer Amanda heißt, muß häßlich sein.—Ja, sie soll sehr häßlich sein.

Du darfst nicht so laut sein, mein Kind. Du sollst nicht so laut sein, mein 15 Kind. Onkel Fritz will schlafen.—Warum muß Onkel Fritz immer schlafen? Kannst du Onkel Fritz nicht nach Hause schicken, Mutter?

Ich kann ihn sehen. Ich sehe ihn schreiben. Ich kann ihn schreiben sehen. Können Sie ihn hören? Wir hören ihn reden. Wir können ihn jeden Morgen reden hören. 20

Was soll ich nur mit diesem Hemd machen? Ich mag es nicht, es ist mir zu blau.—Sie können es Ihrem Vater schicken. Er hat morgen Geburtstag. —Das will ich tun. Er liebt Blau.

Wissen Sie, daß wir Deutsch lernen müssen? Nein, wir müssen nicht, wir dürfen! 25

VOCABULARY

ander *other*
ändern to change
anders* different; *other*wise
bleiben to remain

blicken to glance
  der Blick, –e the glance, look
die Dame, –n the lady; *dame*
darum for that reason

---

*Predicate adjective and adverb.

39

warum for what reason
daß (*conj.*) *that*
denken* to *think*
    der Gedanke, –n the *thought*
dürfen to be permitted to
fragen to ask (a question)
    die Frage, –n the question
früh early
fünfzig *fifty*
ganz entire, whole
gebrauchen to use
die Geburt, –en the *birth*
genug *enough*
    genügen to suffice
gut *good*; well
der Hals, –̈e the neck, throat
das Haus, –̈er the *house*
    nach Hause (to) home
    zu Hause at home
heiraten to marry
heute today
hören to *hear*
jemand somebody
können to be able to, *can*
das Land, –̈er the *land*
    das Vaterland the *fatherland*
lieben to *love*
    die Liebe the *love*
    die Lust the pleasure, desire
    die Unlust the displeasure
man one, they, people
mehr (als) *more* (than)
meinen to think, *mean*
    die Meinung, –en the opinion
das Messer, — the knife
    das Rasier'messer — straight-edge
    razor

mögen to like to
müssen to have to, *must*
nie never
ob whether, *if*
ohne (*prep.*) without
    ohne zu wissen without knowing
recht *right*
    unrecht wrong
reden to speak
retten to save, rescue
ruhen to rest
schicken to send
sehen to *see*
die Seife the *soap*
sollen to be expected to, *shall*
spät late
der Spiegel, — the mirror
stehen to stand
der Tag, –e the *day*
um around; at; for
    um . . . zu wissen in order to
    know
unter (*prep.*) among
    unten below
der Verstand* the sense, under-
    standing
    verstehen to understand
vielleicht' perhaps
vor be*fore*
wahr true
    die Wahrheit, –en the truth
der Weg, –e the *way*, road
    unterwegs' on its way
wenn if; *when*(ever)
werden to become
wollen to *will*
zwar to be sure

---

*Repetition from previous vocabularies occurs when a new derivative is introduced.

TEXT B

[Fortsetzung[1]]

Auch heute Morgen sitzen Bob und Mary wieder vor Seelentief. Mary
sitzt, wie immer, neben Bob, wach und unemotional.

Seelentief redet laut. Sie können ihn gut verstehen. Doch Bob hört ihn
nicht. Seine Blicke ruhen auf Mary, und in seinen Gedanken ist er zu Hause
bei seinem Vater.   5

Bobs Vater hat heute Geburtstag, und Bob will heute noch nach Hause.
Leider weiß er nicht, ob der Vater fünfzig oder einundfünfzig wird. Söhne
wissen das nie. Doch ist ein Päckchen[2] an den Vater unterwegs, und in dem
Päckchen ist ein Rasiermesser. „Meinem Vater von seinem Sohn", steht
auf dem Päckchen.   10

„Ich muß noch heute mit Vater reden", denkt Bob. „Ich weiß, er will
nicht, daß ich heirate. Ich soll ‚ein Mann' werden!— ‚Heiraten kannst du
immer noch. Zum Heiraten ist es nie zu spät!' so redet der Vater. Er
weiß nicht, wie schön Mary ist. Wenn er sie sieht, ändert er, denke ich, seine
Meinung. Mary kann man nicht sehen, ohne sie lieben zu müssen."   15

Mary sitzt neben ihm und schreibt, intelligent und unemotional. Zwar
nicht ganz unemotional. Denn sie weiß, daß Bobs Blicke auf ihr ruhen; und
das ist ihr zwar nicht gerade recht, aber auch nicht unrecht.

Seelentief ist wieder beim Ödipuskomplex. Er redet von Männern und
Frauen, von Vätern und von ihren Söhnen; er redet von Lust und Unlust. 20
Nur das Wort „Liebe" gebraucht Herr Seelentief nie. Denn die Liebe ist,
wenn sie tief ist, mehr als Lust. Und darum redet man in der Psychoana=
lyse zwar von der Libido, aber nicht von Liebe.

Mary schreibt. Sie meint, sie versteht alles. Und doch versteht sie nichts.
Denn sie schreibt zwar von Männern und Frauen, von Vätern und von   25
ihren Söhnen. Aber sie denkt bei „Vätern" nicht an ihren Vater; und auch
bei Seelentiefs „Frauen" kann sie nicht an ihre Mutter denken. Ja, auch Bob
ist für sie nur Bob, und nicht einer von Seelentiefs „Söhnen".

„Leider wollen die Menschen nie die Wahrheit hören", sagt Seelentief.
„Ich meine nicht Sie, meine Damen und Herren. Ich weiß, Sie wollen 30
die Wahrheit. Aber vielleicht, ja vielleicht sagt auch jemand unter Ihnen:
‚Ich liebe meinen Vater. Wie kann ich ihn hassen, wenn ich ihn liebe?'
Leider muß ich diesem Jemand sagen: Auch Sie hassen Ihren Vater. Sie
müssen ihn hassen. Sie können nicht anders. Zwar wissen Sie nicht, daß
Sie ihn hassen. Wissen können Sie das nicht. Denn der Ödipuskomplex 35

ſitzt tief in unſerer Seele, ſo tief, daß man ihn nicht ſehen kann, ſo tief, daß
nur die Pſychoanalyſe von ihm weiß. Das iſt immer ſo und kann auch nicht
anders ſein.

Denken Sie vielleicht, eine Frau vom Typ der Jeanne d'Arc weiß, was
5 ſie will? Dieſer Typ meint, das Vaterland retten zu wollen. Aber die
Pſychoanalyſe weiß: Tief unten in der Seele dieſer Frauen ſitzt das Es und
ſagt: ‚Du ſollſt ein Mann ſein und Hoſen tragen‘. Und dann retten dieſe
Frauen das Vaterland, nur um Hoſen tragen zu können. Aber ſie wiſſen
es nicht. Wir Menſchen wiſſen nie, was wir wollen, und wir wollen immer,
10 was wir nicht wiſſen. Wir müſſen tun, was das Es will. Das Es aber
ſagt: ‚Du ſollſt!‘ Und dann wollen wir, was wir ſollen; wollen es, ohne
es wiſſen zu dürfen. Es genügt, daß die Pſychoanalyſe es weiß.

Warum, ſo frage ich Sie, ſchickt jeder Sohn ſeinem Vater früher oder
ſpäter[3] ein Raſiermeſſer zum Geburtstag? Warum? Der Sohn kann es
15 nicht wiſſen. Denn was der Sohn will, das will er, ohne es zu wiſſen. Ja,
er darf es nicht wiſſen. Aber Ihnen, meine Damen und Herren, iſt es ganz
klar, was er will. Ihnen muß es klar ſein.“

„Vater—Mutter—Sohn—Ödipuskomplex—Geburtstag—Raſiermeſſer
—Finis!“[4] ſchreibt Mary, intelligent und unemotional wie immer.
20 Bobs Blicke ruhen auf dem Worte „Finis“. Er ſieht in Gedanken ſeinen
Vater; ſeinen Vater, den[5] er haſſen muß, ohne es wiſſen zu dürfen. Der
Vater ſteht vor dem Spiegel mit ſeinem Raſiermeſſer. Die Seife auf ſeinem
Halſe leuchtet.

[Fortſetzung folgt.]

Notes. 1. continuation, sequel. 2. (small) parcel. 3. früher oder ſpäter
sooner or later. 4. *Latin*, end. 5. *relative*, whom.

Fragen

1. Wie ſitzt Mary neben Bob? 2. Warum hört Bob nicht, was Seelen=
tief ſagt? 3. Wo iſt er in ſeinen Gedanken? 4. Wird der Vater 50 oder 51?
(Bob weiß nicht, ob . . .) 5. Was iſt an den Vater unterwegs? 6. Was iſt
in dem Päckchen? 7. Was ſteht auf dem Päckchen? 8. Was denkt Bob?
9. Will der Vater, daß Bob heiratet? 10. Kann es zum Heiraten zu ſpät
ſein? 11. Was weiß der Vater nicht? 12. Wann (when) ändert der Vater
ſeine Meinung? 13. Warum iſt Mary nicht ganz unemotional? 14. Iſt

es ihr recht, daß Bobs Blicke auf ihr ruhen? 15. Gebraucht Seelentief das Wort „Liebe"? 16. Warum redet man in der Psychoanalyse nicht von Liebe? 17. Versteht Mary alles? 18. Denkt Mary bei dem Wort „Vätern" an ihren Vater? 19. Was ist Bob für Mary? 20. Was wollen die Men= schen nicht hören? (Wollen Sie die Wahrheit hören, Herr X? Herr X, hassen Sie Ihren Vater? Wissen Sie, daß Sie Ihren Vater hassen? Warum wissen Sie nicht, daß Sie Ihren Vater hassen?) 21. Wie tief sitzt der Ödipuskomplex in Ihrer Seele? 22. Weiß Jeanne d'Arc, was sie will? 23. Was meint Jeanne d'Arc? 24. Was sagt ihr das Es? 25. Was wissen wir Menschen nie? 26. Was müssen wir tun? 27. Was kann der Sohn nicht wissen? 28. Ist es Ihnen klar, was der Sohn will? 29. Wo steht der Vater? 30. Was leuchtet auf seinem Halse?

ENLARGING YOUR VOCABULARY

If you were teaching English somewhere, say in China, you would not think much of a student who, after having learned the meaning of *dog* and *house*, went to the dictionary to look up *dog-house* or *house-dog*. In German you already know das Haus; and after you have learned der Hund (*the dog*), we expect you to at least understand the meaning of der Haushund and das Hundehaus. Since a Haushund is a kind of dog, the word takes its gender from der Hund; on the other hand, a Hundehaus is a kind of house and takes its gender from das Haus.

Similarly, you would expect the learner of English to get the meaning of *to look* after he has learned the noun *look*, and the meaning of the noun *love* after he has learned *to love*. Also, an adjective-verb pair like *black—blacken* should present no difficulty when it occurs in context.

German uses word formation and word derivation much more extensively than English. As a matter of fact, the number of available German stems is only a fraction of the number commonly used in English. It is therefore a decided advantage for the learner that even technical scientific terms are derived from common stems known to every child. Thus *hydrogen*, whose English name comes from the Greek and means nothing to the average person, is in German called Wasserstoff (*water-stuff*).

While the vocabularies in this book consist of specific "words," what we are really aiming at is the stems for which they stand. We shall therefore set forth, in this and subsequent sections, some of the most important principles of word formation in German, and shall make extensive use of the commoner types of compounds in our text.

32. Agent Nouns in =er. The German suffix =er corresponds to English *-er* and *-or*. When added to verb stems it forms so-called "agent nouns," which, depending on the context, denote either a person or an instrument. Examples:

denfen to think	der Denfer the thinker
ſchreiben to write	der Schreiber the clerk (who writes)
hören to hear	der Hörer the auditor (in a university); the (telephone) receiver
retten to save	der Retter the rescuer; the Saviour

NOTE. In some cases umlaut appears in the stem vowel of the noun:

ſchlafen to sleep	der Schläfer the sleeper
tragen to bear	der Träger the bearer

33. Infinitives as Neuter Nouns. Whenever it makes sense, any German infinitive can be used as a neuter noun. Examples:

Zum Heiraten iſt es nie zu ſpät. It is never too late for marrying (*or* to marry).

Sein Wiſſen leuchtet. His knowledge shines.

WORD-BUILDING EXERCISE

Try to make an intelligent guess at the meaning of the following words and phrases:

das Recht	die Morgenſtunde	der Redner
das Unrecht	mein Vaterhaus	jedermann
der Schlafrock	ein Augenblick	ein Fachmann
das Nachthemd	leuchten	der Landsmann
ein Herrenhemd	der Leuchter	der Gebrauch
eine Nachtſtunde	reden	ſchlafen

der Schlaf	zeigen	der Seifenmacher
sitzen	der Uhrzeiger	er ist ein Rechthaber
der Einsitzer (a kind of airplane)	tragen	er kann nicht rechtschreiben
ruhen	die Hose	das Messer
die Ruhe	der Hosenträger	scharf
die Uhr	die Seife	schärfen
	machen	der Messerschärfer

GRAMMAR

34. Modal Auxiliaries. "Modal auxiliaries" is the accepted name for certain verbs which express not an action, but the possibility, necessity, desirability, or prohibition of action. The English modals—*can, may, must, shall, will*—are incomplete. None of them have an infinitive or a participle, for instance. The missing forms are expressed by such phrases as *to have to, to be to, to be able to,* etc.

The German modals have infinitives and an almost complete conjugational system. The infinitives are: dürfen (*to be permitted to*), können (*to be able to*), mögen (*to like to*), müssen (*to have to*), sollen (*to be [supposed] to*), and wollen (*to want to*).

While these verbs are difficult and tricky, like their English parallels, it is not so hard to acquire a passive mastery of them. Attentive study of the following paragraphs, with their examples, and the *repeated* reading of the texts of this lesson, should suffice to give the student a good understanding of their meaning and use.

35. Conjugation of the Modals in the Present Tense

	dürfen	können	mögen	müssen	sollen	wollen
ich	darf	kann	mag	muß	soll	will
Sie	dürfen	können	mögen	müssen	sollen	wollen
du	darfst	kannst	magst	mußt	sollst	willst
er	darf	kann	mag	muß	soll	will
wir	dürfen	können	mögen	müssen	sollen	wollen
Sie	dürfen	können	mögen	müssen	sollen	wollen
ihr	dürft	könnt	mögt	müßt	sollt	wollt
sie	dürfen	können	mögen	müssen	sollen	wollen

36. Meanings of the Modals. Only the more important meanings of the modals are taken up in the following discussion:

a. Dürfen expresses the idea of being permitted. It implies the existence of a moral standard or a personal authority. Examples:

Darf ich Ihnen schreiben? (Will you allow me to write you?) May I write you?

Er darf es nicht wissen. (He is not permitted [for example, by the doctor] to know it.) He must not know it.

Das dürfen Sie nicht tun. You musn't do that.

NOTE. The negative of dürfen, as illustrated by the last two examples, is the preferred, and for the beginner the safest, method of expressing prohibition.

b. Können expresses what is possible for the subject. Examples:

Kann ich Ihnen schreiben? Can I write you? (That is, is it possible?)

Ich kann nicht schlafen. I cannot sleep. (For example, because of noise.)

Er kann es nicht wissen. He cannot know that. (There was no way of finding it out.)

c. Mögen expresses the idea of like and dislike. Examples:

Ich mag ihr nicht schreiben. I prefer not to write her.

Ich mag nicht immer schlafen. I don't want to sleep all the time.

Das mag ich nicht wissen. I prefer not to know it.

NOTE. The indicative forms usually express dislike and are therefore often felt to be somewhat rude. They are not very commonly used.

d. Müssen expresses the idea of strong necessity. Examples:

Alle Menschen müssen sterben. All men must die.

Ich muß ihr heute schreiben. I must write her today.

Das müssen Sie wissen. You must know that.

NOTE. When negated, müssen often does not prohibit but denies the necessity:

Sie müssen mir nicht schreiben. You don't have to write to me.

e. Sollen expresses the idea of obligation and presupposes, like dürfen, the existence of a moral standard or a personal authority. Examples:

Der Mensch soll nicht hassen. Man should not hate. (That is, it is contrary to the moral code.)

Ich soll Deutsch lernen. I am supposed to learn German. (My parents expect me to.)

Was soll ich tun? What shall I do? What am I to do? (I await a command or a suggestion.)

Note. The idea of "being told" something leads to the idea of hearsay, which is also expressed by sollen:

Sie soll intelligent sein. She is said to be intelligent.

Nach Freud soll jeder Sohn seinen Vater hassen. According to Freud, every son is said to hate his father.

f. Wollen expresses the idea of volition and will power. Examples:

Er will Deutsch lernen. He (will *or*) wants to learn German.

Was wollen Sie werden? What do you intend to be? (That is, what is your will in this matter?)

Note. The idea of volition leads to the idea of claim, which is also expressed by wollen:

Und Sie wollen intelligent sein? And you claim to be intelligent?

37. Modals without an Infinitive. Under certain conditions modals can be used without infinitives.

a. When the infinitive is implied from the context, all modals can be used independently. Examples:

Darf ich Ihnen schreiben? Sie dürfen.

Er will noch heute nach Hause. (gehen [*to go*] is implied.)

Du sollst deinen Vater lieben. Nein, ich kann nicht.

b. In certain frequent idioms, können, mögen, and wollen can also be used as transitive verbs. Examples:

Er kann Deutsch. He can speak German. He knows German.

Mein Vater kann alles. My father can do everything.

Bob mag seinen Lehrer nicht. Bob does not like his teacher.

Wollen Sie dieses Haus? Do you want this house?

Ich weiß, was ich will. I know what I want.

38. Infinitive without zu. The infinitive dependent on a modal is used without zu, as in English. (*I don't want to go, but I will go.*)

The verbs hören and sehen (and lassen, still to be introduced; see § 81, p. 94) also govern an infinitive without zu. In this case, however, the accusative object of the main verb is the subject of the following infinitive. Thus:

> Ich höre ihn reden. I hear him speak.
> Ich höre ihn Deutsch reden. I hear him speak German.

39. Position of the Infinitive. The infinitive both with and without zu, preceded by its objects, stands at the end of the clause except when its governing verb is in verb-last position. Examples:

Ich kann ihn heute nicht sehen.
Er weiß, daß ich ihn heute nicht sehen kann.
Ich habe ihm nichts zu sagen.
Mary kann man nicht sehen, ohne sie lieben zu müssen.
Und dann retten diese Frauen das Vaterland, nur um Hosen tragen zu können.

40. Verb-Last Position. In dependent clauses which are introduced by (a) a subordinating conjunction, (b) a relative pronoun, or (c) an interrogative, the inflected verb stands last (even after a dependent infinitive). Examples:

> Er liebt Ihren Vater.
> Ich weiß, daß er Ihren Vater liebt.
> Ich weiß nicht, ob er Ihren Vater liebt.
>
> Du mußt deinen Vater hassen.
> Die Psychoanalyse weiß, daß du deinen Vater hassen mußt.
> Ich weiß nicht, ob du deinen Vater hassen mußt.
>
> Was wollen Sie heute tun?
> Ich weiß nicht, was ich heute tun will.

41. Werden. This verb is irregular in the present. It is conjugated as follows:

ich werde	wir werden
Sie werden	Sie werden
du wirst	ihr werdet
er wird	sie werden

42. Co-ordinating Conjunctions. The conjunctions aber, benn, ober, unb (sometimes called connectives), which merely connect clauses of equal grammatical rank, do not affect verb position.

43. Contractions. The following contractions are preferred when the definite article is not stressed:

an bem = am	von bem = vom	auf bas = aufs
in bem = im	zu bem = zum	in bas = ins
bei bem = beim	an bas = ans	zu ber = zur

EXERCISES

I

Conjugate in the present tense the six modals, werben, and wiffen.

II

Find all the modals in Texts A and B, and relate their meanings to the definitions given in § 36.

III

Use the following skeleton as a basis for practice in making up simple sentences with the modals:

ich/er/fie	fann barf muß foll will	bas Hemb ben Rock die Uhr bas Meffer ben Spiegel die Wefte	haben fehen fchicken retten
wir/fie/Sie	fönnen bürfen müffen follen wollen	bas Hemb ben Rock die Uhr bas Meffer ben Spiegel die Wefte	haben fehen fchicken retten

IV

Prefixing (*a*) Er ſagt, daß . . . and (*b*) Ich weiß nicht, ob . . . , convert the following statements into dependent clauses: 1. Heute ſitzen wir wieder vor Seelentief. 2. Sie können ihn immer gut verſtehen. 3. Bob will heute noch nach Hauſe. 4. Der Sohn muß heute mit ſeinem Vater reden. 5. Sie kann an ihre Mutter denken. 6. Wir wollen an das Raſiermeſſer denken. 7. Der Menſch darf alles wiſſen. 8. Wir ſollen Deutſch lernen.

V

Connect the two statements of each of the following pairs, using (*a*) one of the connectives aber, denn, oder, und, and (*b*) one of the adverbs auch, dann, darum, nur, zwar. Example:

Der Rock iſt (nicht) blau. Ich will ihn (nicht).

a. Der Rock iſt (nicht) blau, aber ich will ihn.

b. Der Rock iſt (nicht) blau, darum will ich ihn (nicht).

1. Ihr Haar iſt (nicht) blond. Es leuchtet (nicht) ſehr.
2. Er hört nichts. Er denkt (nicht) an Mary.
3. Er kann nichts verſtehen. Er hört den Lehrer (nicht).
4. Wir müſſen das Haus haben. Es iſt ſchön.
5. Sie ſollen mir das Raſiermeſſer ſchicken. Ich kann es gebrauchen.

VI

Translate into German: 1. You mustn't always sit beside (neben + *dat.*) me. 2. Why may I not know whether he intends to marry Mary? 3. Mary maintains that she understands everything, and that Bob doesn't learn anything. 4. His wife is supposed to be ugly, but she claims to be very intelligent. 5. Can't you hear me when I talk very loudly? 6. I am learning German only in order to see Mary. 7. We can't hear you talk, but we can see you write. 8. Every day (*acc.*) at nine we have to talk German. 9. I will show you tomorrow where we always sit at eight o'clock. 10. I do not sleep when the teacher is interesting.

LESSON V

❦

TEXT A

Ich habe einen Sohn, der (welcher) mich sehr liebt. Ich habe einen Sohn, den (welchen) ich sehr liebe. Wir haben eine Mutter, die (welche) uns sehr liebt. Wir haben eine Mutter, die (welche) wir sehr lieben. Bob ist ein Mensch, dem (welchem) wir helfen müssen. Bob ist ein Mensch, der (welcher) uns helfen muß. Mary ist eine Frau, der (welcher) Sie nicht helfen können. 5 Mary ist eine Frau, die (welche) Ihnen nicht helfen kann. Er hat kein Kind, das (welches) ihn liebt. Er hat kein Kind, das (welches) er liebt. Wir haben ein Kind, dem Sie helfen müssen. Wir haben ein Kind, das (welches) Ihnen helfen kann. Wie heißt der Mann, dessen Haus du kaufen willst? Wie heißt die Frau, deren Haus Sie kaufen wollen? Zeigen Sie mir den 10 Mann, dessen Söhne ihn nicht hassen! Zeigen Sie mir die Frau, deren Söhne ihren Vater nicht hassen! Die Zeitungen, die (welche) wir zu Hause haben, lese ich nicht. Wir haben Kinder, denen Sie helfen können. Frauen, deren Männer spät nach Hause kommen, hassen ihre Männer.

Zeige mir etwas! Zeigen wir ihm doch etwas! Zeigt mir doch etwas! 15 Zeigen Sie uns etwas! Wir haben nichts, was wir Ihnen zeigen können. Geh nicht mit ihm! Geh mit mir! Geht mit uns! Gehen Sie mit uns ins Theater! Gehen Sie mit uns ins Theater? Gehen wir ins Theater! Hilf mir bitte! Helft mir bitte! Helfen Sie ihm bitte! Bitte, helfen Sie ihm nicht! Kann ich Ihnen helfen, mein Herr? Komm heute abend nicht wieder 20 so spät nach Hause! Du mußt nicht so viel essen. Iß nicht soviel! Eßt nicht soviel! Wir haben nicht viel im Hause. Reden Sie nicht so laut, meine Frau will schlafen. Sei nicht so laut! Seid nicht so laut! Seien Sie nicht so laut! Geh bitte nicht weg! Geht bitte nicht weg! Gehen Sie bitte nicht weg! Gehen Sie bitte noch nicht nach Hause, meine Damen und 25 Herren! Gehen wir nach Hause!

Mary, wenn du mich heiratest, so kannst du etwas aus mir machen. Du mußt mich heiraten, denn außer dir liebt mich kein Mensch. Bei mir aber sollst du es gut haben. Mit mir kannst du glücklich (happy) werden. Nach dir kann ich keine Frau mehr lieben. Zu mir kannst du mit allem kommen, 30 und von mir kannst du alles haben, was du willst. Ich lebe nur durch meine Liebe zu dir, lebe nur durch dich und für dich. Um dich will ich immer sein, und gegen dich bin ich ein Nichts.

Er hängt an seinem Vater. Denk an mich! Denken Sie an Ihren Vater! Er denkt nicht ans Heiraten. Ich schreibe meiner Mutter. Wir schreiben unserer Mutter. Er schreibt an seine Mutter. Fido sitzt auf der Zeitung. Fido springt auf die Zeitung, und dann sitzt er auf ihr. Wir schlafen heute
5 bei euch. Wir schlafen in eurem Haus. Wir gehen ins Theater, in die Stadt, ins Haus. Fido schläft in seinem Haus hinter unserem Hause. Ich sitze neben Mary, neben ihr. Der Sohn steht vor seinem Vater. Der Vater steht vor dem Spiegel. Der Vater tritt (steps) vor den Spiegel.

Wer sind Sie? Wessen Haus ist das? Bei wem haben Sie Deutsch?
10 Wen lieben Sie? Wer Deutsch lernen will, muß intelligent sein.

Ich gehe heute abend ins Theater. Ich gehe heute abend aus. Sie können heute abend nicht ausgehen. Ich weiß, daß Mary heute abend ausgeht. Ich brauche heute abend nicht auszugehen.

Es ist schon spät. Sie müssen aufstehen. Mein Vater steht auch gerade
15 auf. Vater, steh auf, es ist schon spät! Sieh, daß Vater aufsteht und nicht wieder einschläft (goes to sleep). Vater sagt, er braucht heute nicht aufzustehen.

Ich lese die Zeitung nur durch. Ich weiß, daß er die Zeitung nie ganz durchliest. Es ist interessant, die Zeitung ganz durchzulesen. Ich kann sie
20 nicht ganz durchlesen. Beim Durchlesen der Zeitung kommt ihm der Gedanke, daß Vater morgen Geburtstag hat.

VOCABULARY

der Abend, –e the *even*ing
bitten to ask, request
brauchen to need; use
bringen to *bring*; take (to)
da *there*
das Ende, –n the *end*
ent= (*prefix*) away from; out of
essen (i) to *eat*
etwas something; some*what*
fahren (ä) to ride, drive, (*fare*)
fallen (ä) to *fall*
fast almost

froh glad, happy
gehen to *go*; walk
das Geschäft, –e the business; shop
hängen to *hang*
  einhängen to *hang* up
hart *hard* (not soft)
helfen (i) (*w. dat.*) to (give) *help* (to)
das Herz, –en* the *heart*
hin, her (*see* § 51)
hinter be*hind*
kaufen to buy
  verkaufen to sell

*For the declension, see page 200.

kommen to *come*
kühl *cool*
lassen (ä) to *let*; cause
leben to *live*
lesen (ie) to *read*
der Mord, –e the *murder*
   der Mörder, — the *murderer*
öffnen to *open*
plötzlich sudden(ly)
rufen to call
   anrufen to call up
schon already
die Seite, –n the *side*; page
selbst (*indecl.*) it*self*; even
   selber (*indecl.*) myself, yourself,
      himself, etc.

sondern but (*after neg.*)
springen to *spring*, jump
die Stadt, ⸚e the city, town
still *still*, quiet
treffen (i) to strike; meet
über *over*; about
vergessen (i) to *forget*
verlangen to demand; *long* for
versprechen (i) to *promise*
vier *four*
weg (*adv.*) *away*
wirklich real(ly)
die Zeitung, –en (*tidings*), the news-
   paper
zittern to tremble, quiver
zwischen (*twixt*), between

IDIOMS

bitte	please
heute abend	this evening
ist zu sehen	is to be seen
mit Recht	justly
nicht mehr	no longer
nie mehr	never again
noch nicht	not yet
auf Wiedersehen	(till we see each other again), good-by

TEXT B

[Fortsetzung]

„Finis ist lateinisch[1] und heißt das Ende", denkt Bob.

Seine Blicke ruhen auf den Worten: „Vater—Sohn—Ödipuskomplex —Rasiermesser—Finis." Man kann es nicht wegdenken oder auslassen, dieses „Finis". Logisch und mit Recht steht es am Ende einer Tragödie,[2] die nur so und nicht anders ausgehen kann.

  5

Bob zittert.

Mary blickt auf und sieht ihn an, kühl und unemotional. Ihre Augen leuchten klar und blau und fragend. Doch für Bob leuchten sie hart. Er liest in ihrem Blick: „Vatermörder."

„Mary weiß alles", denkt Bob. „Was hilft es mir, daß wir Menschen nie wissen können, was wir wollen, und immer tun müssen, was wir nicht wissen dürfen? Mir genügt es, daß Mary es weiß. In ihren Augen bin ich ein Vatermörder, und einen Vatermörder heiratet sie nicht."

5   „Hasse mich nicht", sagt er zu Mary. „Seelentief hat recht. Der Mann weiß, was er sagt. Ich hasse meinen Vater, ohne es zu wissen. Nicht ich, sondern mein Es will, daß er seinem Leben ein Ende macht. Aber vielleicht ist es noch nicht zu spät, und ich kann ihn noch retten. Wenn er noch lebt, treffe ich dich um vier Uhr vor der Bibliothek.³ Wenn nicht, kaufe ich mir
10 auch ein Rasiermesser, und du siehst mich nie mehr wieder."

Mit diesen Worten springt Bob auf und geht hinaus. „Alles Tun und Wollen", hört er Seelentief noch sagen, „ist ein Müssen, das tief in unserer Seele aus dem Es entspringt. Denn alles Wollen ist ein Wollen der Lust oder ein Nichtwollen der Unlust und kommt aus dem Es." Bob hört es
15 nicht, denn er kann nur „Rasiermesser" denken.

Mary sieht ihm nach, weder kühl noch unemotional. Tief unten in ihrer Seele, so tief, daß die Psychoanalyse es nicht sehen kann, erwacht in Mary die Frau. Und mit der Frau erwacht die Liebe. Ganz plötzlich weiß sie, warum Bob zitternd hinausgeht. Ganz plötzlich weiß sie, daß sie ihm helfen
20 muß. Ganz plötzlich weiß sie auch, daß sie ihn liebt.

Zwar ist diese Liebe nach Seelentiefs Meinung nur ein Nichts, nur eine Illusion, denn sie kommt nicht aus dem Es und hat mit Lust und Unlust nichts zu tun. Und doch genügt dieses Nichts, daß auch Mary aufspringt und hinausgeht.

25   Bob ist nicht mehr zu sehen. Er steht schon in der Telefonzelle⁴ und redet mit seiner Mutter.

„Mutter, lebt Vater noch?"

„Aber ja, mein Kind. Er sitzt gerade bei der Morgenzeitung."

„Ist mein Päckchen schon da, Mutter?"

30   „Nein, noch nicht, aber ich bin froh, daß du an Vaters Geburtstag denkst. Du weißt, er wird heute fünfzig."

„Mutter, wenn das Päckchen kommt, so öffnet es bitte nicht. Ich kann dir am Telefon nicht sagen, warum ihr es nicht öffnen dürft. Aber bitte, versprich mir, daß ihr es nicht öffnet. Und sage Vater, daß ich heute abend
35 komme."

„Wie du willst, Bob. Wir sind froh, daß du kommst. Vergiß aber nicht wieder, deine Unterhosen und Unterhemden mitzubringen."

Bob hängt ein. „Der Vater lebt noch!" denkt er. „Ich muß wirklich heiraten. Denn wenn ich selber eine Frau habe, die ich lieben kann, ohne mit Vater in Konflikt zu kommen, so brauche ich ihn nicht mehr zu hassen. Auch Vater muß das einsehen. Ich will Mary bitten, heute abend mit nach Hause zu fahren."   5

Bob fährt in die Stadt und geht in ein Herrengeschäft. Seine Blicke fallen auf einen Hosenträger. „Etwas für den eleganten[5] Herrn!" meint der Verkäufer. „Schicken Sie den Hosenträger noch heute morgen an diese Adresse!" sagt Bob, geht in ein Restaurant und verlangt etwas zu essen. Dann liest er die Zeitung.   10

„Gouverneur Adam macht seinem Leben ein Ende!" steht leuchtend auf Seite eins.[6]

„Wie kann ein Mensch nur seinem Leben ein Ende machen?" denkt Bob. „Einen Sohn, der ihm zum Geburtstag ein Rasiermesser schickt, hat er nicht, das weiß ich."   15

Bob liest, liest, bis er an ein Wort kommt, das sein Herz fast stillstehen läßt: „Hosenträger".

„Mit einem Hosenträger!" sagt Bob und zittert wieder. „Ich Mörder!"

Er springt auf und geht zum Telefon: „Haben Sie den Hosenträger noch?" fragt er den Verkäufer. „Nein, der Hosenträger ist leider schon 20 unterwegs. Aber wir haben den Hosenträger auch in blau. Darf ich Ihnen . . ."

„Idiot!" meint Bob, hängt ein und ruft die Mutter wieder an.

„Mutter?"

„Bob?"   25

„Mutter, es ist noch ein Päckchen an den Vater unterwegs. Bitte versprich mir, auch dieses Päckchen nicht zu öffnen."

„Aber Bob!"

„Nein, ich kann dir nicht sagen, warum. Ich komme heute abend. Ich muß zur Bibliothek, wo ich Mary treffen will. Wenn sie mitkommen 30 kann, bringe ich sie mit. Auf Wiedersehen!"

„Bob! Wer ist Mary? Bob!!"

Bob hört es nicht mehr.

[Fortsetzung folgt.]

NOTES. 1. Latin. 2. tragedy. 3. library (cf. *bibliography*, *Bible*). 4. telephone booth (*literally*, cell). 5. elegant, well-dressed. 6. eins is used for ein in counting.

Fragen

1. Welches Wort steht mit Recht am Ende einer Tragödie? 2. Wie leuchten Marys Augen wirklich? 3. Wie leuchten sie für Bob? 4. Was liest Bob in ihren Augen? 5. In wessen Augen ist Bob ein Vatermörder? 6. Kann Mary einen Vatermörder heiraten? 7. Wer weiß, was er sagt? 8. Will Bob, daß sein Vater seinem Leben ein Ende macht? 9. Was will Bob tun, wenn der Vater nicht mehr lebt? 10. Woher kommt nach Seelentief alles Tun und Wollen? 11. Was kann Bob nur denken? 12. Was erwacht in Mary? 13. Was erwacht in Mary mit der Frau? 14. Was weiß Mary plötzlich? 15. Wo steht Bob schon? 16. Mit wem redet er? 17. Was sollen Vater und Mutter nicht tun? 18. Was soll Bob nicht wieder vergessen? 19. Was kauft Bob für seinen Vater? 20. Was liest Bob in der Zeitung? 21. Welches Wort in der Zeitung läßt Bobs Herz fast stillstehen? 22. Wen ruft Bob wieder an? 23. Wen will er mitbringen?

ENLARGING YOUR VOCABULARY

44. The Prefix un=. The prefix un= is added to nouns and adjectives to reverse the meaning, like *un-* in English. Examples:

interessant	Verstand	schön	deutsch
uninteressant	Unverstand	unschön	undeutsch

Note that the difference between undeutsch and nichtdeutsch is about the same as that between *un-American* and *non-American*.

45. Adjectives in =end. As long as it makes sense, the ending =end can be added to any verb stem to form an adjective corresponding to English forms in *-ing*. Examples:

zittern	to tremble	zitternd	trembling
leuchten	to shine	leuchtend	shining
fragen	to inquire	fragend	inquiring(ly)

Er geht zitternd hinaus. He goes out trembling.

WORD–BUILDING EXERCISE

Try to make an intelligent guess at the meaning of the following words and phrases:

bitten	jemanden zum Abendessen	die Lebenslust
die Bitte	mitbringen	öffnen
das Bittschreiben	fahren	das Haus steht offen
in den Abendstunden	der Autofahrer	ausrufen
bringen	mitfahren	der Ausruf
hereinbringen	in ein Land einfallen	ihr Ruf ist gut
hinausbringen	im Examen durchfallen	die Nachtseite des Lebens
da	ein Geschäftsmann	helfen
sein	jemanden aufhängen	die Hilfe
das Dasein	den Rock aufhängen	die Selbsthilfe
das Sosein	Aufhänger	wir modernen Stadt=
jemandem* entkommen	Männerherz	menschen
jemanden gehen lassen	der Käufer	still
jemanden entlassen	der Verkäufer	die Stille
das Abendessen	lebend	die Mutter stillt ihr Kind
	wiederaufleben	

GRAMMAR

46. Prepositions with the Dative or the Accusative. The following prepositions may govern either the dative or the accusative, with characteristic differences in meaning:

an (*at, to*) in (*in, in[to]*) unter (*under; among*)
auf (*[up]on*) neben (*beside, near*) vor (*before*)
hinter (*behind*) über (*over; concerning*) zwischen (*between*)

These prepositions govern the dative if the entire action of the verb goes on at the place indicated by the prepositional phrase. But the same prepositions govern the accusative if the place indicated by their object is reached by the action of the verb.

DATIVE	ACCUSATIVE
Er steht am Telefon.	Er geht ans Telefon.
Fido sitzt auf der Zeitung.	Fido springt auf die Zeitung.
Fido schläft hinter dem Hause.	Fido trägt den Knochen hinter das Haus.
Ich sitze im Hause.	Ich gehe ins Haus.

*Jemand is generally uninflected. But in dictionaries and grammars, where it is important to show case, the following forms are used: jemand, jemandes, jemandem, jemanden.

NOTE. When used figuratively rather than literally, these prepositions almost always govern the accusative. Thus: Er redet über mich means *He is talking about me*; but Er redet über mir would mean *He is talking on the floor above*. Similarly, warten auf + accusative means *to wait for*; but Ich warte auf Ihnen would mean *I am sitting on you and waiting*.

47. Relative Pronouns and Their Declension. The article der, die, das, and the interrogative der-word welcher, welche, welches (*which*), are also used as relative pronouns. Since welcher has no genitive and is less commonly used, only der is needed for active mastery. Note, however, that when used as a relative, der has a declension which deviates in certain forms from that of the article.

SINGULAR

	Masculine		Feminine		Neuter	
NOM.	der	welcher	die	welche	das	welches
GEN.	dessen		deren		dessen	
DAT.	dem	welchem	der	welcher	dem	welchem
ACC.	den	welchen	die	welche	das	welches

PLURAL

All Genders

NOM.	die	welche
GEN.	deren	
DAT.	denen	welchen
ACC.	die	welche

NOTE. All clauses introduced by a relative have verb-last position.

48. Use of Relative Pronouns. A relative pronoun repeats from the preceding clause the noun (or pronoun) to which it is "related."

In English the preceding noun, that is, the so-called "antecedent," determines the choice of *who* or *which*. In German the antecedent determines the gender and number of the relative. In both English and German the case of the relative depends on its function within its own clause. (See the sentences in Text A, this lesson.)

49. Use of wer and was. The interrogative wer (*who*) and was (*what*) can be used in the function of *whoever* (*he who*) and *whatever* (*that which*). They can then be regarded as relatives without an antecedent, and they introduce clauses with verb-last position.

> Wer Mary fieht, muß fie lieben.
> Was nicht aus dem Es kommt, kommt aus dem Nichts.

The forms of wer and was are:

NOM.	wer	was
GEN.	weffen	—
DAT.	wem	was
ACC.	wen	was

NOTE. The relatives der and welcher can only refer to definite nouns or pronouns. Such indefinites as viel, nichts, and alles must be followed by was:

> Alles, was er fagt, ift wahr.

50. Separable Prefixes. In principle, all prepositions can be used as verbal modifiers. As shown by a comparison of *The man overlooked the fence* (infin., *to overlook something*), and *The man looked the fence over* (infin., *to look something over*), there are two patterns for such usage.

a. The preposition may be unaccented and form an inseparable unit with the verb. Such inseparable compounds will be treated in § 92, p. 113.

b. The preposition may carry the main accent and be detached from its verb. In German this usage is almost unlimited in scope. Verbal compounds of this type are called "separable compounds" and the verbal modifier (mostly a preposition) is called a "separable prefix." When used as a separable prefix, the preposition ein assumes the form ein.

Separable compounds are treated in German as follows:

a. The separable prefix follows its verb and stands at the end of all independent clauses. Examples:

> Mary fieht ihn an. Mary looks at him.
> Er fpringt nicht auf. He does not jump up.
> Geht er heute abend aus? Is he going out tonight?
> Gehen Sie heute abend mit mir aus! Go out with me tonight.

b. The separable prefix precedes and is joined to its verb in clauses with verb-last position; also, in all uninflected verb forms. Examples:

> Sie sieht, daß er aufsteht. She sees that he is getting up.
> Er kann nicht aufstehen. He can't get up.

NOTE. If the infinitive is used with zu, then zu stands between prefix and verb in one spelling form. Example:

> Ich brauche heute nicht aufzustehen. I don't need to get up today.

51. Hin and her. Separable prefixes indicating the direction of motion are frequently combined with a preceding hin or her. Hin indicates a motion away from the speaker, her a motion toward the speaker. Examples:

> Ich gehe hinein. I am going in (away from where I now stand).
> Er kommt heraus. He is coming out (toward where I am waiting).

Since verbal prefixes *without* hin or her are apt to have a non-spatial or figurative meaning, a beginner should not form such compounds himself. Er geht ein, for instance, is a vulgar expression, meaning *He is dying*; but Er geht hinein is harmless and can mean only *He goes in* (to some place).

52. Imperatives. When pronounced with the proper intonation, almost any statement or even a single word can be used to express a command. Thus: Up! Water! At them! You will be back at three! Attention!

Most languages, however, have a number of verb forms which are used exclusively for expressing commands. Such forms are called imperatives. With the exception of the modals, all German verbs have four imperative forms, corresponding to the four pronouns du, ihr, Sie, and wir.

The du-form is the *unchanged* stem of the verb, with an optional =e. However, all verbs with vowel change from e to i, like essen > ißt, or e to ie, like sehen > sieht, keep this vowel change and never add =e.

The ihr-form is identical with the second person plural of the present tense.

The Sie-form and the wir-form reverse the order and always retain the pronoun. Examples:

A. Without Vowel Change

Infin.	du-form*	ihr-form*	Sie-form	wir-form
fagen	faget	fagt	fagen Sie	fagen wir
reden	rede	redet	reden Sie	reden wir
fchlafen	fchlafe	fchlaft	fchlafen Sie	fchlafen wir
wiffen	wiffe	wifft	wiffen Sie	——
retten	rette	rettet	retten Sie	retten wir
tragen	trage	tragt	tragen Sie	tragen wir
haben	habe	habt	haben Sie	——

B. With Vowel Change

Infin.	du-form*	ihr-form*	Sie-form	wir-form
fehen	fieh	feht	fehen Sie	fehen wir
effen	iß	eßt	effen Sie	effen wir
vergeffen	vergiß	vergeßt	vergeffen Sie	vergeffen wir
lefen	lies	left	lefen Sie	lefen wir
helfen	hilf	helft	helfen Sie	helfen wir

The imperative of werden and fein is irregular:

Infin.	du-form*	ihr-form*	Sie-form	wir-form
werden	werde	werdet	werden Sie	werden wir
fein	fei	feid	feien Sie	feien wir

NOTE 1. German does not use an auxiliary in negative commands:

Gehen Sie nicht hinaus! Do not go out.

NOTE 2. The separable prefix, if any, stands last in the imperative sentence:

Sehen Sie mich an! Look at me.

---

*As stated in § 1, and in the footnote on page 16, these forms are not proper for the classroom; they are included for the sake of completeness.

†Conservative (especially Biblical) style prefers the -e. After short-vowel stems it is generally not dropped.

E X E R C I S E S

I

Make one sentence with each of the (dative) prepositions listed in § 20.

II

Make one sentence with each of the (accusative) prepositions listed in § 23.

III

Build meaningful sentences from the following two frames:

ich er fie es wir fie Sie	gehen fahren fommen fpringen	auf hinter in über unter vor	das Haus das Geschäft die Stadt
ich er fie es wir fie Sie	fein fitzen fchlafen fchreiben ftehen		

IV

Insert the correct form of the relative pronoun: 1. Der Mann, _____ wir reden hören. 2. Die Frau, _____ Mann fommt. 3. Der Lehrer, _____ wir fchreiben fehen. 4. Das Kind, _____ ich etwas zeigen will. 5. Die Väter, _____ Söhne nichts lernen. 6. Die Mütter, _____ ich nichts fagen darf. 7. Alles, _____ unfer Lehrer fagt, ift intereffant. 8. _____ das ißt, hat nicht viel Verftand. 9. _____ ich das zeige, denft, es ift intereffant. 10. _____ ich fage, fann jeder verftehen.

V

Combine the following word-pairs to make compound verbs and use each one (1) in an imperative sentence; (2) in a statement; (3) as an infinitive after id) braudje nidjt . . .:

ftehen, auf	fahren, mit	lefen, burd)
fehen, an	gehen, hinaus	bringen, herunter
	fommen, herein	

VI

Write the four imperatives of all the verbs which have occurred so far, except those given in § 52.

VII

Translate into German: 1. The teacher whom we hear every morning has no son. 2. I don't understand everything (that) he says. 3. When he stands before me, I always forget all (that) I know. 4. May I ask whether you want to go home with me? 5. Bob does not need to get up so early today. 6. Do not forget to call up your mother. 7. When(ever) I go into town, Fido always wants to go along. 8. Are you going out? Then please call up my mother. 9. She thinks that I am coming home this evening. 10. Please tell her that I am sending the suspenders to my father.

LESSON VI

∽

TEXT A

Ein stiller Abend; an einem stillen Abend; an stillen Abenden. Das blaue Auge; ein blaues Auge; mit einem blauen Auge nach Hause kommen. Mary hat blaue Augen. Das Leuchten dieser blauen Augen; mit leuchtenden blauen Augen.

5 Eine junge Dame; diese junge Dame; das blonde Haar einer jungen Dame; das blonde Haar junger Damen; für junge Damen; mit jungen Damen.

Ein deutscher Mann; eine deutsche Frau; der deutsche Mann; die deutsche Frau; der Deutsche; die Deutsche. Sie ist eine Deutsche, er ist ein Deut= 10 scher. Für einen Deutschen; für einen deutschen Mann; für eine deutsche Frau; für eine Deutsche. Deutsche Männer, deutsche Frauen! Die deutschen Männer, die deutschen Frauen. Die Söhne deutscher Männer; mit deutschen Männern; bei Deutschen; für Deutsche.

Ich bin ein armer, schwacher Mensch. Der schwache Mensch; unser 15 schwacher Menschenverstand; die Liebe eines schwachen Menschen; die Liebe zu einem armen, schwachen Menschen; die Liebe armer schwacher Menschen. Wir sind arme, schwache Menschen. Der Starke soll dem Schwachen helfen. Das ist mehr, als arme, schwache Menschen tragen können. Für mich Armen ist das zuviel. Ich Armer kann Ihnen nicht helfen. Wir Armen können 20 Ihnen nicht helfen. Vergeßt die Armen nicht! Vergeßt uns Arme nicht! Helft uns armen Menschen! Helft uns Armen!

— Das gute Kind. Mary ist ein gutes Kind. Die Seele eines guten Kindes; das Ende unseres armen Kindes. Die Liebe zu einem guten Kind. Wir haben ein gutes Kind; wir haben gute Kinder.

25 Ich bin ein junger Mensch. Ich bin jünger als Sie. Mein jüngerer Bruder (brother) heißt Fritz. Der jüngere Bruder heißt Fritz. Fritz ist der jüngste von uns. Mir ist Fritz am angenehmsten, er ist mir der angenehmste von allen. Bob ist mir natürlich auch sehr angenehm.

Es ist gut, daß Sie heute nach Hause fahren. Ich denke, es ist besser, Sie 30 fahren heute nach Hause. Es ist am besten, Sie fahren heute nach Hause. Ja, das ist das beste; ja, das ist am besten.

Mary ist viel natürlicher als Anna. Anna ist nicht so natürlich wie Mary. Mary ist die natürlichere. Mary ist am natürlichsten, wenn sie schläft. Mary ift die natürlichſte, ſie iſt am natürlichſten von allen. Das iſt mir ſehr, höchſt angenehm. Das iſt mir ſehr, höchſt unangenehm.

Selbſt dir, meinem guten Freund; ſelbſt dir, meiner guten Freundin; ſelbſt dir, meinem beſten Freund; ſelbſt dir, meiner beſten Freundin, kann ich es nicht ſagen.   5

Wir haben nicht viel. Sie haben mehr. Sie haben von uns allen am meiſten. Das Beſte kann man nie mit Worten ſagen. Liebe alles, was gut iſt! Liebe das Gute! Liebe, was wahr iſt! Liebe das Wahre! Das Gute, das Wahre und das Schöne ſoll man lieben. Man ſoll das Schöne lieben; man ſoll alles lieben, was ſchön iſt. Aber man ſoll nicht jede Schöne lieben. 10 Wer alle Schönen liebt, liebt keine.

VOCABULARY

ab (*sep. prefix*) *off*, away
allein *alone*
als as; than
angenehm *agreeable*
beide (*pl.*) both; two
berichten to report
blind *blind*
daher therefore
das Ding, –e the *thing*
einfach simple
elf *eleven*
das Ende, –n the *end*
  endlich finally, at last
fehlen to be lacking, (*fail*)
finden to *find*; think
der Freund, –e the *friend*
gar nicht not at all
gern gladly
  lieber rather
gleich *like*; same; at once
das Glück the *luck*; happiness
gut *good*
  beſſer, beſt *better, best*
der Himmel, — the heaven(s), sky

hoch, höher, höchſt *high*
hoffen to *hope*
jung, jünger *young*
  der Junge, –n the boy; son
kurz, kürzer (*curt*), short
langſam slow
die Macht, ⸚e the *might*, power
das Mal, –e the occasion, time
meiſt *most*
  meiſtens *mostly*
der Mund the *mouth*
nah, näher, nächſt *near*, (*nigh*), nearer, *next* (nearest)
nämlich *namely*; you see
die Natur', –en the *nature*
  natür'lich *natural(ly)*, of course
öffnen to *open*
offen *open*
das Ohr, –en the *ear*
rot *red*
ſcheinen to *shine*; seem
ſchenken to give (a present)
ſchwach, ſchwächer *weak*
ſtark, ſtärker (*stark*), strong
ſtoßen (ö) to shove, thrust

der Teufel, — the *devil*
die Tochter, – the *daughter*
übrigens by the way
wann *when*

weil because
werfen (i) to throw
die Zeit, –en the time
zurück back(ward)

IDIOMS

ab und zu now and then
das heißt (d. h.) that means, that is
einmal (once), for a change
es ist mir (ganz) gleich, ob (it is quite
the same to me, if), it is immaterial, no matter whether
es tut mir gut it will do me good

es ist mir recht (it is *or* seems right
to me), it is all right with me
ganz und gar completely, utterly
sag (ein)mal (tell me once) tell me;
mal *is not translated*
vor allem (before all things), above
all

TEXT B

[Fortsetzung]

Jedes Ding, meine Damen und Herren, hat zwei Seiten, eine an=
genehme und eine unangenehme. Auch unsere *Shorter German Reading
Grammar* hat ihre angenehmen und ihre unangenehmen Seiten—wie alles
im Leben.

5 Leider ist diese Seite, die Sie gerade lesen, und vielleicht auch die nächste,
wirklich höchst unangenehm. Wir gebrauchen nämlich in dieser Lektion
starke und schwache Adjektive. Und zu Ihrem und Ihres Lehrers Unglück
sind die Worte Mark Twains, „that he would rather decline two drinks
than one German adjective",[1] auch heute noch wahr. Auch den stärksten
10 Mann überkommt[2] bei dem Gedanken an deutsche Adjektive das Zittern.
Wir wissen das. Und doch können und wollen wir Ihnen nicht helfen. Wer
ein Mann ist, braucht keine Hilfe; er lernt einfach das System der starken
und schwachen Endungen, lernt es mit Lust und Liebe und fragt dann: „Ist
das alles?"

15 Übrigens ist es höchste Zeit, daß wir Ihnen endlich sagen, warum wir
Ihnen von Bob und Mary, von Seelentief und von seinem Es berichten.
Sie sind ja keine Kinder; und wir wissen, Sie wollen, wie die Studenten
Seelentiefs, nur die Wahrheit, und zwar die ganze Wahrheit hören.

Es muß auch Ihnen klar sein, daß man mit fünfzig Wörtern weder von
20 Atombomben noch von hoher Politik reden kann. Aber man kann, wenn man
will, mit fünfzig Wörtern von Marys tiefer Liebe zu Bob und von Bobs

starker Liebe zu Mary reden, und zwar ohne viele Adjektive gebrauchen zu
müssen. Unsere Leserinnen wollen ja gar nicht wissen, daß Bobs Ohren
leider etwas abstehen. Und die jungen Damen haben recht. Ein Mann ist
ein Mann, ganz gleich, ob er abstehende Ohren hat oder nicht.

Natürlich nehmen wir uns das Recht, die Freundin Bobs so zu sehen, 5
wie Bob sie sieht, nämlich mit den Augen der Liebe. Und wir wollen, daß
die Männer unter unseren Lesern Mary so sehen, wie Bob und wir sie sehen.
Ihr schönes, blondes Haar, ihre klaren, tiefblauen, leuchtenden Augen, ihre
hohe Intelligenz, ihr scharfer, kühler, wacher Verstand, ihr gutes Herz, ihre
stille, gerade, so einfache und doch so angenehme Natur und ihre zwar noch 10
junge, doch starke Liebe zu Bob genügen, so hoffen wir, um jeden jungen
Mann in unserer Mary seine Mary sehen zu lassen. Denn die Liebe macht,
wie Sie wissen, blind.

Mary sitzt übrigens schon seit ein Uhr vor der Bibliothek. „Bob ist zuviel
allein", denkt sie, „es ist höchste Zeit, daß er heiratet." Natürlich meint sie: 15
„Es ist höchste Zeit, daß er mich heiratet." Und es ist daher ganz logisch, daß
ihre Gedanken plötzlich von Bob auf Bobs Mutter überspringen: „Ich hoffe,
sie hat nichts gegen mich. Gut, daß ich etwas jünger bin als Bob. Ob³ Bob
seine abstehenden Ohren von ihr oder von seinem Vater hat?"

Kurz nach zwei Uhr steht Bob vor ihr. Seine Ohren leuchten rot. „Mary, 20
mein Vater hat heute Geburtstag, und ich will zum Abendessen zu Hause sein.
Hast du Lust mitzufahren?"

„Lust habe ich schon! Aber keine Zeit!—Das heißt, es tut mir vielleicht
gut, meine deutschen Verben einmal zu vergessen."

„Da⁴ hast du sehr recht!" meint Bob. „Am besten fahren wir gleich ab. 25
Dann haben wir mehr Zeit. Ich weiß, ihr Mädchen müßt spätestens um elf
zurück sein."

Von der Universität bis zum Hause seines Vaters braucht Bob meistens
zwei Stunden. Aber zwei Stunden sind eine lange Zeit für einen Sohn,
für dessen Vater zwei Päckchen, eins mit einem Rasiermesser und eins mit 30
einem Hosenträger unterwegs sind. Mehr als zwei Stunden braucht ein
Selbstmörder nicht, um seinem Leben ein Ende zu machen. Bob fährt daher
heute wie der Teufel.

Doch es ist nicht einfach, neben einem Mädchen, das man liebt, immer
nur an Rasiermesser und Hosenträger zu denken. Bobs Gedanken springen 35
daher immer wieder von den roten Hosenträgern auf Marys blondes Haar.

„Das ist mein Es!" denkt er. „Mein Es will, daß ich an Mary denke und

langsam fahre. Dann hat der Vater mehr Zeit, und ich komme vielleicht zu
spät."

Mary sagt kein Wort. Sie weiß, wie alle Frauen, wann man am besten
gar nichts sagt. Sie weiß es weder von Seelentief noch von ihrem Es; sie
5 weiß es, einfach weil sie eine Frau ist.

Und ihre stille Nähe ist stärker als Seelentiefs hohes Wissen. Was in der
Klasse, vor einer Leuchte wie Seelentief, ein reales Etwas zu sein scheint,
über das wir keine Macht haben, ist in einem offenen Auto unter blauem
Himmel nur ein schwaches Nichts, vor allem dann, wenn man neben einem
10 Mädchen wie Mary sitzt. „Kann man einen Menschen, den man liebt, wirk=
lich hassen, ohne es zu wissen?" fragt Bob und fährt etwas langsamer. „Bin
ich nicht froh, daß die Mutter den Vater liebt und an ihm hängt? Ist die
Liebe eines Mannes zu seiner Mutter nicht ganz anders als die Liebe eines
Mannes zu einem Mädchen?" Er fährt noch langsamer.

15 „Wie schön es ist, mit dir so durch das Land zu fahren!" sagt Mary. Sie
sagt es gerade zur rechten Zeit.

Tief unten in der Seele Bobs findet der Ödipuskomplex ein plötzliches
Ende. Das Licht, das von Bobs Liebe zu Mary auf die Liebe zu seiner Mut=
ter fällt, nimmt dieser Illusion alle Macht; und die Worte Marys stoßen
20 sie ganz und gar ins Nichts zurück. „Ich Idiot!" sagt Bob und hält vor
dem Hause seines Vaters.

„Sag mal, mein Junge", meint der Vater eine Stunde später beim
Abendessen, „ich verstehe übrigens nicht, warum du heute morgen zweimal
anrufst, nur um mir zu sagen, daß ich die beiden Päckchen nicht öffnen soll."

25 „Bob meint nur, daß man seinem Vater zum Geburtstag etwas Besseres
schenken soll. Und ich finde, wenn ich seinen Vater ansehe, er hat ganz recht",
rettet Mary die Situation.

„Ein guter Gedanke", meint der Vater. „Das heißt, ich habe alles, was
ich brauche, mir fehlt wirklich nichts zu meinem Glück."

30 „Doch, eine Tochter fehlt dir!" sagt Bob. „Ich hoffe, es ist dir recht,
wenn ich Mary heirate."

„Aber Bob!" rufen Mutter, Vater und Mary wie aus einem Munde.
Mary wird rot bis hinter die Ohren.

Die Blicke des Vaters ruhen lange auf Mary.

35 „Bob hat gar nicht so unrecht", meint dann der Vater. „Mir ist es wirk=
lich sehr recht, wenn ihr heiratet. Heiraten kann man nie zu früh, wenn man
das rechte Mädchen findet, nicht wahr, Mutter?"

„Oder wenn man einen Mann wie dich findet", sagt die noch junge Frau und wirft dem Vater einen vielsagenden Blick zu.

Kurz vor neun fahren Sohn und Tochter zurück. Sie reden nicht viel. Doch ab und zu halten sie eine kurze Zeit und sagen: „Ich liebe dich, du liebst mich." Aber sie tun es ohne Worte. 5

NOTES. 1. In his sketch "The Awful German Language." 2. comes over. Position of prefix shows inseparable compound; see § 92. 3. I wonder if. 4. there (*particle*; see § 69).

Fragen

1. Wie viele Seiten hat jedes Ding? 2. Ist die Seite, die Sie gerade lesen, angenehm oder unangenehm? 3. Was gebrauchen wir in dieser Lektion? 4. Was überkommt den stärksten Mann bei dem Gedanken an deutsche Adjektive? 5. Was tut ein Mann? 6. Wollen Sie die ganze Wahrheit hören? 7. Kann man mit fünfzig Wörtern von Atombomben reden? 8. Was kann man mit fünfzig Wörtern berichten? 9. Was wollen die Leserinnen gar nicht wissen? 10. Wie wollen wir Bobs junge Freundin sehen? 11. Wo sitzt die arme Mary schon seit ein Uhr? 12. Was denkt sie? 13. Was meint sie natürlich? 14. Wann steht Bob vor ihr? 15. Was fragt er Mary? 16. Glauben Sie, es tut ihr gut, daß sie ihre deutschen Verben einmal vergißt? (Glauben Sie, es tut Ihnen auch gut, einmal Ihre deutschen Verben zu vergessen?) 17. Was ist nicht einfach? 18. Auf was springen Bobs Gedanken über? 19. Warum sagt Mary gar nichts? 20. Was sagt sie gerade zur rechten Zeit? 21. Was stößt den Ödipuskomplex ins Nichts zurück? 22. Was fehlt dem Vater zu seinem Glück? 23. Darf Bob heiraten? 24. Wann kann ein Mann nie zu früh heiraten? 25. Wann kann eine Frau nie zu früh heiraten? 26. Warum reden Bob und Mary nicht viel auf der Rückfahrt (way home)?

ENLARGING YOUR VOCABULARY

53. The Suffix ‑in. Almost any masculine noun designating a person can form a corresponding feminine by adding ‑in. This usage is especially common with agent nouns in ‑er. Examples:

der Freund the boy friend   die Freundin the girl friend
der Lehrer the man teacher   die Lehrerin the woman teacher
der Verkäufer the salesman   die Verkäuferin the saleswoman

54. The Suffix ⸗e. A number of German adjectives add ⸗e (and umlaut the vowel if possible) to the stem to form feminine nouns comparable in meaning to English derivatives in *-th* (*length, strength*) and *-ness* (*weakness, coolness*). Examples:

lang long	die Länge the length
stark strong	die Stärke the strength
kühl cool	die Kühle the coolness
nahe near	die Nähe the nearness
schwach weak	die Schwäche the weakness

55. The Suffix ⸗ens. To the superlative stem of certain adjectives the suffix ⸗ens is added to form adverbs meaning "in the —est case." Examples:

spät late	spätestens at (the) latest
hoch high	höchstens at most
gut good	bestens at best
früh early	frühstens at the earliest
lang long	längstens at the longest
	meistens mostly, in most cases
	nächstens in the near future

WORD–BUILDING EXERCISE

Try to make an intelligent guess at the meaning of the following words and phrases:

kühl	bessern	entspringen
kühlen	der Besserwisser	die Himmelfahrt
abkühlen	blind	der Finder
etwas ablesen	ein Blinder	die Frage
etwas abschreiben	der Blindenlehrer	die Zeitfrage
abstoßen	der Denkfehler	das Geburtshaus
abstoßend häßlich	das Dingwort	die Geschäftsstunde
das Abendrot	die Zeit ist unendlich	der Geschäftsfreund
die Abendröte	mir fehlt nichts, aber ich	halten Sie mich nicht auf,
die Abendzeitung	habe viele Fehler	ich habe keine Zeit
ausschicken	entfallen	gut
berichten	entgehen	die Güte
der Bericht	entnehmen	früh

die Frühe
hart
die Härte
hoch
die Höhe
kurz
die Kürze
tief
die Tiefe
haushoch
der Hausherr
die Hausfrau
die Hausmutter
helfen
der Helfer
die Helferin
hören
der Hörer
die Hörerin
himmelblau
die Herzschwäche
das Mutterherz
der Käufer
die Käuferin
der Hauskauf
die Kauflust
die Kindesliebe
der Kindermord
der Kindermörder
das Landhaus
er ist ein Langschläfer

der Lebensretter
lesen
jemandem etwas vorlesen
der Machthaber
das Menschenleben
messerscharf
der Mississippi mündet in den Golf von Mexiko
der Muttermörder
das Morgenrot
die Morgenröte
jemandem die Augen öffnen
jemandem sein Herz öffnen
der Mord
die Mörderin
die Kindesmörderin
der Retter
die Retterin
die Ruhestunde
die Ruhezeit
das Naturkind
Mutter Natur
auf natürlichem Wege
er ist rot
die Partei der Roten
das Schönschreiben
jeder Mensch hat seine Schwächen, er hat seine schwachen Seiten
die Seelenruhe

stoßen
der Stoß
der Schreiber
die Schreiberin
der Schreibfehler
der Spiegel
der Ohrenspiegel
spiegeln
das Stadthaus
stundenlang
der Stundenzeiger
die Vaterstadt
der Vatermörder
der Uhrmacher
der Verstandesmensch
der Menschenverstand
das Wachsein
das Wachen
wegschicken
weggehen
wegwerfen
wegspringen
er redet wegwerfend von dieser Stadt
eine Zeitlang
der Zeitungsleser
der Zeitungsjunge
der Zeitungsverkäufer
jemanden zurücklassen
der Rückweg
nehmen Sie das zurück!

GRAMMAR

56. Adjectives with and without Endings. For all practical purposes it is sufficient to remember the following two rules:

a. Any adjective which precedes its noun, or which is used as a noun, must have some ending.

b. All predicate adjectives have no ending.

These so-called "predicate adjectives" are used especially after such verbs as sein and werden, and in such patterns as Das macht mich froh (*That makes me glad*).

57. Strong and Weak Endings. The endings of der-words and kein-words were introduced in § 28, p. 34. They are:

	der-words				**kein-words**			
	SINGULAR			PLURAL	SINGULAR			PLURAL
	M.	**F.**	**N.**	**All Genders**	**M.**	**F.**	**N.**	**All Genders**
NOM.	er	e	es	e	—	e	—	e
GEN.	es	er	es	er	es	er	es	er
DAT.	em	er	em	en	em	er	em	en
ACC.	en	e	es	e	en	e	—	e

Note that the kein-words really follow the same system as the der-words. Only, the kein-words are defective in three cases. The so-called "strong" adjective endings correspond to the full system of the der-words. For practical purposes, however, the student can forget the genitive singular. The system of the strong adjective endings is therefore this:

Strong Adjective Endings

	Masc. Sing.	**Fem. Sing.**	**Neut. Sing.**	**Plural (All Genders)**
NOM.	er	e	es	e
GEN.				er
DAT.	em	er	em	en
ACC.	en	e	es	e

Weak Adjective Endings

The endings of the following system are traditionally called weak. It might help the student in the memorization of this system to notice that the five -e endings take the approximate form of the Big Dipper.

	Masc. Sing.	**Fem. Sing.**	**Neut. Sing.**	**Plural (All Genders)**
NOM.	e	e	e	en
GEN.	en	en	en	en
DAT.	en	en	en	en
ACC.	en	e	e	en

58. Use of Strong and Weak Endings. The use of the strong and the weak adjective endings is determined by the following three rules:

a. The adjective takes a weak ending if some ber-word or fein-word with a strong ending precedes.

b. The adjective takes a strong ending if no ber-word or fein-word with a strong ending precedes.

c. The first adjective in a series determines the endings of the whole series. All the adjectives preceding a noun have, therefore, the same ending: ein schönes, blondes Mädchen; das schöne, blonde Mädchen.

59. Examples of Weak and Strong Adjectives

a. With a preceding ber-word:

SINGULAR

Masculine	Feminine	Neuter
der gute Sohn	die gute Tochter	das gute Kind
des guten Sohnes	der guten Tochter	des guten Kindes
dem guten Sohn	der guten Tochter	dem guten Kind
den guten Sohn	die gute Tochter	das gute Kind

PLURAL

die guten Söhne	die guten Töchter	die guten Kinder
der guten Söhne	der guten Töchter	der guten Kinder
den guten Söhnen	den guten Töchtern	den guten Kindern
die guten Söhne	die guten Töchter	die guten Kinder

b. With the indefinite article:

SINGULAR

ein guter Sohn	eine gute Tochter	ein gutes Kind
eines guten Sohnes	einer guten Tochter	eines guten Kindes
einem guten Sohn	einer guten Tochter	einem guten Kind
einen guten Sohn	eine gute Tochter	ein gutes Kind

PLURAL

gute Söhne	gute Töchter	gute Kinder
guter Söhne	guter Töchter	guter Kinder
guten Söhnen	guten Töchtern	guten Kindern
gute Söhne	gute Töchter	gute Kinder

c. With a preceding ſein-word:

SINGULAR

mein guter Sohn	meine gute Tochter	mein gutes Kind
meines guten Sohnes	meiner guten Tochter	meines guten Kindes
meinem guten Sohn	meiner guten Tochter	meinem guten Kind
meinen guten Sohn	meine gute Tochter	mein gutes Kind

PLURAL

meine guten Söhne	meine guten Töchter	meine guten Kinder
meiner guten Söhne	meiner guten Töchter	meiner guten Kinder
meinen guten Söhnen	meinen guten Töchtern	meinen guten Kindern
meine guten Söhne	meine guten Töchter	meine guten Kinder

d. Without any preceding ðer-word or ſein-word:

NOM. SING.	guter	Weg	kurze	Zeit	blondes	Haar
GEN. SING.	—		—		—	
DAT. SING.	auf gutem	Wege	nach kurzer	Zeit	mit blondem	Haar
ACC. SING.	ohne guten	Weg	auf kurze	Zeit	für blondes	Haar
NOM. PLUR.	gute	Wege	gute	Zeiten	blonde	Haare
GEN. PLUR.	guter	Wege	guter	Zeiten	blonder	Haare
DAT. PLUR.	auf guten	Wegen	in guten	Zeiten	mit blonden	Haaren
ACC. PLUR.	ohne gute	Wege	für gute	Zeiten	für blonde	Haare

60. Adjectives as Adverbs. As long as it makes sense, any adjective can be used without an ending as an adverb. This means that predicate adjectives and adverbs are not, as in English, distinguished in form. Examples:

> Er iſt langſam. He is slow.
> Er fährt langſam. He drives slowly.

> Das Kind iſt gut. The child is good.
> Er ſchreibt gut. He writes well.

61. Adjectives Used as Nouns. As long as it makes sense, any German adjective may be used as a noun and is then capitalized. When the speaker has a person in mind, the adjective is either masculine or feminine; neuter forms refer only to things or abstract concepts. In either case the adjective is inflected just as if a noun followed it.

The adjective following etwas, nichts, mehr, viel, and wenig (*little*) is capitalized and takes strong neuter endings. (After alles [dative, allem] the adjective takes weak endings and is also capitalized.) Examples:

a. ein Deutscher a German (man); eine Deutsche a German woman

SINGULAR

NOM.	ein Deutscher	eine Deutsche
GEN.	eines Deutschen	einer Deutschen
DAT.	einem Deutschen	einer Deutschen
ACC.	einen Deutschen	eine Deutsche

PLURAL

NOM.	Deutsche
GEN.	Deutscher
DAT.	Deutschen
ACC.	Deutsche

b. der Deutsche the German (man); die Deutsche the German woman

SINGULAR

NOM.	der Deutsche	die Deutsche
GEN.	des Deutschen	der Deutschen
DAT.	dem Deutschen	der Deutschen
ACC.	den Deutschen	die Deutsche

PLURAL

NOM.	die Deutschen
GEN.	der Deutschen
DAT.	den Deutschen
ACC.	die Deutschen

c. das Gute the good; Gutes good (stuff); nichts Gutes nothing good.

SINGULAR

NOM.	das Gute	Gutes	nichts Gutes
GEN.	des Guten	———	———
DAT.	dem Guten	Gutem	zu nichts Gutem
ACC.	das Gute	Gutes	nichts Gutes

NO PLURAL

NOTE. If a noun can easily be supplied from the context, it is often omitted; the adjective referring to the omitted noun is not capitalized. Thus:

Da stehen zwei Häuser. Das rote ist schön, das blaue ist häßlich.

62. The Comparative. Comparative adjectives are formed in German not by using mehr (*more*) (cf. *Mary is beautiful; Anna is more beautiful*), but by adding the ending =er to the stem (cf. *Anna is happy; Mary is happier*). Examples:

laut loud	lauter louder
interessant interesting	interessanter more interesting
schön beautiful	schöner more beautiful

Like all other adjectives, these comparatives in =er, when used predicatively or adverbially, take neither a strong nor a weak ending. Examples:

Bob ist interessanter als Emil. Bob is more interesting than Emil.
Bob schreibt interessanter als Emil. Bob writes more interestingly than Emil.

But when preceding a noun, or when used as a noun, every comparative adjective must have either a weak or a strong ending. Examples:

Bob ist der interessantere. Bob is the more interesting (boy)
ein besserer Lehrer a better teacher
eine schönere Stadt a more beautiful city
ein schärferes Messer a sharper knife
das Bessere the better (thing)

Generally, =er does not cause umlaut. However, the adjectives alt, arm, groß, hart, hoch, jung, kalt, krank (*sick*), kurz, lang, nah, oft, scharf, schwach, schwarz, stark, and warm (*warm*) umlaut the stem vowel in both comparative and superlative (for example, älter, der Älteste).

63. Superlatives. A phrase like *most intelligent* can be used either to express a real comparison (*Mary is my most intelligent student* [that is, she is the most intelligent of my students]), or to express, without comparing, a high degree of intelligence (*I think she is most intelligent*). In the first case we speak of the "superlative of comparison"; in the second case, of the "absolute superlative."

64. The Superlative of Comparison. All German adjectives form their superlative of comparison in only one way: they add the suffix ⸗ſt* to the stem (and sometimes umlaut the stem vowel, cf. § 62). Thus: ſchön, angenehm, einfach, intereſſant, jung, lang, form the superlatives ſchönſt⸗, angenehmſt⸗, einfachſt⸗, intereſſanteſt⸗, jüngſt⸗, längſt⸗. When used as superlatives of comparison, these forms in ⸗ſt never occur without a weak or strong ending.

These superlatives in ⸗ſt may be used according to the following two patterns:

a. As attributive adjectives or as nouns. Examples:

Sie ſind	der ſchönſte Mann.	Sie ſind	der ſchönſte.
	die ſchönſte Frau.		die ſchönſte.
	das ſchönſte Mädchen.		das ſchönſte.

Da iſt	mein jüngſter Sohn.
	meine jüngſte Tochter.
	mein jüngſtes Kind.

Mir genügt	der Beſte.
	die Beſte.
	das Beſte.

b. In the "am —ſten" pattern. This pattern (that is, am beſten, am ſchönſten, am einfachſten, am intereſſanteſten, am längſten, etc.) must be used whenever the superlative of comparison functions as an adverb—

Bob fährt von allen am beſten (am langſamſten). Bob drives best (slowest) of all.

Mary ſchreibt am ſchönſten. Mary writes the most beautifully.

Er ſteht mir von allen am nächſten. He stands the closest to me of all.

Um 12 Uhr ſteht die Sonne am höchſten. At twelve the sun stands highest.

---

*Use ⸗eſt after d, t, or a sibilant.

The same pattern, am —ſten, can be safely used as a predicate whenever a thing (or person) is compared with itself. Thus:

Mary iſt am angenehmſten, wenn ſie ſchläft. Mary is most agreeable when she is sleeping.

Gegen Abend iſt der Wind am ſtärkſten. Toward evening the wind is strongest.

65. The Absolute Superlative. As pointed out above, English sentences like *Mary is a most intelligent girl, I think she is most intelligent, She writes most intelligently,* do not involve a comparison. The word *most* in these sentences is an intensifying adverb answering the question "how intelligent(ly)" and could easily be replaced by such adverbs as *very, extremely,* etc., whereas, in the superlative of comparison, the word *most* cannot be replaced.

For the absolute superlative, German uses the same linguistic pattern as English, that is, a simple adjective preceded by some intensifying adverb. There is one important difference: **meiſt means mostly and can therefore not be used to translate English most.** Instead, such adverbs as höchſt (*highly*), ſehr (*very*), and others are used. Examples:

Sie iſt ein höchſt (ſehr) intelligentes Mädchen.
Sie iſt höchſt (ſehr) intelligent.
Sie ſchreibt höchſt (ſehr) intelligent.

66. Irregular Comparison. The following adjectives and adverbs show irregularities in their comparison:

groß great	größer	am größten
gut good	beſſer	am beſten
hoch high	höher	am höchſten
nah near	näher	am nächſten
viel* much	mehr	am meiſten
lieb† dear	lieber	am liebſten
gern‡ gladly	lieber	am liebſten

---

*Indeclinable when denoting amount or quantity. Cf § 77, p. 92.
†Adjective.
‡Adverb.

67. Als and wie. The idea *as . . . as* is expressed in German by so . . . wie: Ich bin so jung wie er (*I am as young as he*). The English *than* after a comparative is expressed by als: Ich bin jünger als er (*I am younger than he*).

68. Time Expressed by Present Tense. In § 9, p. 18, we pointed out that a present-tense form like ich sitze can mean *I sit, I do sit,* and *I am sitting.* In addition, this form always has a future meaning when used with a time phrase which points forward:

Bob fährt heute nach Hause. Bob is driving home today (will drive home today) .

Ich gehe auf ein Jahr nach Berlin. I am going to Berlin for a year.

Er kommt morgen zurück. He is coming back tomorrow.

On the other hand, when used with a time phrase which points backward, it must be translated by the English present perfect:

Mary sitzt seit ein Uhr vor der Bibliothek. Mary has been sitting in front of the library since one o'clock.

In this connection it is to be noted that seit precedes not only a point of time, as in English, but also a stretch of time. Thus:

Er ist seit zwei Jahren in Berlin. He has been in Berlin for two years.

Instead of seit zwei Jahren one can also say schon zwei Jahre lang.

69. Particles. The so-called "particles" differ from other words in that they do not always have a dictionary "meaning" and cannot always be directly translated. Quite frequently they are sentence adverbs with a psychological, not a logical, meaning; that is, they imply or suggest things "between the lines" of speech. Such usage is not unknown in English. For example, in the sentences "What *in the world* is that?" "You did *too*," the italicized phrase and words are particles rather than "words," and cannot be taken or translated literally.

The German words most frequently used as particles are denn, doch, ja, and schon.

a. Denn is frequently put into a question to add emphasis:

Was machen Sie denn? What (in the world) are you doing?

b. Doch has two principal uses: (1) *Accented.* When Bob says, "Doch, eine Tochter fehlt dir!" he means to say, "Yes, there *is* something you lack." The accented doch implies that a preceding statement was wrong.

(2) *Unaccented.* In Mary's sentence on page 31, "Er hat doch keinen Sohn" (*After all, he has no son*), the unaccented doch implies that this statement cannot be doubted. In this use doch can seldom be translated, but it can be suggested by the intonation of the English sentence.

c. Ja is frequently used without stress to indicate a matter of common knowledge and agreement, and may sometimes be translated by (*as*) *you know.* Thus, on page 66, the sentence "Sie sind ja keine Kinder" means (*You and I both know that*) *you are not children.*

d. Schon in Mary's statement "Lust habe ich schon" corresponds roughly to *all right* in English (which is also a particle): *I want to, all right.*

Since the liberal use of particles is characteristic of idiomatic German, they are freely used in this book.

EXERCISES

I

Using the following pairs of nouns and adjectives, make up six declensions as follows: one with a der-word for each gender, one with a kein-word for each gender:

blau + Rock	angenehm + Frau
schön + Spiegel	still + Haus
einfach + Uhr	rot + Auge

WRITE FOR FRIDAY

II

Decline the following phrases in singular and plural, after having changed the simple adjectives to comparatives:

ein starker Mensch	Ihr junger Sohn
die arme Frau	sein junges Kind
meine junge Tochter	

III

Decline the following phrases in singular and plural:

mein liebſter Sohn   etwas Blaues
der größte Menſch   der kürzeſte Weg
ein Roter   das wahrſte Wort
eine Rote

IV

For Monday + added material noma.

Insert the correct endings: Es iſt ein ſchön___, ſtill___ Abend. Seine blau___ Augen ſehen ſcharf___. Meine Augen ſehen ſchärfer___ als deine. Vater hat die beſt___ Augen. Seine Augen ſind die beſt___. Ein Mädchen mit ſchön___, rot___ Haar. Nach lang___ Zeit. Für gut___ Kinder. Meine intelligenteſt___ und beſt___ Studentin, mein intelligenteſt___ und beſt___ Student. Für mein___ beſt___ Studenten iſt das Beſt___ gerade gut___ genug. Das iſt etwas Gut___. Ich ſchlafe heute etwas länger___.

1. ein gutes Ende 2. Die ſchöne Natur 3. Sein abſtehendes Ohr 4. der arme Teufel 5. Ihre junge Tochter 6. Kein Deutſcher Mann

V

Translate into German: 1. Bob will drive (*pres. tense*) home this evening. 2. Is he really driving more slowly because his girl friend is sitting beside him? 3. Mary has been sleeping (*pres. tense*) since nine o'clock. 4. Bob doesn't know what she is thinking, but at (zu) the right time Mary will find (*pres. tense*) the right word. 5. Bob's mother is much younger than his father, and she is glad that Bob is not forgetting the birthday. 6. Today I can report nothing good to you. 7. I desire (wollen) only your best. 8. The best is just good enough for her. 9. Fido is dearer (lieber) to me than my best friend. 10. I sleep long, my father sleeps longer, and my mother sleeps longest.

write page 100-G

Adjective endings

I			II			III		
Nothing prec.			der dieser welcher was			ein kein welcher		
N = er	e	es	e	e	e	er	e	es
G = en	er	en	en	en	en	en	en	en
D = em	er	em	en	en	en	en	en	en
A = en	e	es	en	e	e	en	e	es
	e						en	
	er				en		en	
	en				en		en	
	e				en		en	

LESSON VII

∿

TEXT A

Vor unserem Hause sitzt ein junger Mann. Er hat abstehende Ohren.
Vor unserem Hause sitzt ein junger Mann, der abstehende Ohren hat. Vor
unserem Hause sitzt ein junger Mann; der hat abstehende Ohren.—Dieser
Hosenträger ist wirklich höchst elegant. Mir ist er zu rot. Nein, der ist mir
5 zu rot, den kann ich nicht gebrauchen. Und ich kaufe mir keinen Hosenträger,
den ich nicht gebrauchen kann.—Ich denke noch oft an Mary. Ich denke
noch oft an sie. Ja, an die denke ich noch oft.—An wen denken Sie? An
Mary? An sie? An die? Ja, an Mary! Ja, an sie! Ja, an die!—Ich
denke noch oft an meine Vaterstadt. Ich denke noch oft an sie. Ich denke
10 noch oft daran. An die denke ich noch oft. Daran denke ich noch oft.—An
was denken Sie? An Ihre Arbeit? Woran denken Sie? An Ihre Arbeit?
—Meine Vaterstadt, an die (an welche, woran) ich noch oft zurückdenke, ist
wirklich sehr schön. Wovon leben Sie? Von was leben Sie? Ich verkaufe
Seife. Kann man davon leben? Wenn man muß, kann man auch davon
15 leben. Vielleicht finden Sie einmal etwas Besseres, etwas, an das (woran)
Sie heute noch gar nicht denken, etwas, was (das) Ihnen viel Geld einbringt.

Es genügt nicht, daß ein Mädchen schön ist; sie muß auch intelligent sein.
Ob sie intelligent ist oder nicht, das will ich gar nicht wissen. Ich will es gar
nicht wissen, daß sie nicht intelligent ist. Ich kann gar nicht daran denken,
20 daß ich meinen Vater vielleicht nicht wiedersehe. Daran, daß ich meinen
Vater vielleicht nicht wiedersehe, darf ich gar nicht denken.

Alle Menschen müssen essen. Nicht alle Menschen werden alt. Viele Men=
schen werden nicht alt. Nur wenige Menschen leben so, wie sie leben sollen.—
Da geht Meyer. Der hat viel Geld und viele Freunde.

25 Denken Sie noch oft an mich? Ich bin ein Mensch, der nur an sich denkt.
Aber Ihre Frau denkt nie an sich, sie denkt immer nur an ihre Kinder. Ein
guter Mensch denkt an sich selbst zuletzt. Ein intelligenter Mensch denkt an
sich, selbst zuletzt.—Ärgern Sie sich? Natürlich ärgere ich mich. Soll man
sich vielleicht nicht ärgern, wenn einem der Vater nicht genug Geld schickt?
30 „Mensch, ärgere dich nicht!"*

---

*This is the German name of a game resembling parcheesi.

Rette dich! Rettet euch! Retten Sie sich! Andere kannst du retten, warum rettest du dich nicht selbst? Setzen Sie sich! Setzt euch! Setz dich! —Ich bin ein Langschläfer und kann mich nicht zwingen, früh aufzustehen. Wenn Sie sich nicht selbst dazu zwingen, zwingt das Leben Sie dazu.—Ich will Lehrer werden; und ich brauche nur darauf zu sehen, daß ich keine Acht= 5 Uhr=Klassen habe.—Du vergißt dich, mein Kind. Du darfst nicht so zu deiner Mutter reden.—Nicht jede Frau versteht es, sich schön zu machen.

Fritz liebt Mary. Das kann ich mir denken; sie ist ein schönes Mädchen. Aber was denkt sich Mary dabei?—Hilf mir! Hilf dir selbst! Er kann sich nicht helfen.—Das menschliche Auge bildet sich schon lange vor der Geburt. 10 Aus vielen Teilen bildet sich ein Ganzes.—Dann muß es sich zeigen, ob du ein Mann bist.—Am frühen Morgen rötet sich der Himmel.—Bob und Mary hassen sich. Fritz und Mary lieben sich. Sie treffen sich jeden Tag in der Bibliothek.—Wo können wir uns treffen? Wo treffen wir uns am besten? Wo trefft ihr euch? 15

Ich lasse mich nicht zwingen. Ich lasse mich nicht dazu zwingen, etwas zu tun, was ich nicht tun will.—Man kann ihr nicht helfen. Sie läßt sich nichts sagen. Da steht sie schon wieder vor dem Spiegel und macht sich schön. Da sie sich gerade schön macht, steht sie vor dem Spiegel.—Vater, ich brauche ein neues Sporthemd. Da kann ich dir nicht helfen; ich habe kein Geld. 20 Und da ich kein Geld habe, kann ich dir kein Sporthemd kaufen.

VOCABULARY

die Arbeit, –en the work, labor
ärgern, sich to be vexed, angry
die Art, –en the kind, sort; manner
das Beispiel, –e the example
der Berg, –e the mountain
  der Bergarbeiter, — the miner
bestimmt definite
bilden (to *build*), form
der Dienst, –e service
frei *free*
geben (i) to *give*
die Gefahr, –en the danger
gehören (*w. dat.*) to belong to
das Geld the money

gering slight, small
das Gesetz, –e the law
das Glied, –er the member, limb
  Mitglied the member (of an organization)
die Grenze, –n the border, boundary, limit
groß, größer *great*, large
halb *half*
  die Hälfte, –n the *half*
das Jahr, –e the *year*
je . . . desto the . . . the
die Kohle, –n the *coal*; carbon
leicht *light* (not heavy); easy

leiſten to do, perform
letzt *last*
  zuletzt' at *last*
liegen to *lie*, be situated
=los *-less*
miß= *mis-*
möglich possible
nennen to *name*, call
neu *new*
oft, öfter *often*
der Preis, —e the *price*; *prize*
ſcheiden to separate
  ſich unterſchei'den to be distinguished (from)
ſetzen to *set*, place

ſinken to *sink*, fall, drop
der Sklave, —n the *slave*
der Staat, —en the *state*
ſteigen to climb, ascend
die Steuer, —n the tax
tauſend *thousand*
der Teil, —e (*deal*), the part
wenig (*weeny*), little; (*pl.*) few
wohl *well*
  das Wohl (*weal*), the welfare, good
die Zahl, —en (*tally*), the number
ziehen (*tug*), to draw; move
  entziehen to withdraw
zwingen to compel

IDIOMS

einmal (just) once; someday
es gibt there is, there are
ich bin mir klar I am in no doubt
  (about something)

ſowohl . . . wie as well as
vor einem Jahre a year ago
wenigſtens at least
z. B. (zum Beiſpiel) for example, e.g.

TEXT B

Angebot und Nachfrage

Der Preis aller Güter,[1] das weiß heute jedes Kind, hängt von Angebot und Nachfrage[2] ab. Iſt das Angebot größer als die Nachfrage, ſo fallen die Preiſe; iſt aber die Nachfrage größer als das Angebot, ſo ſteigen ſie.

Wie alles Wiſſen, ſo iſt auch das Wiſſen um[3] dieſes Geſetz gefährlich. 5 Denn alles Wiſſen läßt ſich mißbrauchen. Nach den Geſetzen der meiſten Länder habe ich z. B., wenigſtens theoretiſch, das Recht, die Inſulinproduktion eines ganzen Jahres aufzukaufen, die Hälfte davon wegzuwerfen und für die andere Hälfte phantaſtiſch hohe Preiſe zu verlangen. Und wie Sie wiſſen, kann ein monopoliſtiſches Kartell die Preiſe ſeiner Produkte ſehr 10 leicht auf einer beſtimmten Höhe halten. Man braucht nur darauf zu ſehen, daß die Nachfrage immer größer iſt als das Angebot.

In demokratiſchen Ländern hat der Egoismus der Spekulanten und der Kartelle natürlich eine Grenze. Die politiſche Macht der vielen Käufer iſt zwar nicht immer, aber doch meistens größer als die Macht des Geldes. Wenn sich genügend Käufer genügend ärgern, so findet sich immer ein Weg, einem Kartell die Kontrolle über die Produktion seiner Güter zu entziehen.

Mit einer Ausnahme!

In einer Demokratie hängt die politische Macht, die ein Kartell hat, nicht 5 nur von seinem Gelde, sondern auch von der Zahl seiner Mitglieder ab. Je größer die Zahl der Mitglieder, desto größer die Macht des Kartells und desto geringer die Möglichkeit, dieser Macht durch Gesetze eine Grenze zu setzen.

Kartelle dieser Art, d. h. Organisationen, gegen die auch der Staat fast 10 machtlos ist, gibt es heute in allen demokratischen Ländern; und sie sind, darüber ist sich heute jeder klar, eine Gefahr für die Struktur unserer Zivilisation.

In einem demokratischen Staat haben nämlich die Arbeitnehmer das Recht, eine Organisation zu bilden und ihre Arbeit dem Arbeitgeber nicht 15 direkt, sondern indirekt durch diese Organisation zu „verkaufen". Ein Staat, worin der Arbeiter dieses Recht nicht hat oder der dazu übergeht, dem Arbeiter dieses Recht zu nehmen, ist eine Diktatur und keine Demokratie.

Eine Arbeiterorganisation aber, zu der alle Arbeiter einer bestimmten Art gehören oder gehören müssen, ist ein monopolistisches Kartell. Es ist ganz 20 gleich, ob sich ein solches Kartell „progressiv", „sozialistisch" oder „anti= kapitalistisch" nennt: im Prinzip unterscheidet sich eine „sozialistische" Arbeiterorganisation nicht von einem „kapitalistischen" Kartell. Beide Or= ganisationen gebrauchen ihr Wissen um[3] das Gesetz von Angebot und Nach= frage dazu, die Preise ihrer Güter zum Steigen zu bringen und so hoch wie 25 möglich zu halten. Und beide, die „kapitalistischen" sowohl wie die „anti= kapitalistischen" Kartelle werden daher leicht zu einer sozialen Gefahr.

Und doch ist eine Arbeiterorganisation soziologisch und psychologisch etwas ganz anderes als ein kapitalistisches Kartell. Der Arbeiter leistet seinen Mitmenschen mit seiner Arbeit einen Dienst; der Spekulant aber ist 30 ein sozialer Parasit, und auch die Kartelle sind zwar nicht immer, aber doch oft Parasiten.

Außerdem ist nicht jede Arbeit gleich angenehm oder unangenehm. Die Arbeit, die man z. B. in einer guten Universität von Studenten und Lehrern verlangt, ist zwar nicht leicht; aber sie ist sehr viel angenehmer als die 35 Arbeit des Bergarbeiters vor der Kohle,[4] die zu den unangenehmsten und gefährlichsten Arbeiten gehört, die es gibt. Man kann es verstehen, daß die

meisten jungen Männer heute keine Bergarbeiter werden wollen. Die Zahl der jungen Männer, die vor der Kohle arbeiten, fällt daher seit Jahren,[5] und der Bergarbeiter ist heute, wie die Statistik zeigt, im Durchschnitt[6] älter als vor 50 Jahren. In Europa ist dies Problem kritisch. In Belgien z. B.
5 gibt es unter den Bergarbeitern schon heute viele Ausländer, die in Belgien mehr und besser essen können als zu Hause und daher in Belgien auch eine Arbeit tun, zu der die jungen Männer Belgiens keine Lust haben.

Die Nachfrage nach Bergarbeitern ist mit andern Worten groß, das Angebot gering. Nach dem Gesetz von Angebot und Nachfrage muß daher
10 der Preis dieser Arbeit steigen. Und da heute in den meisten Ländern alle Bergarbeiter zu einer großen Organisation gehören, die den „Verkauf" dieser Arbeit kontrolliert, so können die Bergarbeiter jedes Jahr einen höheren Preis für ihre Arbeit verlangen und damit den Preis der Kohle immer wieder zum Steigen bringen.

15 Doch, wie Sie wissen, hängen die Preise fast aller Gebrauchsgüter[7] von der Kohle ab. Jede Erhöhung der Kohlenpreise ist daher eine Art Steuer, die den Bergarbeiter gerade so hart trifft wie seine Mitmenschen. Ja, sie trifft ihn, der nicht viel Geld hat, härter als den „Kapitalisten". Ist es möglich, so fragt sich daher schon heute jeder denkende Mensch, daß die Kohlenpreise
20 von Jahr zu Jahr steigen, ohne daß am Ende ein großer Teil der Industrie zum Stillstand kommt und damit Tausende von Arbeitern arbeitslos werden?

Wir stehen hier vor einem alten Problem in neuer Form, und dieses Problem heißt: gibt es ohne Sklavenarbeit eine Zivilisation?

25 Was wollen wir, was wollen Sie tun, wenn die Zahl der jungen Menschen, die vor der Kohle arbeiten wollen, am Ende so tief sinkt, daß Europa nicht mehr die Kohle produzieren kann, die es braucht? Wollen Sie vielleicht Ihre Mitmenschen zwingen, eine Arbeit zu tun, die Sie selbst nicht tun wollen? Vielleicht zwingt man dann einmal auch Ihre Kinder dazu.

30 So viel ist klar: Ohne Kohle können wir nicht existieren; und die Arbeit vor der Kohle ist daher ein Dienst an der Nation. Und selbst der Staat hat nicht das Recht, die Menschen, die uns diesen Dienst leisten, zu Sklaven zu machen. Die Macht des Staates hat an der Freiheit des Individuums eine Grenze.

35 Aber auch das Individuum hat nicht das Recht, seine Freiheit zu mißbrauchen. Das Recht des Individuums, auch das Recht einer Arbeiterorganisation hat eine Grenze, eine Grenze nämlich am Wohl des Ganzen.

Zwischen diesen beiden Grenzen, d. h. zwischen dem Wohl des Ganzen und der Freiheit des Individuums liegt die Zivilisation. Auf der anderen Seite dieser Grenzen aber liegt das Chaos.

NOTES. 1. goods. 2. Angebot und Nachfrage supply and demand. 3. of. 4. vor der Kohle *mining term*, in front of the coal (that is, actually taking coal out of the earth). 5. See § 68, p. 79. 6. im Durchschnitt *literally*, in the through-cut; on the average. 7. commodities.

Fragen

1. Was weiß heute jedes Kind? 2. Wann fallen die Preise? 3. Wann steigen sie? 4. Wie kann man die Preise sehr leicht auf einer bestimmten Höhe halten? 5. In welchen Ländern hat der Egoismus der Spekulanten eine Grenze? 6. Wessen Macht ist größer als die Macht des Geldes? 7. Wovon hängt die politische Macht eines Kartells ab? 8. Welches Recht haben die Arbeitnehmer in einer Demokratie? 9. Ist ein Staat, in dem die Arbeiter dieses Recht nicht haben, eine Demokratie? 10. Wann ist eine Arbeiterorganisation ein monopolistisches Kartell? 11. Warum ist eine Arbeiterorganisation psychologisch etwas ganz anderes als ein kapitalistisches Kartell? 12. Wer ist ein sozialer Parasit? 13. Ist jede Arbeit gleich angenehm oder unangenehm? 14. Wessen Arbeit ist angenehmer als die Arbeit des Bergmannes? 15. Warum arbeiten viele Ausländer gerne in Belgien? 16. Was ist eine Art Steuer? 17. Was fragt sich schon heute jeder denkende Mensch? 18. Vor welchem Problem stehen wir? 19. Können wir ohne Kohle existieren? 20. Welches Recht hat der Staat nicht? 21. Woran hat die Macht des Staates eine Grenze? 22. Welches Recht hat auch das Individuum nicht? 23. Zwischen welchen Grenzen liegt die Zivilisation? 24. Was liegt auf der anderen Seite jener Grenzen?

ENLARGING YOUR VOCABULARY

70. The Suffixes =heit, =keit, =igkeit. Many adjectives can be turned into feminine abstract nouns by the addition of the suffixes =heit, =keit, or =igkeit (which form plurals in =en). These suffixes correspond roughly to English -ty (*certainty*) and -ness (*goodness*). Examples:

blind blind	die Blindheit blindness
möglich possible	die Möglichkeit possibility
machtlos powerless	die Machtlosigkeit powerlessness

71. The Suffix =ung. Many verbs form feminine nouns by adding the suffix =ung (pl., =ungen) to the stem. The corresponding meanings are expressed in English by the suffixes *-ing, -ment, -tion.* Examples:

bilden	to form	die Bildung	formation
zahlen	to pay	die Zahlung	payment
ziehen	to draw	die Ziehung	drawing

WORD-BUILDING EXERCISE

Try to make an intelligent guess at the meaning of the following words and phrases:

die Arbeit
arbeiten
das Arbeiten
die Arbeiterzeitung
die Hausarbeit
die Nachtarbeit
Meyer und seine Mitarbeiter
sich überarbeiten
er ist Vorarbeiter, das weiß ich bestimmt
das ist noch sehr unbestimmt
das kann man nicht mit Bestimmtheit sagen
er hat eine gute Ausbildung
das ist eine neue Wortbildung
der Staatsdienst
Nachtdienst haben
jemandem einen Freundesdienst leisten
jemandem dienen
wer dient, ist ein Diener
ein Diener des Höchsten

unser Hausdiener
frei sein
ein freier Mensch sein
die Freiheit
die Redefreiheit
ein unfreier Mensch
in Unfreiheit leben
etwas aufgeben
ich gebe Ihnen recht
jemandem etwas zurückgeben
etwas weggeben
Geld ausgeben
Gesetze machen
der Gesetzgeber
die Steuergesetze
die Landesgrenze
Deutschland grenzt an Dänemark
das grenzt ans Übernatürliche
groß, größer, die Größe
Karl der Große
die Großmutter
der Großvater
die Großstadt

Amerika, und Rußland sind Großmächte
zum Jahresende von Deiner Dich liebenden Frau
Neujahr
ein Jahrtausend
vor vielen Jahren
eine gute Leistung
eine Rekordleistung
ein herzloser, liebloser und seelenloser Mensch
die Selbstlosigkeit einer Mutter
eine schlaflose Nacht
ruhelos auf= und abgehend
eine Mißgeburt
eine Mißbildung
mißverstehen Sie mich nicht!
ein Kind aussetzen
sich für seinen Freund einsetzen
die Einsetzung einer Kommission

ſich dem Staat widerſetzen	herabſinken	in einem alten oder einem
einſinken	hinabſinken	neuen Teil der Stadt
zurückſinken	die Geburtsſtadt Goethes	in der Altſtadt; in der
abſinken	der Stadtteil	Neuſtadt

GRAMMAR

INVERTED ORDER

72. Verb-First Position. Instead of "Iſt das Angebot größer als die Nachfrage" (p. 84, line 2), we might as well have said, "Wenn das Angebot größer iſt." That is, the wenn of a condition may be left out, in which case verb-first position is required. This usage is often referred to as "conditional inversion."

Verb-first position therefore means one of three things:

a. The sentence is a question: Bleiben Sie?

b. The sentence is a command: Bleiben Sie!

c. The verb introduces an *if*-clause with the wenn omitted: Bleiben Sie, ſo ſind wir froh. (Note that English also uses this pattern in unreal conditions, thus:

Had he known that you were coming, he would have waited for you.

73. The Demonstrative Pronouns. The pronouns of the third person (er, ſie, es; ſie) are generally unstressed. When stress is called for, they are usually replaced by the demonstrative der, die, das, which thus supplies the stressed form of the third personal pronoun.

This demonstrative is in form (not in function) identical with the relative, as shown by the following declension:

RELATIVE & DEMONSTRATIVE

	SINGULAR			PLURAL
	Masc.	**Fem.**	**Neut.**	**All Genders**
Nom.	der	die	das	die
Gen.	deſſen	deren	deſſen	deren*
Dat.	dem	der	dem	denen
Acc.	den	die	das	die

*The form derer is used as the antecedent of a relative pronoun:

Die Zahl derer, die hier ſind. The number of those who are here.

By observing the position of the inflected verb, the reader can easily tell whether one of the above forms is used as a relative or as a demonstrative. Relatives introduce clauses with verb-last position; demonstratives do not influence the position of the verb. Examples:

Personal:	Da geht Meyer. Ihm gehört die halbe Stadt.
Demonstrative:	Da geht Meyer. Dem gehört die halbe Stadt.*
	Da geht Meyer, dem gehört die halbe Stadt.*
Relative:	Meyer, dem die halbe Stadt gehört, wohnt selbst nicht darin.
	Meyer, who owns half the town, does not live in it himself.

74. The Pronoun Substitute da-. When governed by prepositions, and not referring to persons, the pronouns of the third person and the demonstrative pronoun der, die, das, may be replaced by the word da= (dar= before vowels). This da= (dar=) precedes and is compounded with the preposition.

Thus, mit ihm, mit ihr, mit ihnen, mit dem, mit der, and mit denen are all expressed by the one compound damit; and an ihm, an ihr, an den, an der, an denen, an ihn, an es, an ihnen, an sie, an den, an die, and an das are all expressed by daran. Example:

Wo ist die Zeitung? Ich sitze auf ihr; ich sitze darauf; auf der sitze ich; darauf sitze ich.

75. The Pronoun Substitute wo=. When governed by a preposition, the interrogative pronoun was, which is indeclinable and never refers to persons, may be replaced by the word wo= (wor= before vowels). Thus, Aus was? Bei was? Mit was? Nach was? An was? Auf was? etc. become Woraus? Wobei? Womit? Wonach? Woran? Worauf? etc. Example:

An was denken Sie?   or   Woran denken Sie?

This substitution must take place when was is used as an indefinite relative (see § 49, p. 59). Example: etwas, worauf ich hoffe (*something I am hoping for*). (It would be incorrect to write: etwas, auf was ich hoffe, but permissible to write: etwas, auf das ich hoffe.)

---

*Note the flexible punctuation with demonstratives.

The definite relative ber, bie, baß, is likewise replaced occasionally by wo=, when it does not refer to persons. Example:

baß Hauß, in bem (*or* worin) ich wohne the house in which (wherein) I live

76. Anticipative Pronouns. In such an English sentence as *I have it on good authority that he really is a millionaire*, the verb *have* has two grammatical objects: the *it* in the main clause, and the entire clause introduced by *that*. Without this *it* there would be, for our feeling, a syntactical gap in the main clause; for the verb *to have* must have an object in its own clause. The *it* refers in advance to the clause which is to follow, and which will explain what we really mean by this indefinite *it*.

All pronouns which merely fill out a syntactical gap and refer to a following clause are called "anticipative pronouns." In German such pronouns are used much more frequently than in English. For example, Ich kann eß gar nicht glauben, baß ber Vater nicht mehr lebt must be translated *I simply cannot believe that Father is no longer alive*. Similarly, the sentence in our text Man kann eß verstehen, baß . . . means *It is understandable that . . .*

German anticipative pronouns are especially puzzling to the American reader in the case of such compounds as baran, barauf, barüber, etc., where the eß has been replaced by the substitute ba= (bar=). The anticipative use of such compounds is particularly frequent in scientific German, and the student will do well to acquaint himself with this construction as early as possible.

In the sentence from our text Man braucht nur barauf zu sehen, baß . . . (p. 84, l. 10), one can easily see that the barauf stands for auf eß, and that the sentence therefore means *One need only see to it that . . .* However, it would be poor English to translate the sentence Sie gebrauchen ihr Wissen bazu, bie Preise zum Steigen zu bringen thus: *They use their knowledge for this, to cause prices to rise*. Here, as often, the German anticipative pronoun is best omitted in translating.

NOTE. Of course the eß contained in the compounds baron, bazu, etc. can also refer back to something already said. *Cf.* Vielleicht zwingt man einmal auch Ihre Kinber bazu (p. 86, l. 29) (*Perhaps someday your children too will be forced into that*).

77. Indefinite Pronouns. The words all, viel, and wenig are used with and without adjective endings. When used without endings, they indicate bulk and quantity, not numbers. Thus, viel zu essen means *lots to eat*, and viel Kohle means *a large quantity of coal*. *Cf.* also wenig zu essen (*little to eat*), wenig Kohle (*little coal*). All die Seife means *all (of) the soap*, and all unsere Arbeit means *all our work*.

When used with adjective endings, all, viel, and wenig indicate numbers. Thus: alle Menschen (*all people*), viele Menschen (*many people*), wenige Menschen (*few people*).

The indefinite pronoun man, which has no plural, is declined as follows:

Nom.	man
Gen.	—
Dat.	einem
Acc.	einen

78. Reflexive Pronouns. Good English style requires that I say, "I bought myself a hat." However, one can also say, "I bought me a hat." Using grammatical terms, one might say that good style requires that the so-called "reflexive pronoun" (*myself, your-self, himself*, etc.) be used for the object of a sentence in which subject and object are the same person or thing. On the other hand, it does no harm to use the personal pronoun as the object if the meaning is clear.

As far as ich, du, wir, and ihr are concerned, the meaning is always clear, and that is the reason why German has no special reflexives in these cases. The regular forms mir, mich, dir, dich, uns, and euch are used exclusively. Examples:

Ich kaufe mir ein Haus.	Ich setze mich.
Du kaufst dir ein Haus.	Du setzt dich.
Wir kaufen uns ein Haus.	Wir setzen uns.
Ihr kauft euch ein Haus.	Ihr setzt euch.

When both the subject and the object of a sentence are a so-called "third person" (which may be a thing), one absolutely needs a reflexive pronoun to distinguish, as it were, between murder and suicide. For obviously it is one thing to say "He killed him" ("She killed her"), and quite another thing to say, "He killed himself" ("She killed herself").

In German the reflexive pronoun for all genders and numbers of the third person (including the polite form Sie) is sich. This sich is both dative and accusative. Examples:

> Er kauft sich ein Haus. Er setzt sich.
> SHE Sie kauft sich ein Haus. Sie setzt sich.
> THEY Sie kaufen sich ein Haus. Sie setzen sich.
> Kaufen Sie sich ein Haus! Setzen Sie sich!

The forms uns, euch, and sich can also be used reciprocally with the meaning *each other*. Examples:

> Wir lieben uns. We love each other.
> Ihr liebt euch. You love each other.
> Sie lieben sich. They love each other.
> Sie lieben sich. You love each other.

79. Intensive Pronouns. The English reflexive pronouns can also be used as intensive pronouns: *I saw him myself, He himself said so.* In German, intensification is expressed by the indeclinable words selbst and selber, which follow the noun or pronoun in question. Thus:

> Das weiß ich selbst. *I know that myself.*
> Das muß Maria selber tun. *Maria must do that herself.*

Selbst (never selber) can also precede a noun or pronoun, and then means *even*. Thus:

> Selbst Maria muß das tun. *Even Maria must do that.*
> Selbst ich weiß das. *Even I know that.*

NOTE. For derselbe see the footnote on page 108.

80. Reflexive Verbs. Almost any transitive verb can be used with a reflexive pronoun which is really the object of the verb. Such verbs are common in both English and German and offer the learner no difficulty. It is easy to see that Er hängt sich auf means *He hangs himself up*, and that Hilf dir! means *Help yourself* or *Give help to yourself*.

To the English-speaking person it seems perfectly natural to use such verbs as *to move* or *to open* both transitively and intransitively. Thus:

> We move freight; the freight is moving.
> He opened the door; the door opened.

As a rule, German transitive verbs cannot be used intransitively. To make them intransitive, one must often make them reflexive. Thus:

> Er bewegt die Hand. He moves his hand.
> Er öffnet die Tür. He opens the door.

But:
> Die Hand bewegt sich. The hand moves (itself).
> Die Tür öffnet sich. The door opens (itself).

These reflexive verbs indicate a process or state of the subject, and not an action of the subject upon itself. Similarly, jemanden ärgern means *to vex* or *annoy somebody else*, but sich ärgern does not mean to *vex oneself*; it merely means *to be vexed*. Likewise, jemanden fürchten means *to be afraid of somebody*, but sich fürchten does not mean *to be afraid of oneself*; it simply means *to be afraid*.

Note, however, that English has one reflexive verb of this type: *to enjoy oneself* does not mean "to enjoy *oneself*"; it means "to enjoy something else."

81. The Verb lassen. The verb lassen can be used with or without a dependent infinitive. Without a dependent infinitive it means *to leave* and offers no difficulties. Thus:

> Ich lasse ihn zu Hause. I leave him at home.

When used like a modal with a dependent infinitive (and without zu; cf. § 38), it has two meanings:

a. To allow (let, permit):

> Lassen Sie mich reden. Let me speak.

b. To cause (order):

> Wir lassen den Doktor kommen. We'll send for the doctor.

In both these cases the accusative (mid), ben Doftor) is the subject of the following infinitive, which has an active meaning.

In many cases the subject of the infinitive is not expressed, and then a passive is best used in translating:

a. Alles Wissen läßt sich mißbrauchen. All knowledge can be (allows itself to be) misused.

b. Sie läßt sich einen neuen Rock machen. She orders a new skirt made for herself. (She has a new skirt made.)

82. The Conjunction ba. The word ba is used as either a subordinating conjunction or a demonstrative adverb.

As a *subordinating conjunction,* ba means *since* or *as* and introduces a dependent clause with verb-last position. As a *demonstrative adverb* it governs verb-second position and designates a point in time or space or even a set of circumstances; it can then be translated by *then, there, in this case,* etc. Examples:

Subordinating: Da ich kein Geld habe, kann ich nicht ins Theater gehen. Since (as) I have no money, I cannot go to the theater.

Adverbial: Da sitzt Mary und wartet. There sits Mary and waits.
Da sagt er . . . Then he says . . .

EXERCISES

I

Change the personal pronouns and possessive adjectives of the following phrases to demonstratives:

sein Haus	nach ihm
ihr Kind	mit ihr
durch sie	wir sehen ihn
für ihn	er kann es nicht wissen

II

Translate the following phrases, using both the normal relative pronouns and (where permissible) the substitute wo=:

the house in which	the girl with whom	the man after whom
the mirror into which	the power with which	the city after which
the law of (von) which	the happiness for which	something with which

III

Supply the correct endings: 1. Das groß____ rot____ Haus, in dem (—in) ich seit viel____ Jahr____ lebe, ist mir zu alt____. 2. Das Glück ein____ Mann____ hängt davon ab, ob er ein lieb____ Mädchen findet, das ihn heiraten will. 3. Ich brauche ein____ neu____ Weste, ein____, mit____ (—mit) ich mich in der____ Universität sehen lassen kann. 4. Ein jung____ Mensch schläft gern unter frei____ Himmel; wenn man alt____ wird, hat man zu kein____ Arbeit Lust mehr. 5. Mutter Natur gibt nicht jed____ Menschen ein____ kühl____ klar____ Verstand. 6. Viel____ Menschen sind dann am glücklichst____, wenn sie etwas haben, über ____ (—über) sie sich ärgern können.

IV

Translate into German: 1. You cannot let yourself be seen in this coat. 2. On (von) what do you live? 3. Of whom or of what are you thinking? 4. I am thinking (of this), that I must drive home today. 5. At (über) what or at whom are you angry? 6. I must buy myself a new coat, and for (zu) that I need money. 7. Father must buy himself a new coat, too. 8. I cannot make myself more beautiful than I am, and she can't make herself more beautiful than she is, either. 9. They see each other every day in town. 10. Bob and I meet each other every evening.

LESSON VIII

✵

REVIEW LESSON

NOTE. This lesson presents nothing new. It is intended merely to confirm the student's grasp of vocabulary and grammar. After doing in class the exercises which follow, the student should take Test I, checking his answers for accuracy with the help of the key provided on page 195. Then it is suggested that after reviewing once more those items of vocabulary and grammar in which he is found wanting, he take Test II (p. 101), to be scored and graded by the teacher.

REVIEW EXERCISES

1. Review the verb endings (§§ 5, 6, 35, 41); then conjugate the following:

behaupten	finden	laſſen	ruhen	werden
bitten	haben	leſen	ſehen	wiſſen
dürfen	haſſen	müſſen	ſein	aufhängen
eſſen	heißen	nehmen	treffen	mitkommen
fallen	können	öffnen	tun	herunterſteigen

2. Omitting the modals, give the four imperatives of the verbs listed in Exercise 1.

3. *a.* Replace each of the following genitives with the proper possessive. (Example: das Ende dieſer Frau, ihr Ende).

mit dem Ende dieſer Frau	Bobs Ohren
die Geſetze dieſes Landes	die Geburt des Herrn
für die Geſetze dieſer Menſchen	mit den Studenten meines Vaters
gegen die Natur des Mannes	gegen die Macht des Teufels
Marys Ohr	für die Frauen meiner Freunde
Marys Ohren	

b. Fill the blank with the possessive adjective corresponding to the pronoun. (Example: ich und _ _ _ _ _ Vater, ich und mein Vater.)

du und _ _ _ _ _ Mutter	für euch und _ _ _ _ _ Kinder
ich und _ _ _ _ _ Kind	mit uns und _ _ _ _ _ Kindern
mit mir und _ _ _ _ _ Vater	durch mich und _ _ _ _ _ Sohn
gegen dich und _ _ _ _ _ Land	mit dir und _ _ _ _ _ Kind
wir und _ _ _ _ _ Frauen	bei euch und _ _ _ _ _ Kindern
ihr und _ _ _ _ _ Lehrer	für uns und _ _ _ _ _ Töchter

4. Review the strong and weak adjective endings; then decline the following in singular and plural:

jeder gute Arbeiter	ein Blinder
welche gute Arbeiterin	die arme Blinde
manches schöne Haus	ich schwacher Mensch
eine intelligente Studentin	du mein guter Vater
kein uninteressanter Mensch	ich arme Frau
ein abstehendes Ohr	du meine liebe Mutter
der Arme	

5. *a.* Supply the proper form of the relative:

der Mann, _ _ _ _ _ neben mir sitzt

der Lehrer, _ _ _ _ _ Tochter Mary heißt

der Mensch, _ _ _ _ _ ich mein Haus verkaufen muß

der Rock, _ _ _ _ _ ich jeden Morgen trage

die Frau, _ _ _ _ _ keinen Sohn hat

die Frau, _ _ _ _ _ Sohn Deutsch lernt

die Frau, _ _ _ _ _ ihre Tochter die neue Uhr zeigt

die Frau, _ _ _ _ _ wir nicht vergessen

das Kind, _ _ _ _ _ zu uns kommt

das Kind, _ _ _ _ _ wir nichts nehmen wollen

das Kind, _ _ _ _ _ wir lieben

die Herren und Damen, _ _ _ _ _ zu uns reden

die Herren und Damen, _ _ _ _ _ Söhne Deutsch lernen

die Herren und Damen, _ _ _ _ _ wir unser Haus zeigen

die Herren und Damen, _ _ _ _ _ wir nicht nennen.

b. Supply the proper form of the relative and the corresponding compound. (Example: das Haus, in _ _ _ _ _ wir leben; das Haus, in dem *or* worin wir leben.)

der Rock, mit _ _ _ _ _ ich in die Stadt gehe

der Rock, für _ _ _ _ _ ich viel Geld geben will

eine Arbeit, zu _ _ _ _ _ ich keine Lust habe

die Stadt, durch _ _ _ _ _ wir fahren

das Auge, mit _ _ _ _ _ ich gut sehen kann

das Glück, auf _ _ _ _ _ ich immer hoffe

Dinge, für _ _ _ _ _ sich keiner interessiert

Dinge, bei _ _ _ _ _ man sich nichts denken kann

TEST I

A. Vocabulary. Underscore the correct translation of the word in the left-hand column:

Part A

1. faſt	almost, fast, firm, loud
2. gehört	hears, belongs, goes, uses
3. Gefahr	trip, ride, danger, fear
4. einfach	useful, uniform, simple, clear
5. wider	again, against, real, whether
0. wiſſt	throws, becomes, knows, wills
7. Glück	glance, luck, member, clock
8. langſam	long, pretty, slow, lovely
9. Zeiger	newspaper, pointer, time, doubt
10. allwiſſend	showing, really, perhaps, omniscient

Part B

1. suddenly	wirklich, zitternd, plötzlich, möglich
2. to compel	zwingen, müſſen, berichten, zeigen
3. short	hoch, ſpät, kurz, klar
4. to need	ſollen, nehmen, nennen, brauchen
5. impossible	unmöglich, unwirklich, ungleich, unintereſſant
6. number	Natur, Zahl, Fach, Hälfte
7. heart	Herr, Meſſer, Herz, Hals
8. since	immer, noch, nur, ſeit
9. to demand	verlangen, brauchen, wollen, behaupten
10. therefore	doch, daher, daß, zwar

B. Translate the following phrases or compounds:

1. abſtoßend häßlich	6. der Menſchenverſtand
2. die Abendröte	7. der Stundenzeiger
3. die Langſchläferin	8. das Mutterglück
4. der Machthaber	9. der Beſſerwiſſer
5. die Schwäche	10. die Lebensluſt

C. 1. Give the third person singular of the following verbs:

wollen	ſein	reden	wiſſen	nehmen
tun	haben	aufſtehen	werden	ſtoßen

2. Give the four imperatives of the following:

ſein	hoffen
werden	ſich nicht ärgern
geben	früh aufſtehen
ſehen	verſprechen
fallen	ſich nicht aufhängen

D. Decline in singular and plural:

jede junge Frau	ein ſchönes junges Mädchen
dieſer blinde Mann	keine große Stadt.
ein armer Blinder	

E. Supply the proper form of the possessive:

ich und _ _ _ _ _ ſchönes Haus	für Sie und _ _ _ _ _ Frau
ſie und _ _ _ _ _ häßliche Tochter	das Kind und _ _ _ _ _ Vater
der Vater mit _ _ _ _ _ jüngſten Sohn	du und _ _ _ _ _ Mann
für euch und _ _ _ _ _ Kinder	du und _ _ _ _ _ Frau

F. Translate into German: the woman whose son; the father whose daughter; the father whose son; the child whose mother; the children whose father; the children whose fathers; the man whom we are helping; the woman whom we are helping; the child whom we are helping; the woman I love; the man I love; the child I love; the men whom we are helping; the women whom we are helping; the children whom we are helping.

G. Translate into German: he is greater; a more interesting subject; a most disagreeable labor; the most disagreeable labor; this labor is most disagreeable when . . .; the most beautiful and intelligent girl; a more beautiful and intelligent girl; more slowly; he drives slowest when . . .; we are working most slowly today.

H. Translate into German: 1. He who really wants to find work can always find work. 2. You need to send me no soap; I have enough of that. 3. I do not let myself be misused by you. 4. We must see to it that the power of the state does not become greater. 5. You mustn't forget that he is younger than you. 6. Save and help me. I cannot help myself. 7. We demand that one does not take from the workers their right to form an organization. 8. We never know what we want and always want what we do not know. 9. Do not misunderstand me, Mr. Meyer. 10. I know you hate your father without knowing it.

TEST II

A. Vocabulary. Underscore the correct translation of the word in the left-hand column:

Part A

1. ɦeiraten	marry, help, hope, fear
2. Seite	site, sink, page, sight
3. bitten	bide, request, bite, beat
4. geɦören	hear, behave, enjoy, belong
5. feɦlen	fall, be lacking, feel, jump
6. weil	because, when, who, where
7. Knochen	knob, cone, bone, coal
8. Teil	tool, tale, dale, part
9. öffnen	open, offer, operate, fail
10. Woɦl	wheel, wall, welfare, wail

Part B

1. strong	ſtill, ſpät, ſtarf, groß
2. definitely	langſam, beſtimmt, natürlich, nämlich
3. to report	berichten, behaupten, gebrauchen, verlangen
4. soap	Seele, Teil, Jahr, Seife
5. service	Bildung, Dienſt, Spiegel, Geſchäft
6. to take	nehmen, geben, ziehen, zeigen
7. agreeable	gefährlich, furz, fühl, angenehm
8. buyer	Arbeiter, Teufel, Käufer, Verfäufer
9. law	Gebrauch, Geſetz, Geſchenf, Verſtand
10. to climb	genügen, aufſtehen, fallen, ſteigen

B. Translate the following compounds:

1. das Bittſchreiben	6. die Vorſtadt
2. die Selbſthilfe	7. die Lebensgefahr
3. die Unfreiheit	8. die Wirflichfeit
4. die Mißbildung	9. das Jahrtauſend
5. der Stadtteil	10. die Mitgliederzahl

C. 1. Write the third person singular of the following verbs:

mögen	haben	wiſſen	einſinken	nehmen
ſein	werden	vergeſſen	abſtoßen	ſich finden

2. Write the four imperatives of the following:

ſein	ſich ſehen laſſen
werden	nicht gleich einſchlafen
wiſſen	ſich ſelbſt helfen
haſſen	leſen
nicht hereinkommen	Vaters Geburtstag nicht vergeſſen

D. Decline in singular and plural:

ihr blondes Haar	ein armer alter Mann
ich armer Menſch	unſer deutſches Land
welche ſchöne Dame	

E. Supply the proper form of the possessive:

wir und _ _ _ _ _ Arbeit	wir und _ _ _ _ _ Land
er und _ _ _ _ _ Ende	ihr und _ _ _ _ _ Mutter
du und _ _ _ _ _ Freund	Mary und _ _ _ _ _ Freund
Sie und _ _ _ _ _ Freundin	die Arbeiter und _ _ _ _ _ Kinder
der Vater und _ _ _ _ _ Studenten	

F. Translate into German: the mother whose father; the father whose mother; the child whose father and mother; the fathers whose houses; the teachers whose city; the son whom I want to help; the daughter whom he cannot help; the child whom we must help; the children whom we must help; the coat I am wearing; the trousers I am wearing; the shirt I am wearing; the houses I see; the men I hear; the men who hear me.

G. Translate into German: a deeper love; his best coat; a very keen understanding; with the greatest pleasure; this is my oldest daughter; this is the older one; this is the oldest one; human beings are weakest when . . .; more money than I have; the highest prices; he works better than his friend; he works best; their suspenders are best; they are the best ones.

H. Translate into German: 1. I can understand everything you say to me. 2. Maria is nine years older than I; therefore I cannot marry her. 3. You cannot possibly sleep every day till nine o'clock; we have too much to do. 4. If you want to buy that house, you must have lots of money. 5. I simply cannot let myself be seen with him. 6. The longer he talks, the less I understand him. 7. That even the most beautiful woman must grow old, that (much) I know. 8. He is said to be intending to buy himself a new house; of that I know nothing. 9. I want to give my father something good. 10. Many women work like men, merely in order to be able to wear trousers.

VOCABULARY REVIEW

This list contains all the words used in Lessons I–VII inclusive. It should be treated by the student like the one on page 38.

ab	Berg	Ding	fünfzig	Haar
Abend	berichten	doch	für	haben
aber	beffer	durch		Hälfte
acht	beftimmt	dürfen	ganz	Hals
all	bilden		gar	halten
allein	bis	ein	geben	hängen
als	bitten	einfach	gebrauchen	hart
alt	blau	einige	Geburt	haffen
an	bleiben	elf	Gefahr	Haus
ander	blicken	Ende	gegen	heiraten
angenehm	blind	effen	gehen	heißen
Arbeit	brauchen	etwas	gehören	helfen
ärgern	bringen		Geld	Hemd
arm		Fach	genug	her
Art	da	fahren	gerade	Herr
auch	daher	fallen	gering	Herz
auf	Dame	faft	gern	heute
Auge	dann	fehlen	Geschäft	Himmel
aus	darum	finden	Gefetz	hin
außer	daß	fragen	gleich	hinter
	denken	Frau	Glied	hoch
behaupten	denn	frei	Glück	hoffen
bei	deutsch	Freund	Grenze	hören
beide	Dienft	froh	groß	Hofe
Beifpiel	diefer	früh	gut	

immer
in
interessant

ja
Jahr
je desto
jeder
jemand
jener
jung

kaufen
kein
Kind
klar
Knochen
Kohle
kommen
können
fühl
kurz

Land
lang
langsam
lassen
laut
leben
Lehrer
leicht
leider
leisten
lernen
lesen
letzt
leuchten
lieben
liegen
=los
Luft

machen
Macht
Mädchen
Mal
man
mancher
Mann
mehr
meinen
meist
Mensch
Messer
mit
mögen
möglich
Mord
Morgen
Mund
müssen
Mutter

nach
Nacht
nah
nämlich
Natur
neben
nehmen
nein
nennen
neu
neun
nicht
nichts
nie
noch
nur

ob
oder
öffnen

oft
ohne
Ohr

plötzlich
Preis

recht
reden
retten
Rock
rot
rufen
ruhen

sagen
scharf
scheiden
scheinen
schenken
schicken
schlafen
schon
schön
schreiben
schwach
Seele
sehen
sehr
Seife
sein
seit
Seite
selbst
setzen
sinken
sitzen
Sklave
so
Sohn
solcher

sollen
sondern
spät
Spiegel
springen
Staat
Stadt
stark
stehen
steigen
Steuer
still
stoßen
Student
Stunde

Tag
tausend
Teil
Teufel
tief
Tochter
tragen
treffen
tun

über
übrigens
Uhr
um
und
unter

Vater
vergessen
verlangen
versprechen
Verstand
viel
vielleicht
vier

von
vor

wach
wahr
wann
warum
weder ... noch
weg
Weg
weil
welcher
wenig
wenn
wer
werden
werfen
Weste
wider
wie
wieder
wirklich
wissen
wo
Wohl
wollen
Wort

Zahl
zeigen
Zeit
Zeitung
ziehen
zittern
zu
zurück
zwar
zwei
zwingen
zwischen

LESSON IX

❧

TEXT A

Meyer war ein ganz intelligenter Mensch. Aber leider heiratete er mit 57 Jahren eine Frau, die 25 Jahre jünger war als er. Im Anfang ging alles gut oder schien alles gut zu gehen. Aber nach einigen Jahren zeigte es sich, daß es nicht gut ist, wenn ein älterer Herr eine so junge Frau heiratet.   5

Glauben Sie vielleicht, Jeanne d'Arc wußte, was sie tat? Sie meinte, das Vaterland retten zu wollen. Aber in Wirklichkeit wollte sie ein Mann sein und Hosen tragen. Und so rettete sie ihr Vaterland, nur um Hosen tragen zu können. Natürlich wußte sie nicht, was sie wollte. Keine Frau weiß, was sie will.   10

Mary ist ein trotziges Kind. Sie läßt sich nie etwas sagen. Das hat sie von ihrem Vater. Als der so alt war wie Mary, ließ er sich auch nichts sagen und wußte immer alles besser.

Wie? Gibt es heute schon wieder Sauerkraut? Wir hatten doch erst vor zwei Tagen Sauerkraut.—Lieber Mann, wenn die Preise noch mehr 15 steigen und du nicht mehr Geld nach Hause bringst, können wir auch kein Sauerkraut mehr kaufen.

Als dann die Preise plötzlich sanken und es immer unmöglicher wurde, einen Mann zu finden, der sich einen neuen Rock machen lassen wollte, da wurde Meyer arbeitslos.   20

So, heute abend willst du ins Theater! Vor zwei Tagen, als ich wollte, da wolltest du nicht. Du hattest „absolut keine Lust" dazu. Heute abend habe ich keine Lust dazu.

Ein Buch kann man nicht nur lesen, man kann es auch zerlesen. Dann hat man ein zerlesenes Buch und kauft sich am besten ein neues.   25

Ein getragener Rock. Eine vielgeliebte Frau. Ein vergessenes Buch. Ein entsprungener Sklave. Ein gegebenes Versprechen.

VOCABULARY

anfangen to begin
besonders especially
beweisen to prove, demonstrate, substantiate

böse evil, wicked
das Buch, ‟er the *book*
der Dichter, — the poet
die Dichtung the poem; poetry

105

dringen (*cf. throng*), to press
    eindringen to press into, penetrate
der Durst the *thirst*
die Eltern (*pl.*) the parents, (*elder*)
entschließen, sich to decide, resolve
=erlei kinds of
    zweierlei two kinds of
    keinerlei no sort of
erst first; not until
erzählen to *tell*, narrate
folgen (*w. dat.*) to *follow*
    die Folge, –n the consequence
fort *forth*; away
    der Fortschritt, –e the progress, advance
führen to lead
    verführen to mislead, seduce
fürchten, sich to be afraid
    die Furcht the *fear, fright*
geheim secret
    das Geheimnis, –sse the secret; mystery
genau exact, precise
die Geschichte, –n the story; history
die Gestalt, –en the figure, shape
glauben (*w. dat.*) to *believe*
Gott *god*
heben, erheben (*heave*), to lift, raise
das Heil (*health*), the salvation
der Held, –en* the hero

hundert *hundred*
klein small
die Leute (*pl.*) the people
lösen to *loosen*; solve
nötig necessary, (*need*ful)
obgleich although
raten to advise; guess
der Schreck, –en the fright; shock
    erschrecken to be frightened
    schrecklich terrible
schreiten to walk, stride
    der Schritt, –e the step, stride
die Schuld, –en the guilt; debt
    schuld, schuldig guilty; to blame
schwarz (*swart*), black
sechs *six*
seit (*prep. and conj.*) since
    seitdem (*adv. and conj.*) since then; since
sieben *seven*
sterben to die
der Trotz the defiance
warten to wait
    erwarten to expect
wechseln to (ex)change
    verwechseln to confuse
wild *wild*, savage
wohnen to dwell, reside, live
zehn *ten*
das Zimmer, — (*timber*), the room
der Zweifel, — the doubt
    zweifeln to doubt

IDIOMS

erst vor kurzem just recently
ich glaube an ihn I believe in him
ich glaube ihm I believe him

immer mehr more and more
vor kurzem a short time ago, recently

*For declension, see page 200.

Historia
von
Dr. Johann Faust*

Wie er sich dem Teufel verkaufte,
was er alles tat,
und wie er endlich zu einem schrecklichen Ende kam.

Vorrede an den modernen Leser†

Nur mit Furcht und Zittern entschließen wir uns dazu, Ihnen, liebe Leser, die Geschichte von dem schrecklichen Leben und dem noch viel schrecklicheren Sterben jenes unglücklichen Dr. Faust zu berichten, der in wildem Trotz gegen Gott und Menschen seine wissensdurstige Seele dem Teufel verkaufte und damit für alle Zeiten ein abschreckendes Beispiel dafür wurde, 5 wie tief ein Mensch sinken kann, dem das Studium der Elemente[1] lieber ist als das Heil seiner unsterblichen Seele.

Seitdem nämlich Luzifer im Jahre des Herrn siebzehnhundertsechs= undsiebenzig auf den teuflischen Gedanken kam, den Professor Kindleben aus Leipzig ein Buch „Über die Non=Existenz des Teufels" schreiben zu lassen, 10 gab und gibt es viele Leute, welche behaupten: „Der Teufel, von dem das Faustbuch redet, ist nicht, wie dies unsere Voreltern glaubten, eine wirkliche

---

*Georg Faust—rechristened Johann in the popular legends to which his strange career gave rise—was a typical sixteenth-century figure. The son of a peasant, he sought such education as the age afforded, and called himself doctor, that is, "learned man." He dabbled in astrology and alchemy, professed to have magic powers, and was in general a mountebank and braggart; on the other hand, he clearly had a great thirst for knowledge, and his death, which is presumed to have occurred in 1539, may well have been caused by a chemical explosion. In less than fifty years his life had become a legend of surpassing interest to his contemporaries, and the first printed account of it (Faustbuch), published in 1587, at once became a best seller and had fourteen complete editions in the first four years.

Since that time the figure of Faust has established itself in Western literature and thought as an outstanding example of that endless aspiration which more than anything else distinguishes man from all other living beings. The story of Faust's life, particularly his supposed pact with the devil, has been told and retold over and over again, always with new variations and episodes. In retelling the story for the users of this book, we have drawn in the main on the versions which preceded Goethe's masterpiece.

†In view of the extensive memorization necessitated by the introduction of the past-tense forms in this lesson, our text has been kept to a comparatively modest length.

Person. Er ist das Produkt einer kindlich primitiven Phantasie. Dichter wie Dante, Milton und Goethe haben natürlich das Recht, die Macht des Bösen zu personifizieren und so einen Luzifer, einen Satan oder einen Mephistopheles zu erfinden. Aber ein intelligenter Mensch verwechselt die
5 Dichtung nicht mit dem Leben, und die Gestalten der Dichtung nicht mit den Dingen der Wirklichkeit. Einen Teufel, dem man sich verkaufen kann, gibt es einfach nicht."

Natürlich erfand Luzifer diese Lehre von der Nichtexistenz des Teufels nur, um die Menschen desto leichter dazu verführen zu können, immer tiefer
10 in die Geheimnisse der Elemente einzudringen. Denn die Physik oder das Studium der elementa steht, wie der Mißbrauch unseres Wissens beweist, auch heute noch unter der besonderen Protektion des Teufels. Aber obgleich die bösen Folgen der Fortschritte in diesem Studium die Existenz des Teufels über jeden Zweifel erheben, ja, obgleich der Teufel erst vor
15 kurzem wieder dem Helden des „Doktor Faustus" von Thomas Mann erschien, ist es vielleicht doch möglich, daß es auch unter unseren Lesern einige Zweifler gibt, die nicht an die Existenz des Teufels glauben.

Gerade darum aber ist es so gefährlich, jungen Menschen zu erzählen, wie Faust es anfing,[3] den Teufel in seinen Dienst zu zwingen. Wer an der
20 Existenz des Teufels zweifelt, kommt leicht auf den Gedanken, diese Frage durch ein kleines Experiment lösen zu wollen. „Wenn ich dieselben magischen Zirkel ziehe, wie Dr. Faust sie zog, und dieselben* formulae rezitiere, die Dr. Faust rezitierte", so denkt der Zweifler, „dann muß sich ja zeigen, ob es einen Teufel gibt oder nicht." Selbstverständlich[4] zeigt es sich. ER zeigt sich
25 nämlich. Und dann ist es meist zu spät.

Wir raten unseren Lesern daher eindringlich, keinerlei Experimente dieser Art zu machen. Auch erwarten Sie bitte nicht, daß wir den genauen Wortlaut jener incantationes und formae conjurationum bringen, welche dem, der sie zu gebrauchen weiß, die Macht geben, den Teufel, wenn
30 nötig, auch im Wohnzimmer erscheinen zu lassen. Wir wollen nicht schuld sein an Ihrem Unglück und erzählen daher von der schwarzen Magie nur das,

---

*Derselbe (*the (self)same*) is declined like der + a weak adjective:

SINGULAR			PLURAL
derselbe	dieselbe	dasselbe	dieselben
desselben	derselben	desselben	derselben
etc.	etc.	etc.	etc.

was dem Leſer zur Beſſerung dienen kann, nur ſo viel, wie dies zum Ver=
ſtändnis unſeres Berichtes wirklich nötig iſt.

[Fortſetzung folgt.]

NOTES. 1. elements   2. Mephistopheles, the name of the devil in Goethe's
Faust.   3. *here* managed, contrived.   4. *literally*, self-understandably;
obviously, of course.

Fragen

1. Wozu entſchließen wir uns nur mit Furcht und Zittern? 2. Welche
Geſchichte wollen wir unſeren Leſern erzählen? 3. Wem verkaufte Fauſt
ſeine wiſſensdurſtige Seele? 4. Wofür iſt Fauſt ein abſchreckendes Beiſpiel?
5. Was war ihm lieber als das Heil ſeiner unſterblichen Seele? 6. Auf
welchen Gedanken kam Luzifer im Jahre 1776? 7. Wer ſchrieb das Buch
„Über die Non=Exiſtenz des Teufels"? 8. Iſt der Teufel eine wirkliche
Perſon? 9. Wer hat das Recht, die Macht des Böſen zu perſonifizieren?
10. Gibt es einen Teufel? (Herr X, glauben Sie, daß es einen Teufel
gibt?) 11. Wozu erfand der Teufel die Lehre von ſeiner Nichtexiſtenz?
12. Welches Studium ſteht unter der Protektion des Teufels? 13. Was
beweiſt der Mißbrauch unſeres Wiſſens? 14. Was erhebt die Exiſtenz des
Teufels über jeden Zweifel? 15. Wem erſchien der Teufel vor kurzem?
16. Was iſt heute ſehr gefährlich? 17. Auf welchen Gedanken kommt der
Zweifler leicht? 18. Wann muß ſich zeigen, ob es einen Teufel gibt oder
nicht? 19. Wann iſt es meiſt zu ſpät? 20. Was raten wir unſeren Leſern?
(Sie raten uns . . .) 21. Wo kann man den Teufel, wenn nötig, erſcheinen
laſſen? 22. Wieviel erzählen wir Ihnen von der ſchwarzen Magie?

ENLARGING YOUR VOCABULARY

83. The Suffix =ig. The suffix =ig, added to nouns, forms adjectives denoting possession of the quality named by the noun. Thus:

die Macht power   mächtig mighty, powerful
das Haar hair   haarig hairy

In a few cases =ig is added to adverbs of time to form the corresponding adjectives. Thus:

heute today   heutig of today

84. The Suffix =lich. Like the English suffix *-ly*, the German suffix =lich, added to nouns, forms adjectives meaning "typical of" the quality indicated. The stem vowel is then umlauted if possible. Thus:

der Freund the friend	freundlich friendly
der Vater the father	väterlich fatherly, paternal
das Kind the child	kindlich childlike

Again like *-ly* in English, the German suffix =lich can be added to time nouns:

der Tag the day	täglich daily
das Jahr the year	jährlich yearly, annual

85. Adjectives in =lich and =bar. Added to verb stems, these suffixes form passive adjectives corresponding to English adjectives in *-able*, *-ible*. Thus:

glauben to believe	unglaublich unbelievable
fragen to ask	fraglich questionable
brauchen to use	brauchbar usable

Occasionally =lich forms active adjectives from verbs (cf. English *durable*). Thus:

sterben to die	sterblich apt to die, mortal
vergessen to forget	vergeßlich apt to forget, forgetful

WORD-BUILDING EXERCISE

Try to make an intelligent guess at the meaning of the following words and phrases:

anfangen	böse	dürsten
der Anfänger	die Bosheit	dürstend
der Anfang	das Böse	neunerlei
anfänglich	dringen	vielerlei
beweisen	in ein Haus eindringen	erst
der Beweis	gegen jemanden vordrin=	die Ersten sollen die Letz=
unbeweisbar	gen	ten sein
eine unbewiesene Behaup=	der Durst	erzählen
tung	durstig	der Erzählung folgen

ungenau

Genauigkeit

Ungenauigkeit

glauben

der Glaube

gläubig

der Gläubige

die Ungläubigen

glaublich

unglaublich

Glaube—Liebe—Hoff=
   nung

der Gott

allmächtiger Gott

göttlich

das Heil

heilen

heilend

ein geheilter Mensch

die Heilung

unheilbar

der Held

die Heldin

klein

der Kleine

Kleinheit

lösen

die Lösung

unlöslich

unlösbar

der Schreck

schrecklich

die Schuld

schuldig sein

unschuldig

ein Unschuldiger

schwarz

die Schwärze

schwarzäugig

der Schwarzseher

der Trotz

jemandem trotzen

trotzig

trotzend

erwarten

in Erwartung der kom=
   menden Dinge

wild

ein Wilder

der Zweifler

der Zweifel

zweifelnd

ohne Zweifel

zweifellos

allabendlich

das Ende

endlich

das Jahr

alljährlich

die Nacht

nächtlich

die Stunde

stündlich

Frau

fraulich

männlich

die Gefahr

gefährlich

das Geschäft

geschäftlich

das Gesetz

die gesetzliche Grenze

mit herzlichen Worten

kindliche Liebe

menschlich

unmenschlich

Unmenschlichkeit

die Natur

natürlich

unnatürlich

Unnatürlichkeit

der Staat

staatlich festgesetzte
   Preise

undenkbar

unauffindbar

unhörbar

käuflich

verkäuflich

unverkäuflich

lesbar

unnennbar

unrettbar

untragbar

knochig

langohrig

der Verstand

ein verständiger Mensch

eine unverstandene Frau

das ist mir unverständlich

leicht verständlich

GRAMMAR

86. Weak and Strong Verbs. Most English verbs form the past tense and the past participle by adding *-d* or *-ed* to the infinitive. Thus, hundreds of English verbs follow this pattern:

Infinitive	Past	Past Participle
use	used	used
rest	rested	rested

In some cases, however, past time is expressed not by the addition of an ending, but by a change of the stem vowel. Thus:

sink	sank	sunk
spring	sprang	sprung

German verbs corresponding to the English pattern *use, used, used,* are called "weak" verbs; those corresponding to the pattern *sink, sank, sunk,* are called "strong" verbs.

87. Weak Verbs. German weak verbs may be represented by the following pattern:

brauchen	brauchte	gebraucht
ruhen	ruhte	geruht

That is, the past tense is formed by adding =te to the stem, and the past participle is formed by prefixing ge= and adding =t to the stem.

As in the present tense, characteristic endings must be audible; hence verbs like reden, retten (that is, verbs whose stem ends in =d or =t), and öffnen (verb-stems with a nasal or a liquid following a stop or a spirant) insert =e= between the stem and the tense-suffix. Thus:

reden	redete	geredet
öffnen	öffnete	geöffnet

88. Conjugation of the Past Tense of Weak Verbs

ich brauchte	ruhte	redete	öffnete
Sie brauchten	ruhten	redeten	öffneten
du brauchtest	ruhtest	redetest	öffnetest
er brauchte	ruhte	redete	öffnete
wir brauchten	ruhten	redeten	öffneten
Sie brauchten	ruhten	redeten	öffneten
ihr brauchtet	ruhtet	redetet	öffnetet
sie brauchten	ruhten	redeten	öffneten

89. Strong Verbs. The English-speaking student learns in grammar school that the so-called "principal parts" of *to lie* and *to strive* are *lie, lay, lain,* and *strive, strove, striven.* Similarly, the student who wants to learn German must memorize (unfortunately!) the principal parts of the strong verbs. And since many strong verbs change the stem vowel in the present tense (weak verbs have no such change), it is desirable to memorize not three but four principal parts. Thus, we have:

Infinitive	Past	Past Participle	Present
geben	gab	gegeben	gibt
fallen	fiel	gefallen	fällt
finden	fand	gefunden	findet

90. Conjugation of the Past Tense of Strong Verbs

ich gab	hieß	war
Sie gaben	hießen	waren
du gabst	hießt	warst
er gab	hieß	war
wir gaben	hießen	waren
Sie gaben	hießen	waren
ihr gabt	hießt	wart
sie gaben	hießen	waren

Note that strong verbs have no ending in the first and third singular of the past.

91. Formation of the Past Participle of Strong Verbs. As indicated above (§ 89), strong participles are formed by prefixing ge= and adding =en to the stem.

92. Past Participle of Compound Verbs. The prefix ge= used to form the past participle of both strong and weak verbs is unstressed. Since no past participle may have more than one unstressed syllable preceding the stem, all verbs (weak or strong) beginning with the unstressed prefixes be= (berichten), ent= (entziehen), er= (erzählen), ge= (gebrauchen), ver= (versprechen), and zer= (zerspringen)

form the past participle *without* prefixing ge=. Verbs in =ieren, like
ftudieren, all of them weak, behave in the same way. Thus, we
have:

berichten	berichtete	berichtet
verſprechen	verſprach	verſprochen
ftudieren	ftudierte	ftudiert

Separable compound verbs, however, begin with a stressed prefix. Such verbs form the past participle by inserting ge= between
the prefix and the stem. Thus, we have:

aufſtehen	aufgeſtanden
einſchlafen	eingeſchlafen
ausrufen	ausgerufen

93. The Past Participle as Adjective. As long as it makes sense,
any past participle, like English past participles, can be used as
an adjective. If so used, it takes the regular adjective endings.
When used as a noun, it is capitalized. Thus:

> ein gebrauchter Rock a used coat
> der gebrauchte Rock the used coat
> der Gerettete the saved (man)
> das Verſprochene the thing promised

94. Irregular Verbs. Thousands of weak verbs in German are
perfectly regular in conjugation. The student who knows one (for
example, brauchen) knows them all. The modals, however, and a
few others are slightly irregular. We will include them in the
verb lists to be given from now on in each lesson. The irregular
weak verbs which have occurred up to this point are as follows:

bringen	dürfen	können	nennen	wiſſen
denken	haben	mögen	ſollen	wollen
		müſſen		

SEIN, hABEN, WERDEN

{ bRENNEN SENDEN WENDEN
{ RENNEN! KENDEN

NOTE. The past tense of werden is as follows:

NENNEN!
NANNTE

ich wurde		wir wurden
Sie wurden		Sie wurden
du wurdeſt		ihr wurdet
er wurde		ſie wurden

95. Position of Past-Tense Forms. All the rules previously given
as to verb-first, verb-second, and verb-last position hold also for
all past-tense forms. Thus:

Verb-first: Ging er nach Hause?
                Ging er nach Hause, so folgten wir ihm.

Verb-second: Nach Hause ging er.
                Als wir kamen, ging er nach Hause.

Verb-last: Ich hörte, daß er nach Hause ging.

LIST OF VERBS

Infinitive	Past	Past Participle	Present
beweisen	bewies	bewiesen	beweist
scheinen	schien	geschienen	scheint
schreiben	schrieb	geschrieben	schreibt
schreiten	schritt	geschritten	schreitet
entschließen	entschloß	entschlossen	entschließt
heben	hob	gehoben	hebt
ziehen	zog	gezogen	zieht
finden	fand	gefunden	findet
sinken	sank	gesunken	sinkt
zwingen	zwang	gezwungen	zwingt
erschrecken	erschrak	erschrocken	erschrickt
sterben	starb	gestorben	stirbt
werden	wurde	geworden	wird
geben	gab	gegeben	gibt
sitzen	saß	gesessen	sitzt
fahren	fuhr	gefahren	fährt
fangen	fing	gefangen	fängt
heißen	hieß	geheißen	heißt
lassen	ließ	gelassen	läßt
raten	riet	geraten	rät

Infinitive	Past	Past Participle	Present
bringen	bradjte	gebradjt	bringt
benfen	badjte	gebadjt	benft
bürfen	burfte	geburft	barf
haben	hatte	gehabt	hat
fommen	fam	gefommen	fommt
fönnen	fonnte	gefonnt	fann
mögen	modjte	gemodjt	mag
müffen	mußte	gemußt	muß
fein	war	gewefen	ift
follen	follte	gefollt	foll
wiffen _Know_	wußte	gewußt	weiß
wollen	wollte	gewollt	will

EXERCISES

I

Conjugate according to the pattern idj bin, idj war; bu bift, bu warft; etc., the following:

fein	bringen	reben	wiffen	heben	fdjreiten
haben	glauben	mögen	heißen	geben	fterben
werben					

II

Conjugate according to the same pattern the following phrases:

idj gehe jeben Abenb aus
idj laffe mir nidjts fagen
baran benfe idj nodj oft zurüd
warum ziehe idj midj zurüd?
idj fürdjte midj nidjt vor meinem Bater

III

Read aloud the passages indicated, changing, wherever it makes sense, all the present tenses to past tenses.

Lesson I, Text.
Lesson III, Text B, lines 8–24.
Lesson VII, Text A.

IV

Translate into German: 1. My mother bought me two new shirts every year. 2. Meyer married a woman who was much younger than he. Shortly thereupon (barauf) he died. 3. Of course I knew that Bob had protruding ears. 4. He gave his children everything he had. 5. My father advised me to marry as early as possible. 6. He forced himself (to it) to get up every morning before eight o'clock. 7. When we finally resolved upon it, it was too late. 8. When (Als) Bob was nine years old, he was a beautiful child. Today, however, he is unfortunately very ugly. 9. In (An) the end we moved to Berlin and lived with my grandmother. 10. Even (Schon) as a child, Mary was defiant and unfriendly and would never let anybody tell her anything (cf. Text A, line 11).

LESSON X

∽

Mary scheint noch zu schlafen. Sie scheint heute etwas länger schlafen zu wollen. Sie scheint nicht lange genug geschlafen zu haben.

Was haft du denn die ganze Zeit gemacht? Ich habe die ganze Zeit geschlafen. Aber du kannst doch unmöglich die ganze Zeit geschlafen haben.

5 Aber Mary war doch die ganze Zeit zu Hause und muß doch etwas gehört haben. Sie behauptet, die ganze Zeit geschlafen zu haben.

Lebt Meyer noch? Nein, ich glaube nicht. Er soll vor einigen Tagen gestorben sein.

Warum kommt er denn nicht? Vielleicht hat er es vergessen und ist zu 10 Hause geblieben. Er kann es vergessen haben und zu Hause geblieben sein.

Als der Detektiv ins Haus trat und Meyer leblos in seinem Studier= zimmer liegen sah, da wußte er sogleich: das konnte nur jemand getan haben, der abstehende Ohren hat.

Als Fauft sah, daß es schon Abend geworden war, ging er hinaus, eilte 15 durch die Felder und verschwand endlich in einem Walde.—Ist Dr. Fauft zu Hause? Nein, er ist verschwunden. Er ist in den Wald gegangen. Ja, er hat ein Buch mitgenommen.

Als Meyer hörte, daß sein Sohn gefallen war, hatte er plötzlich keine Luft, noch länger zu leben, wurde über Nacht ein alter Mann und starb noch im 20 selben Jahr.

Da wußten sie endlich, daß Fauft, den sie geliebt und an den sie geglaubt hatten, im Bunde (league) mit dem Teufel stand.

VOCABULARY

der Atem the breath
der Augenblick, –e (*eye*-glance), the moment
außen, draußen *out*side
beginnen to *begin*
binden to *bind*
  sich verbünden to league oneself
blind *blind*
  verblenden to (make) *blind*

brechen to *break*
brennen to *burn*
  verbrennen to consume
der Bürger, — the citizen, *burgher*
der Donner the *thunder*
drei *three*
dumm stupid, *dumb* (*not* "mute")
eilen to hasten
einst *once* (in the past)

118

die Erde the *earth*; ground

etwa approximately; perhaps

das Feld, —er the *field*

fest firm, *fast*, tight

gewiß certain

der Glanz the gleam, brilliance

der Grund, ‑̈e the *ground*, bottom; *grounds*, reason

ergründen to fathom

halten to *hold*

aufhalten to stop

die Hand, ‑̈e the *hand*

die Hölle, —n the *hell*

kalt, kälter *cold*

kennen to know, (*ken*)

leben'dig *living*, alive

leise soft, gentle (not loud)

merken to notice, (*mark*)

müde tired; sick of

schlagen to strike, beat; throb

schließen to shut, close, end

schneiden to cut

schnell quick, **fast**

singen to *sing*

sofort', (so)gleich' at once; immediately

die Sonne, —n the *sun*

sonst otherwise; formerly

sprechen to *speak*

die Stelle, —n the place, spot

stets always

die Stimme, —n the voice

suchen to *seek*, search for

treten to *tread*, step

verbieten to *forbid*

verschwinden to disappear

verwandeln to change, transform

vollkommen perfect, complete

der Wald, ‑̈er the *wood*, forest

weise *wise*

die Welt, —en the *world*

wundern, sich to *wonder*, be surprised

zusam'men together

IDIOMS

ich bin es müde I am sick of

sich herumschlagen mit occupy oneself with

sozusagen so to say, so to speak

um ihn her round about him

zum Zerspringen to (the) bursting

TEXT B

Historia von Dr. Johann Faust

Für die Bürger Wittenbergs war Faust ein hochgelehrter Theologe, der meist bis in die frühen Morgenstunden über seinen Büchern saß und arbeitete. Es gab kein Buch, so sagten seine Studenten, das Faust nicht gelesen, keine Frage, mit der er sich noch nicht herumgeschlagen hatte. Selbst seine Kollegen[1] wunderten sich immer wieder über die Klarheit seines 5 Verstandes und über die Schärfe seiner Logik, wenn er den wenigen, die ihm folgen konnten, bewies, daß die Zeit zusammen mit der Welt angefangen haben muß und es daher nie einen Augenblick gegeben haben kann, in dem die Welt noch nicht da war.

Seine besten Freunde wollten zwar wissen, daß Faust schon vor längerer Zeit die Theologie und die Metaphysik aufgegeben hatte und sich für andere,
5 und zwar für höchstgefährliche Dinge interessierte. Ja, die Bürger Witten=
bergs behaupteten, zu nächtiger Stunde ein rotes Licht in seinem Hause gesehen zu haben. Und mehr als einmal war schon das böse Wort „Magie" gefallen, wo die Bürger zusammenkamen und über Faust redeten.

Man hatte es sozusagen erwartet und wunderte sich nicht besonders, als
10 Faust im August des Jahres 1515 eines Abends gegen neun mit einer bren=
nenden Laterne[2] in der Hand aus seinem Hause trat und mit schnellem Schritt durch die Stadt und über die Felder eilte, die draußen vor der Stadt im letzten Glanze der Abendsonne lagen. Und doch sah man ihm erschrocken nach, als er endlich, gerade als die Sonne unter den Horizont sank, in einem
15 nahen Walde verschwand, in dem nur das langgezogene Uhu[3] der ersten Eulen[4] die tiefe Stille der sinkenden Nacht durchbrach.

Auch Fausts Herz schlug unruhig, als er in den Wald eintrat. „Bin ich es schuld, daß mir der Durst nach Wahrheit so unerträglich in der Seele brennt?" so sprach er trotzig zu sich selber. „Habe ich mich selbst zu dem
20 gemacht, der ich bin? Wer war es denn, der mir dies Verlangen nach Wissen in die Seele gab, das sich nicht stillen läßt? War es nicht er, den man den Allwissenden nennt? Hat dieser Allwissende etwa das Recht, mich, der ich wissen will, noch länger im Ungewissen zu lassen? Ich bin es müde, mich mit den Seifenblasen[5] der Metaphysik herumzuschlagen. Durchbrechen
25 will ich die Grenze, die er allem Suchen und Wissen zu setzen scheint. Bei Gott, ich habe lange genug gewartet! Ich verlange endlich mein Recht."

„Faust, Faust", sprach eine leise Stimme in seinem Herzen, „hast du vergessen, was du als Kind gelernt? ‚Die Furcht des Herrn ist der Weisheit
30 Anfang‘[6] und ‚Ich liebe, die mich lieben, und die mich frühe suchen, finden mich‘,[7] so steht es geschrieben. Und hast du, Faust, wirklich gesucht? Der wirkliche Sucher liebt, was er zu finden hofft; und er findet, weil er liebt. Du aber, Faust, hast nie geliebt; und der Verstand ist machtlos ohne die Liebe. Erst die Liebe öffnet dem Verstande die Augen und macht ihn sehend.
35 Die lebendige Natur und der lebendige Gott öffnen sich nicht einem kalten, lieblosen Herzen. Und auch der, zu dem du gehst, kann dir nicht helfen, Faust. Helfen kann dir nur die Liebe!"

Fausts Hand schloß sich trotzig nur noch fester um den *Clavis de Magica*,[8] um jenes furchtbare Buch, in das der weise Salomo[9] einst jene conjurationes geschrieben hatte, die dem, der sie kennt, die Macht geben, den Teufel aus der Hölle zu rufen und ihn und sein satanisches Wissen in den Dienst des Menschen zu zwingen. An einer Stelle, wo zwei Waldwege sich schnitten, machte 5 Faust halt. Langsam zog er im Lichte seiner Laterne drei magische Kreise.[10] Wie von einer unsichtbaren Hand zurückgehalten, wartete er noch einen Augenblick. Dann trat er in den größten der drei Kreise.

Seine Augen leuchteten wild, und sein Herz schlug zum Zerspringen, als er mit zitternder Stimme die erste incantatio begann: 10

„Sabalos bajamen Satanas . . . "

Das leise Singen der Nacht brach ab, und es war, als ob die Natur er= schrocken den Atem anhielt. Faust merkte es nicht. „Was zum Teufel will, das läßt sich nicht aufhalten", so sagt der einfache Mann und hat wohl recht damit. Denn Faust begann sogleich die nächste incantatio: 15

„Beelzebube agragat . . ."

„Faust, Faust", sang leise eine Stimme durch die stille Nacht, als Faust auch diese incantatio beendet hatte:

„Willst du dich mit dem Teufel verbünden,
Verbotene Tiefen zu ergründen? 20
Faust, Faust, laß dich nicht verblenden,
Sonst mußt du in der Hölle enden!"

Doch eine andere Stimme hißte[11] schneidend:

„Faust, Faust, sei nicht dumm!
Laß das christliche Studium, 25
Wenn du glücklich willst auf Erden
Und im Wissen vollkommen werden."

O lieber Leser, der Teufel ist ein guter Menschenkenner! Stets spricht er zur rechten Zeit das rechte Wort. „Im Wissen vollkommen zu werden", das war es ja, wonach Faust aus tiefster Seele verlangte. Seine Augen 30 leuchteten, und mit mächtiger, fester Stimme begann er die letzte und schrecklichste der drei nötigen incantationes:

„Spiritus vere, veni, veni . . ."

Bei den letzten Worten dieser schrecklichen incantatio schien sich die ganze Welt verwandeln zu wollen. Plötzlich und laut fuhr ein Donnerschlag durch 35 den Wald. Die Leute der kleinen Stadt fuhren erschrocken aus tiefstem Schlaf in die Höhe. Der ganze Wald leuchtete rot.

Faust stand zitternd und geblendet in seinem Kreise. Vor ihm, so schien es, öffnete sich die Erde, und aus der Tiefe stieg ein rotes Licht. Dann wurde
5 es still um ihn her, und aus dem Lichte trat—ein Mensch.

[Fortsetzung folgt.]

NOTES. 1. colleagues. 2. lantern. 3. whoo! 4. owls. 5. soap bubbles. 6. Psalm cxi, 10. 7. Proverbs viii, 17. 8. "Key to Magic." 9. Popular legends made Solomon a great magician. 10. circles. 11. hissed.

Fragen

1. Was war Faust für die Bürger Wittenbergs? 2. Was tat er meistens? 3. Worüber wunderten sich selbst seine Kollegen? 4. Was bewies Faust seinen Kollegen? 5. Was wollten seine besten Freunde wissen? 6. Was behaupteten die Bürger Wittenbergs? 7. Welches Wort war schon mehr als einmal gefallen? 8. Worüber wunderte man sich nicht? 9. Was hielt Faust in der Hand, als er aus seinem Hause trat? 10. Wann sah man ihm erschrocken nach? 11. Wann verschwand Faust im Walde? 12. Was durchbrach die Stille der Nacht? 13. Wie schlug sein Herz, als er in den Wald eintrat? 14. Hatte sich Faust selbst zu dem gemacht, der er war? 15. Wer hatte ihm ein unstillbares Verlangen in die Seele gegeben? (Er war es, den . . .) 16. Womit wollte sich Faust nicht mehr herumschlagen? 17. Welche Grenze wollte er durchbrechen? 18. Was sprach eine leise Stimme in seinem Herzen? 19. Was liebt der wirkliche Sucher? 20. Was tut die Liebe für den Verstand? 21. Wem öffnet sich die Natur nicht? 22. Wo machte Faust halt? 23. Wann leuchteten seine Augen wild? 24. Was sagt der einfache Mann? 25. Wer ist ein guter Menschenkenner? 26. Wann fuhr ein Donnerschlag durch den Wald?

ENLARGING YOUR VOCABULARY

96. The Prefix zer-. Always unstressed, zer- means *to pieces* or *in pieces* and forms inseparable compound verbs. Examples:

zerbrechen to break to pieces
zerfallen to fall to pieces, disintegrate
zerlesen to read to tatters

zerschneiden to cut into bits
zerschlagen to smash to bits
zertreten to trample to pieces

From the text: fein Herz fchlug zum Zerfpringen (*his heart throbbed to bursting*).

97. The Prefix ver=. This prefix not only occurs in fixed formations like vergeffen, verlangen, and verfprechen, but can be added to many stems to indicate

a. Factual or moral error:

> verführen to seduce
> verwechfeln to confuse
> fich verfchreiben to make a mistake in writing
> fich verfprechen to misspeak
> fich verfchlafen to oversleep

b. A complete operation:

verbrauchen to use up
verbrennen to consume by fire
verdurften to die of thirst
vernichten to destroy or annihilate

vermehren to increase
verwirklichen to realize or make real
verarmen to become poor

WORD-BUILDING EXERCISE

Try to make an intelligent guess at the meaning of the following words and phrases:

der Atem
atemlos
ausatmen
einatmen
die Atmung
der Augenblick
augenblicklich ift er nicht
  zu Haufe
außen
ein Außenftehender
die Außenwelt
binden
das Halsband
der Bund
die Binde

der Buchbinder
frei und ungebunden fein
brechen
zerbrechen
ein zerbrochener Spiegel
mir bricht das Herz
das Recht
ein Rechtsbruch
zerbrechlich
unzerbrechlich
die Unzerbrechlichkeit
brennen
ein brennendes Haus
etwas verbrennen
die Verbrennung

ausgebrannt
unverbrennbar
der Bürger
ein bürgerliches Abend=
  effen
Bürger werden
das Bürgerrecht
das Bürgerliche Gefetzbuch
dumm
die Dummheit
wer dumm wird, ver=
  dummt
die Dummen fterben nie
  aus
die Erde

der Erdteil

der Glanz

glänzen

der Sonnenglanz

eine glänzende Leistung

eine Glanzleistung

glanzlos

glänzende Augen

gewiß

ungewiß

die Gewißheit

die Ungewißheit

ein gewisser Herr Meyer

der Grund

eine grundlose Behauptung

ein Institut gründen

der Gründer dieses Instituts

die Gründung eines Instituts

die Grundlosigkeit dieser Behauptung

ein zwingender Grund

was sind deine Gründe?

kalt

die Kälte

kaltherzig

kennen

ein Menschenkenner

mit Kennerblicken

etwas kenntlich machen

sich unkenntlich machen

merken

merklich

unmerklich

an einem Herzschlag sterben

schließen

jemanden einschließen

jemanden ausschließen

das Haus ist geschlossen

ausschließlich

einschließlich

er schloß seine Rede mit folgenden Worten

der Schluß seiner Rede

seine Rede abschließend sagte er

er sagte schließlich

schneiden

der Schnitt

mein Vater ist Schneider

August Meyer, Herren- und Damenschneider

etwas zerschneiden

dein Halsausschnitt ist zu tief

schneidende Kälte

jemandem das Wort abschneiden

sprechen

der Sprecher

die Sprache

sprachlos sein

Sprachlosigkeit

der Lautsprecher

die Muttersprache

der Sprachlehrer

eine Geheimsprache

deutschsprachig

sich versprechen

sich verjüngen

verjüngt

groß

größer

etwas vergrößern

lang

länger

etwas verlängern

die Verlängerung

verkürzen

verschönen

etwas verstärken

der Verstärker (beim Radio)

etwas vertiefen

GRAMMAR

98. The Perfect Tenses. English has two tenses formed by combining the past participle and the auxiliary *to have*, namely, the present perfect: *I have, thou hast, he has loved*, etc., *I have, thou hast, he has come*, etc., and the past perfect: *I had, thou hadst, he had loved*, etc., *I had, thou hadst, he had come*, etc.

In German these tenses are formed in the same way, namely, by combining an inflected auxiliary verb with an uninflected past participle. But there is one important difference: Intransitive verbs which denote a change of position (for example, gehen, kommen, fallen, springen) or condition (for example, sterben, werden) use sein, not haben, as the auxiliary (sein is also used with sein and bleiben). This is not as strange as it might seem. English Biblical texts still follow the same rule and read "Christ is risen" (not "Christ has risen"); there is still the old song "Summer is ycumen in"; and one can still say, in modern English, "He is gone," as well as "He has gone."

haben				sein		
ich habe	gehabt	gesehen	gesagt	ich bin	gewesen	gefallen
Sie haben	gehabt	gesehen	gesagt	Sie sind gewesen		gefallen
du hast	gehabt	gesehen	gesagt	du bist	gewesen	gefallen
er hat	gehabt	gesehen	gesagt	er ist	gewesen	gefallen
wir haben	gehabt	gesehen	gesagt	wir sind gewesen		gefallen
Sie haben	gehabt	gesehen	gesagt	Sie sind gewesen		gefallen
ihr habt	gehabt	gesehen	gesagt	ihr seid	gewesen	gefallen
sie haben	gehabt	gesehen	gesagt	sie sind	gewesen	gefallen

NOTE. *All* transitive and reflexive verbs form the perfect with haben.

99. Position of the Auxiliary. Since the auxiliary is the inflected verb, it follows the usual rules and is in either verb-first, verb-second, or verb-last position. The past participle, however, stands at the end of its clause, followed only by the auxiliary in verb-last position. Examples:

Verb first: Haben Sie Meyer schon gesehen? Have you seen Meyer?

Hat man einmal A gesagt, so muß man meist auch B sagen. If one has once said *A*, one mostly has to say *B* too.

Verb second: Ich habe das Buch noch nicht gelesen. | I haven't read the
Das Buch habe ich noch nicht gelesen. | book yet.

Als der Vater endlich nach Hause kam, hatten wir schon gegessen. When Father finally came home, we had already eaten.

Verb last: Es gab kein Buch, das er nicht gelesen hatte.   There was no book he had not read.

Seine Freunde wollten wissen, daß er die Theologie auf= gegeben hatte.   His friends claimed to know that he had given up theology.

100. Omission of the Auxiliary. Two or more past participles may belong to one auxiliary. Cf. *He had read and digested every book on the subject.* Example:

Es gab kein Buch, das Faust nicht gelesen, keine Frage, mit der er sich nicht herumgeschlagen hatte (p. 119, l. 3).

The auxiliary standing in verb-last position is occasionally omitted when the sense is clear. Example:

Hast du vergessen, was du als Kind gelernt (hast)?

101. The Use of Present Perfect. The present perfect is used in German

a. Where English uses the present perfect. Thus:

Meyer hat nicht viel geschrieben.   Meyer has not written much.

NOTE. The English sentence implies that Meyer is still alive, for the English present perfect expresses what has or has not been done up to the present moment.

b. When the speaker does not narrate a series of past events, presenting each event as a link in a chain, but reports a past event as a fact isolated from what followed or preceded it. Thus:

Goethe hat viel geschrieben.   Goethe wrote a good deal.

NOTE. Since Goethe died in 1832, English cannot say, "Goethe has written a great deal," but German *must* say it because the sentence expresses a single fact which is not a link in a chain of events.

102. The Past Infinitive. As pointed out in § 3, p. 15, both English and German have a present and a past infinitive. Cf. *It is good to love, It is good to have loved.* Unlike English, German places the past participle before the auxiliary infinitive (with or without зu) and uses both haben and fein in accordance with the rule given in § 98. Thus:

to have loved	geliebt (зu) haben
to have gone	gegangen (зu) fein

Example:

> Sie behaupteten, ein Licht gefehen зu haben.

NOTE. The past infinitive is used almost as frequently as the present infinitive, and even the beginner should familiarize himself with this form.

103. Als, wann, and wenn. All these German words can be translated *when*, but they show marked differences in use.

a. **Wann** is a question-word and is used only to introduce direct and indirect questions. Thus:

Wann ift Meyer geftorben? When did Meyer die?

Ich weiß nicht, wann Meyer geftorben ift. I don't know (the answer to the question) when Meyer died.

b. **Als** is a conjunction introducing a dependent clause which refers to one single act or state in past time. Thus:

> Faufts Herz fchlug, als er in den Wald eintrat.
> Als ich jung war, glaubte ich an den Teufel.

c. **Wenn** is also a subordinating conjunction, introducing clauses with verb-last position. In connection with the simple past tense it means *whenever*; in all other cases it means either *when* or *if*, depending on the context. Examples:

Wenn ich ihn fehe, fage ich es ihm.

Als wir Kinder waren, fürchteten wir uns, **wenn** es donnerte.

104. Wenn and ob. Ob, not wenn, must be used in German whenever the English *if* may be replaced by *whether*. Thus:

> Ich weiß nicht, ob er зu Haufe ift.

105. Wiffen, kennen, können.

a. **Wiffen** means to know facts. Thus:

Ich weiß, daß Meyer nicht mehr lebt. I know that Meyer is no longer alive.

b. Kennen means to be acquainted with something or somebody. Thus:

> Ich kenne ihn. I know him.
> Ich kenne England sehr genau. I know England very well.

c. Können (cf. § 36, p. 46) expresses the idea of knowing how. Thus:

> Ich kann Auto fahren. I can drive a car.
> Können Sie Deutsch? Do you know German?

106. Article as Possessive. German frequently (but not always) uses the article for the possessive when no misunderstanding is possible. This applies especially to the clothing, parts of the body, etc. Thus:

> Jeder hielt ein Buch in der Hand. Each held a book in his hand.
> Er schnitt sich in den Arm. He cut his (own) arm.

107. Genitive of Time. The nouns designating the days of the week and the parts of the day (Morgen, Abend, Nacht) form adverbial genitives in =s which answer the question *when?* Forms used without an article are not capitalized, except for the days of the week. Examples: des Nachts, des Tages; nachts, tags; Montags, Sonntags. These forms indicate recurrence of time. There are also forms with the indefinite article: eines Tages, eines Abends, eines Nachts, eines Sonntags.

VERB LIST

This list contains the new strong verbs in Lesson X, plus a certain number of such verbs from previous lessons:

Infinitive	Past	Past Participle	Present
bleiben	blieb	geblieben	bleibt
schneiden	schnitt	geschnitten	schneidet
verbieten	verbot	verboten	verbietet
binden	band	gebunden	bindet
bringen	brang	gedrungen	bringt
singen	sang	gesungen	singt

Infinitive	Past	Past Participle	Present
springen	sprang	gesprungen	springt
verschwinden *(DISAPPEAR)*	verschwand	verschwunden	verschwindet
beginnen	begann	begonnen	beginnt
brechen *(BREAK)*	brach	gebrochen	bricht
helfen	half	geholfen	hilft
nehmen	nahm	genommen	nimmt
sprechen	sprach	gesprochen	spricht
bitten	bat	gebeten	bittet
essen	aß	gegessen	ißt
lesen *(READ)*	las	gelesen	liest
liegen *(LIE)*	lag	gelegen	liegt
sehen *(SEE)*	sah	gesehen	sieht
treten *(STEP)*	trat	getreten	tritt
schlagen *(BEAT)*	schlug	geschlagen	schlägt
fallen	fiel	gefallen	fällt
halten	hielt	gehalten	hält
hängen	hing	gehangen, gehängt	hängt
rufen *(call)*	rief	gerufen	ruft
schlafen	schlief	geschlafen	schläft
brennen *(burn)*	brannte	gebrannt	brennt
gehen	ging	gegangen	geht
kennen *(know)*	kannte	gekannt	kennt
nennen	nannte	genannt	nennt
stehen	stand	gestanden	steht

EXERCISES

I

Following the pattern ich liebe, ich liebte, ich habe geliebt, ich hatte geliebt; du liebst, du liebtest, etc., conjugate the following verbs and phrases:

ich eile mich

ich kenne ihn nicht

ich verbiete es dir

ich verwandele mich

ich binde

ich schließe das Haus zu

ich verschwinde

ich bleibe zu Hause

ich falle auf die Erde

ich gehe nach Hause

II

Change the verbs in the following sentences to the present and past perfect: Er ift alt und zieht fich vom Gefchäft zurück. Mein Freund wird Lehrer. Ich bin immer glücklich. Ihr ärgert euch über uns? Er liebt fie nicht. Wir gehen heute in die Stadt. Sie ziehen aus diefem alten Haus. Wir folgen unferem Lehrer. Er verfchwindet im Wald. Wir überfchreiten die Grenze.

III

Following the pattern mein Freund wird Lehrer, mein Freund muß Lehrer werden, mein Freund muß Lehrer geworden fein, form similar phrases with the verbs in Exercise II, using one or more of the modals können, müffen, and follen.

IV

Translate into German: 1. I believe Mary has never been young. 2. No, she too must have been young once. 3. This morning I still had (*use perfect!*) the book in my hand, and this evening it has disappeared. 4. We knew that you had lost your house in Berlin; but we did not know where (to where) you had moved. 5. I simply cannot believe (it) that Meyer is supposed to be no longer alive. 6. Only (Erft) this evening I talked (*use perfect!*) with him. 7. Mary is said to have run over (überfahren) him this morning. 8. Mary has suddenly become old; she has changed completely. 9. I have been out of the country (im Ausland) for three years, Mary, and only (erft) last night did I come back.

LESSON XI

❦

TEXT A

Bob, steh auf! Es ist schon ein Viertel vor neun.—Ich brauche heute erst um viertel nach zehn aufzustehen.—Vater ist schon um halb sechs aufgestanden.—Ich weiß, er kann nicht mehr so lange schlafen wie früher.

Der Vater kommt morgen. Morgen abend wird er schon hier sein und mit uns essen.—Kein Mensch ist vollkommen; und auch Sie werden nie vollkommen sein.—Auch ich muß sterben. Auch ich werde einmal sterben. Auch ich werde einmal sterben müssen.—Ihr werdet sein wie Gott und wissen, was gut und böse ist.—Du wirst einmal ein großer Mann werden. Du wirst einmal ein großer Mann sein, Fritz.—Meinen Vater werde ich leider nie wieder sehen. Ich gehe jetzt, und du wirst mich nie wiedersehen.— Diesen Tag werde ich nicht vergessen, und wenn ich hundert Jahre alt werde. Diesen Tag werde ich nie vergessen können.—Wir müssen uns einen neuen Rock machen lassen. Wir werden uns einen neuen Rock machen lassen. Ich werde mir einen neuen Rock machen lassen müssen.—Ich kann noch nicht wieder Sauerkraut essen. Bald werde ich wieder Sauerkraut essen können.

Er will nicht. Was will er nicht? Er will nicht arbeiten. Er wollte nicht. Was wollte er nicht? Er wollte nicht arbeiten. Er hat nicht gewollt. Was hat er nicht gewollt? Er hat nicht arbeiten wollen. Hat er arbeiten wollen?

Ich weiß, du hast es nicht gewollt. Ich weiß, du hast nicht arbeiten wollen. Ich weiß, daß du es nicht gewollt hast. Ich weiß, daß du nicht hast arbeiten wollen.

Meyer läßt sich einen neuen Rock machen. Ich kann mir keinen neuen Rock machen lassen. Ich habe kein Geld.—Meyer ließ sich einen neuen Rock machen. Ich konnte mir keinen neuen Rock machen lassen. Ich hatte kein Geld.—Meyer hat sich einen neuen Rock machen lassen. Ich habe mir keinen neuen Rock machen lassen können.—Meyer wird sich einen neuen Rock machen lassen. Ich werde mir keinen neuen Rock machen lassen können.

Hast du schon gehört, daß Meyer sich einen neuen Rock machen läßt? Hast du schon gehört, daß er sich einen neuen Rock hat machen lassen?

Ich muß Deutsch lernen. Ich mußte Deutsch lernen. Ich habe Deutsch lernen müssen. Dein Deutsch ist sehr gut. Du mußt viel gearbeitet haben. Ja, ich habe viel arbeiten müssen.

131

Er hat es nicht leicht gehabt, er hat viel arbeiten und viel leiden müssen. Ich weiß, er ist jetzt dreißig, aber er sieht aus wie fünfzig. Er muß viel gelitten haben. Ja, ich weiß, er hat viel leiden müssen.

Wer hat dieses Buch geschrieben? Fritz kann es nicht gewesen sein, denn
5 er kann nicht schreiben. Er kann daher das Buch nicht geschrieben haben.

VOCABULARY

antworten, to reply
  beantworten to *answer*
der Arm, –e the *arm*
bald soon
befehlen to command
das Blut the *blood*
die Brücke, –n the *bridge*
die Brust, ⸚e the chest, *breast*
dunkel dark; vague, obscure
eigen *own*
empfinden to feel
  empfindlich sensitive; painful(ly)
der Erfolg, –e the outcome; success
erkennen to recognize
erklären to explain (make *clear*);
  declare
fangen to catch
die Feder, –n the *feather*; pen;
  spring
der Friede* the peace
  friedlich peaceful
fühlen to *feel*
  das Gefühl, –e the *feel*ing
füllen to *fill*
  die Fülle the *full*ness
der Fuß, ⸚e the *foot*
gefallen (*w. dat.*) to please
gegenü'ber† opposite
  das Gegenüber the vis-à-vis

der Geist, –er (*ghost*), the spirit
geschehen (*impers.*) to happen
gleich *like*, equal
  gleichen (*w. dat.*) to be equal (to)
heiß *hot*
hier *here*
das Horn, ⸚er the *horn*
inner internal, *inner*
irgend any (at all)
jetzt now
der Körper, — the body
die Kraft, ⸚e the strength, power
leiden to suffer
der Lohn, ⸚e the reward; pay, wage
lösen to *loosen*
  los *loose*, free (of)
die Lüge, –n *lie*, falsehood
  lügen to *lie*
der Mut the courage
  der Hochmut pride, arrogance
das Pferd, –e the *horse*
die Pflicht, –en the duty
  verpflichten to put under obligation
reichen to hand to, (*reach*)
reißen to snatch, tear
  hinreißend (carrying away), en-
  rapturing
schätzen to esteem, value, treasure

---

*For declension, see page 200.   †Preposition governing a preceding dative.

der Tod the *death*	erweitern to *widen*, extend
trösten to comfort, console	der Wert, —e the value
versuchen to try, *seek* to, attempt; tempt	wert *worth*
während (*conj.*) while	das Wesen, —— the being, creature; essence
während (*prep. w. gen.*) during	zurück′kehren to return
weit *wide*; far	

IDIOMS

bald ... bald now (this) ... now (that)	jemanden zu Fall bringen to bring about someone's downfall
jemandem in die Rede fallen to interrupt	nicht wahr? isn't it so?

TEXT B

Historia von Dr. Johann Faust

Zweiter Abschnitt · Dr. Faust macht einen Pakt mit dem Teufel

„Es ist gut, daß die Studenten den Herrn Professor jetzt nicht sehen können", meinte die Gestalt sarkastisch. „Wirklich, Faust, du siehst in diesem Augenblick nicht gerade intelligent aus. Hattest du dir etwa gedacht, ich erscheine dir hier mit Hörnern und Pferdefuß? Weißt du nicht, daß wir Geister keinen eigenen Körper haben und daher bald in dieser, bald in jener 5 Gestalt erscheinen können? Der Herr Professor hat wohl seine Metaphysik vergessen?"

Faust, der sich im Grunde seines Herzens vor dem Erfolg seines gottlosen Experimentes gefürchtet hatte, war über den scheinbar guten Ausgang sehr erleichtert. Da er sich aber von dem Sarkasmus seines Gegenübers 10 empfindlich getroffen fühlte, erwiderte er unfreundlich: „Wer bist du?"

„Ich bin der, den du gerufen; mein Name ist Mephistopheles", antwortete der andere.

„Du siehst aus wie einer meiner Kollegen. Ich aber habe einen Teufel, und keinen Menschen gerufen." 15

„In der Gestalt eines Professors fühlt sich der Teufel am wohlsten, Faust; sie ist ihm sozusagen natürlich. Leidet ihr nicht auch darunter, daß ihr meist sagt, was ihr nicht wißt, und nicht das sein könnt, was ihr sein wollt?"

„Dein Sarkasmus gefällt mir, Mephisto. Ich glaube, wir werden uns gut verstehen. Sei heute nacht, wenn die Uhr zwölf (12) schlägt, in meinem Studierzimmer!"

„Ganz wie der Herr Professor befiehlt!" erwiderte Mephisto mit leichter
5 Ironie und verschwand.

Faust war allein. Langsam und nachdenklich ging er den Weg durch die Felder in die Stadt zurück. Das bestimmte und unangenehme Gefühl, alle Brücken hinter sich abgebrochen zu haben, ließ ihn nicht los. „Noch habe ich nichts getan, was sich nicht wiedergutmachen läßt", versuchte er sich zu trösten.
10 „Ein kleines Experiment verpflichtet zu nichts. Selbstverständlich werde ich nicht so dumm sein, diesem Mephisto irgendwelche Macht über mich zu geben. Ein oder zwei Jahre lang kann er mir dienen, und dann schicke ich ihn wieder zum Teufel."

Die Uhr schlug zwölf, als Faust wieder in sein Studierzimmer trat.
15 Draußen sang der Nachtwächter mit tiefer Männerstimme:

> „Hört ihr Herren, und laßt euch sagen,
> Meine Frau hat mich geschlagen.
> Folgt meinem Rat, nehmt keine nicht,
> Damit euch nicht wie mir geschicht[1]!"

20 „Was verlangt der Herr Professor von seinem Diener?" fragte Mephisto, der schon auf Faust gewartet hatte.

„Wenn du bist, was du scheinen willst, so sage mir, wonach mein Herz verlangt und meine Seele dürstet; sage mir auch das, was ich mir selbst zu sagen nicht den Mut habe."

25 „Du leidest darunter", erwiderte Mephistopheles, „daß er, den ich hasse und dessen Namen ich nicht nennen will, der Macht deines Geistes und der Fülle deines Lebens eine Grenze gesetzt hat, die du aus eigener Kraft weder erweitern noch durchbrechen kannst. Zwar bist du groß und kannst mit einem gewissen Recht auf die herabsehen, die deine Größe nicht verstehen. Doch
30 bist du nur ein Mensch. Da stehst du jeden Tag vor deinen Studenten, redest über die materia prima[2] und mußt froh sein, daß sie nicht wissen, wie wenig du davon weißt. Du liest mit ihnen den Homer, erklärst ihnen die Fahrten des Odysseus[3] und ärgerst dich darüber, daß du selbst noch nie über die Grenzen deines Vaterlandes hinausgekommen bist. Und wenn du auf die
35 hinreißende Schönheit der Helena[4] zu sprechen kommst—nicht wahr, mein lieber Faust?—dann merken auch deine Studenten, daß du von Dingen redest, die du nicht kennst und leider auch nie kennen wirst."

„Sei still, du Teufel!" fiel ihm Faust mit zitternder Stimme in die Rede. Ein heißes, ihm neues Verlangen erwachte in seiner Brust und ließ sein Herz schneller schlagen. Das dunkle, doch bestimmte Gefühl für die Gefahr seiner Situation, das bis zu diesem Augenblick in ihm lebendig geblieben war, erstarb. Und die Wildheit seines Verlangens stieß ihn hilflos 5 in die Arme des Verführers.

„Was du weißt", fuhr Mephisto ruhig, doch mit heimlichem Triumphe fort, „ist in deinen Augen ein Nichts; und was du nicht weißt, das allein erscheint dir wissenswert. Die Schönheit deines Vaterlandes mit seinen Bergen und Wäldern läßt dich kalt, solange du nicht gesehen, was hinter 10 diesen Bergen liegt. Und die friedliche Ruhe deines Lebens kannst du nicht schätzen, solange du nicht weißt, was es heißt, eine schöne Frau in den Armen gehalten zu haben. Du leidest, wie alles, was er gemacht hat, an der Begren= zung. Und der Gedanke, daß er, der Grenzenlose, dich in deinen Grenzen gefangen hält, ist dir unerträglich. Du willst, was ich einst wollte: du willst 15 sein—wie er!"

„Man nennt dich den Vater der Lüge, doch du sprichst die Wahrheit. Ja, ich leide an meiner Begrenzung und dürste nach der Fülle des Wissens und der Fülle des Lebens. Und er, der mir dieses Verlangen ins Herz gegeben, er hat es nicht gestillt, hat es nicht stillen wollen!" 20

„Hast du ihn darum gebeten, Faust?"

„Ich bitte um nichts! Ich habe nur mein Recht verlangt."

„Und nun kommst du zu mir?"

„Ja, denn du kannst mein Verlangen stillen. Du wirst mir dienen, denn du stehst in meiner Macht. Du wirst mich das innerste Wesen der Elemente 25 erkennen lassen. Du wirst mich durch alle Länder der Erde führen. Und du, du wirst mich auch lehren, was es heißt, vor Lust zu brennen."

„Du hast die Macht, mich zu rufen, Faust, aber nicht die Macht, mich in deinen Dienst zu zwingen. Für seine Dienste verlangt der Teufel einen Lohn."

„Welchen Lohn?" 30

„Ein Wesen aus dir gemacht zu haben, das mir gleicht! Setz dich hin und schreibe, wenn du den Mut dazu hast."

Mephisto trat zu Faust, schnitt ihm mit einem kleinen Messer leicht in den Arm, fing das Blut mit einer Feder auf, reichte die Feder dem Verführten und sprach ihm klar und langsam die folgenden Worte vor: 35

„Da die mir von Gott gegebene Kraft meines Geistes und meines Ver= standes nicht genügt, in die Geheimnisse der Natur zu bringen und das innerſte Weſen der Elemente zu erkennen, ſo habe ich ihn gerufen, der ſich Mephiſtopheles nennt. Dieſer Mephiſtopheles verſpricht mir hiermit:

ERSTENS, alle meine Fragen nach beſtem Wiſſen zu beantworten und mir ſtets die Wahrheit zu ſagen.

5 ZWEITENS, mir vierundzwanzig Jahre lang zu dienen und während dieſer Zeit all das zu tun, was ich von ihm verlange.

DRITTENS, während dieſer vierundzwanzig Jahre die Kraft meines Geiſtes und die Schärfe meines Verſtandes zu vermehren und nicht geringer werden zu laſſen.

10 Dafür verſpreche ich, Dr. Johann Fauſt, dieſem Mephiſto:

ERSTENS, den Glauben an Chriſtus und an die rettende Macht ſeines Todes aufzugeben.

ZWEITENS, nie einen Menſchen oder irgendein lebendes Weſen lieben zu wollen.

15 DRITTENS, nie den Verſuch zu machen, zu ihm, der mich gemacht hat, zurückzukehren.

Am Ende der vierundzwanzig Jahre hat der genannte Mephiſtopheles das Recht, mit mir, meinem Körper und meiner Seele zu tun, was er will. Dies hat mit eigener Hand und mit ſeinem eigenen Blute geſchrieben 20 Dr. Johann Fauſt."

Fauſt wartete einen letzten, kurzen Augenblick. Dann riß ihn ſein Hoch= mut fort und brachte ihn zu Fall. „Ich weiß, was ich will!" ſagte er entſchloſſen und trotzig zu ſich ſelber und ſetzte ſeinen Namen unter das gottloſe Dokument:

25 „Johannes Fauſt,

Doctor theologiae"

[Fortſetzung folgt.]

NOTES. 1. happens; geſchicht is archaic for geſchieht. 2. *Latin*, primal matter. 3. Odysseus, hero of the Odyssey of Homer. 4. Helen or Helena, heroine of Homer's Iliad.

Fragen

1. Wie ſah Fauſt in dieſem Augenblick aus? 2. Haben Geiſter einen eigenen Körper? 3. Was können ſie daher tun? 4. Wovor hatte ſich Fauſt im Grunde ſeines Herzens gefürchtet? 5. Worüber war er jetzt ſehr er= leichtert? 6. Wovon fühlte er ſich empfindlich getroffen? 7. Was erwiderte

er? 8. Was antwortete Mephisto? 9. In welcher Gestalt fühlt sich der Teufel am wohlsten? 10. Warum fühlt sich der Teufel in der Gestalt eines Professors am wohlsten? (Auch der Teufel leidet darunter, daß . . .) 11. Was befahl Faust dem Teufel? 12. Wohin ging Faust zurück? 13. Was ließ ihn nicht los? 14. Mit welchen Worten versuchte er sich zu trösten? 15. Was wollte er selbstverständlich nicht tun? 16. Was sang der Nachtwächter? 17. Auf wen kann Faust mit einem gewissen Recht herab= sehen? 18. Worüber muß er froh sein, wenn er von der materia prima redet? 19. Worüber ärgert er sich, wenn er mit seinen Studenten den Homer liest? 20. Was merken die Studenten, wenn er von Helena redet? 21. Was erwachte in der Brust Fausts? 22. Was erstarb in diesem Augen= blick? 23. Was stieß ihn hilflos in die Arme des Verführers? 24. Was allein schien Faust wissenswert? 25. Warum ließ ihn die Schönheit seines Vaterlandes kalt? 26. Warum konnte er die friedliche Ruhe seines Lebens nicht schätzen? 27. Woran litt er? 28. Welcher Gedanke war ihm un= erträglich? 29. Was wollte Faust? 30. Wie nennt man den Teufel? 31. Was sollte der Teufel alles für Faust tun? 32. Was verlangte der Teufel für seine Dienste? 33. Welchen Lohn verlangte er? 34. Womit schnitt der Teufel ihm leicht in den Arm? 35. Womit fing er das Blut auf? 36. Was versprach Mephisto dem Verführten? 37. Was versprach Faust dafür? 38. Welches Recht gab er dem Teufel? 39. Was brachte Faust zu Fall?

ENLARGING YOUR VOCABULARY

108. The Prefix be=. This prefix has only one function in the living language of today. It may convert any stem (noun, verb, adjective, or other) into a transitive verb. Thus:

Grenze (*noun*) limit	begrenzen to limit
Glück (*noun*) happiness	beglücken to make happy
Furcht (*noun*) fear	befürchten to fear (something)
frei (*adjective*) free	befreien to liberate
ja (*interjection*) yes	bejahen to affirm (say yes to)
antworten (*verb*) to answer	beantworten to answer (a question)
fragen (*verb*) to ask	befragen to interrogate (a person)
wohnen (*verb*) to live	bewohnen to inhabit, populate

NOTE. Though be= is a very active prefix, the student cannot safely make new compounds with it.

109. The Prefix er-. This prefix frequently forms, from verb and adjective stems, transitive verbs which denote an activity carried forward toward or to its natural completion:

From adjectives:	hoch high	erhöhen	to make high, heighten
	ganz complete	ergänzen	to complete
	leicht light	erleichtern	to make light
From verbs:	zwingen to force	erzwingen	to bring about by force
	lösen to loosen	erlösen	to redeem
	retten to save	erretten	to rescue
	schlagen to strike	erschlagen	to slay

In some cases these compounds are intransitive:

trinken to drink	ertrinken	to drown ("drink to death")
blind blind	erblinden	to become blind

WORD-BUILDING EXERCISE

Try to make an intelligent guess at the meaning of the following words and phrases:

heute	verdunkeln	eine erklärende Fußnote
am heutigen Tage	empfinden	fangen
bald	die Empfindung	der Gefangene
auf baldiges Wiedersehen	sei nicht so empfindlich	jemanden gefangennehmen
befehlen	lichtempfindlich	gefangenhalten
der Befehl	die Lichtempfindlichkeit	ein guter Fang
der Befehlshaber	der Erfolg	die Feder
das Blut	ein Augenblickserfolg	die Schreibfeder
bluten	erfolglos	der Füllfederhalter
blutdürstig	die Erfolglosigkeit	die Uhrfeder
verbluten	ein Mißerfolg	er liegt noch in den Federn
kaltblütig	erkennen	sie geht mit federndem
mit blutendem Herzen	erkennbar	Schritt
dunkel	die Erkennbarkeit	federleicht
die Dunkelheit	jemanden wiedererkennen	der Friede
es dunkelt früh im Winter	erklären	eine friedliche Haltung
im Dunkeln gehen	die Erklärung	in Unfrieden leben
dunkelrot	erklärlich	ein friedliebender Mensch
dunkelblau	unerklärlich	fühlen

gefühllos
Gefühllosigkeit
das Lustgefühl
viele Insekten haben
   Fühler
füllen
ausfüllen
einfüllen
die Körperfülle
der Fuß
vierfüßig

gefallen
jemandem gefallen
ein gefälliger Mensch
jemandem einen Gefallen
   tun
das gefällt mir
das mißfällt mir
er hielt mit seinem Miß=
   fallen nicht zurück
der Geist
geistige und körperliche Arbeit

geschehen
alles, was geschieht, ist
ein Geschehen und ge=
   hört in die Geschichte
was einmal geschehen ist,
   kann man nicht unge=
   schehen machen
inner
die innere Stadt
im Innern der Stadt
die Kraft

GRAMMAR

110. Cardinal Numbers. The student is now acquainted with most of the cardinal numbers. They are:

eins	elf	einundzwanzig	einunddreißig
zwei	zwölf	zweiundzwanzig	vierzig
drei	dreizehn	dreiundzwanzig	fünfzig
vier	vierzehn	vierundzwanzig	sechzig
fünf	fünfzehn	fünfundzwanzig	siebzig
sechs	sechzehn	sechsundzwanzig	achtzig
sieben	siebzehn	siebenundzwanzig	neunzig
acht	achtzehn	achtundzwanzig	neunundneunzig
neun	neunzehn	neunundzwanzig	hundert
zehn	zwanzig	dreißig	hunderteins

tausend, eine Million, etc.

NOTE. We say eins (not ein) in counting, as long as no noun follows. Note also that beginning with 21 the pattern of "four-and-twenty blackbirds" is obligatory in German.

111. Ordinal Numbers. The ordinal numbers are numeral adjectives and therefore take the regular adjective endings. Their stems are:

erst=	sechst=	elft=	sechzigst=
zweit=	sieb(en)t=	zwanzigst=	siebzigst=
dritt=	acht=	dreißigst=	achtzigst=
viert=	neunt=	vierzigst=	neunzigst=
fünft=	zehnt=	fünfzigst=	hundertst=

tausendst=, millionst=, etc.

NOTE. Beginning with zwanzig, the suffix =ſt is added to the cardinal number. Examples:

das erſte Kind	ſeine zweite Frau
ihr erſtes Kind	ſein einundfünfzigſter Geburtstag
ihr erſter Mann	

112. Ordinal Adverbs. The suffix =ens, with which the student is familiar from § 55, p. 70, can be added to the ordinal stems to form adverbs with the meaning "in the first place," "in the second place," etc. Thus:

erſtens first(ly)	drittens third(ly)
zweitens second(ly)	achtens eighth(ly)

113. Fractions. By adding =el to the ordinal stems we get the corresponding fractions:

ein Drittel one third	drei Achtel three eighths
ein Viertel one fourth *or* quarter	zwei Tauſendſtel two thousandths

The only exception is die Hälfte (*half*), which we learned in Lesson VII.

114. Telling Time. In official timetables, hours are counted from 1 to 24, beginning at midnight, and they are written and read as follows:

$$0.45 = \text{null Uhr fünfundvierzig}$$
$$8.53 = \text{acht Uhr dreiundfünfzig}$$
$$16.03 = \text{ſechzehn Uhr drei}$$
$$20.22 = \text{zwanzig Uhr zweiundzwanzig}$$

Within the family, the hours are counted from 1 to 12, and the terms vormittags (*before midday*) and nachmittags (*after midday*) may be added. Examples:

zehn Minuten nach zwölf 12.10	halb zwei 1.30
fünf Minuten vor zehn 9.55	drei Viertel drei 2.45
ein Viertel nach zwölf 12.15	punkt vier at four o'clock sharp

Wir treffen uns um halb zehn vormittags. We'll meet at half past nine in the morning.

115. The Future Tense. As the student has already seen (§ 68, p. 79), future time is frequently expressed by using a present-tense form. Nevertheless, German has a future tense. It is formed by combining the present of werden with the infinitive of the main verb. As with the modals, the infinitive stands at the end of the clause, and can be followed only by the auxiliary in verb-last position. Thus:

idj werde sein, werden	I shall be, become
Sie werden sein, werden du wirst sein, werden	you will be, become
er wird sein, werden	he will be, become
wir werden sein, werden	we shall be, become
Sie werden sein, werden ihr werdet sein, werden	you will be, become
sie werden sein, werden	they will be, become

116. The Future Perfect Tense

This tense, which is not much used today in literary German and will not occur in the texts of this book, is formed by combining the present tense of the auxiliary werden with the past infinitive (see § 102, p. 126) of the main verb. Thus, we have:

idj werde gewesen sein, geworden sein	I shall have been, become
Sie werden gewesen sein, geworden sein du wirst gewesen sein, geworden sein	you will have been, become
er wird gewesen sein, geworden sein	he will have been, become
wir werden gewesen sein, geworden sein	we shall have been, become
Sie werden gewesen sein, geworden sein ihr werdet gewesen sein, geworden sein	you will have been, become
sie werden gewesen sein, geworden sein	they will have been, become

117. The Double Infinitive.

The six modals and the verbs hören, lassen, and sehen have two participles: + heißen, heissen (or der)

a. The regular participles listed in the verb tables. They are: gedurft, gekonnt, gemocht, gemußt, gesollt, gewollt, gehört, gelassen, gesehen.

b. A form which is identical with the infinitive. This form must be used whenever these verbs govern a dependent infinitive; and since they always stand last in the clause and immediately follow the dependent infinitive, the appearance of a double infinitive is created. When the inflected auxiliary should stand in verb-last position (according to the rule given in § 40, p. 48), it stands in front of the double infinitive and not at the very end of its clause. This is the only exception to the rule of verb-last position. Examples:

Er hat nicht arbeiten wollen. He has not wanted to work.

Ich weiß, daß er nicht hat arbeiten wollen. I know he has not wanted to work.

Ich habe mir keinen neuen Rock machen lassen können. I have not been able to have a new coat made.

118. Hat leiden müssen vs. muß gelitten haben. In the German sentence Er hat viel leiden müssen, the form hat müssen (equivalent to hat gemußt) is the present perfect of the modal müssen, and leiden is the simple infinitive. Since müssen expresses the idea of necessity, the form hat müssen (and hat gemußt) expresses a past necessity, and the sentence therefore means *He has had to suffer a great deal.*

But in the sentence Er muß viel gelitten haben, the form muß is the present of the modal müssen, and gelitten haben, which depends on it, is the past infinitive of leiden. This sentence therefore indicates the present necessity of assuming a past suffering, and must be translated *He has to have suffered a great deal,* or *He must have suffered a great deal.*

NOTE. Since the English modals are incomplete in their conjugational system and have no present-perfect forms, one cannot imitate the first pattern by using a modal.

VERB LIST

The following list of strong verbs includes the new verbs in this lesson and all those of previous occurrence not listed in Lessons IX and X:

Infinitive	Past	Past Participle	Present	
gleichen	glich	geglichen	gleicht	*RESEMBLE*
reißen	riß	gerissen	reißt	*SNATCH*
scheiden	schied	geschieden	scheidet	*SEPARATE*
steigen	stieg	gestiegen	steigt	*RISE*

Infinitive	Past	Past Participle	Present	
lügen	log	gelogen	lügt	*lie*
empfinden	empfand	empfunden	empfindet	*feel*
befehlen	befahl	befohlen	befiehlt	*command* *strike*
treffen	traf	getroffen	trifft	
versprechen	versprach	versprochen	verspricht	*promise*
werfen	warf	geworfen	wirft	*throw*
geschehen	geschah	geschehen	geschieht	*happen*
vergessen	vergaß	vergessen	vergißt	*forget*
tragen	trug	getragen	trägt	*drag*
gefallen	gefiel	gefallen	gefällt	*please*
stoßen	stieß	gestoßen	stößt	*thrust*
tun	tat	getan	tut	*do*

EXERCISES

I

Conjugate in the future tense haben, kommen, sehen.

II

Following the pattern ich habe, er hatte, wir haben gehabt, sie hatten gehabt, sie werden haben, give the synopsis of the following:

sein	fallen	sich fürchten
empfinden	gefallen	sich verwandeln
bleiben		

III

WRITE OUT   haben

Change the following sentences to the present perfect: Ich darf ihm schreiben. Er kann nicht arbeiten. Wir können nichts sehen. Können Sie etwas sehen? Will er Ihnen etwas sagen? Er muß viel leiden. Ich weiß, daß er viel leiden muß. Wollen sie ihn hören? Er läßt sich nichts sagen. Ich weiß, daß er sich nichts sagen läßt.

IV

Read and write out the following numbers in German words:

35	106	das Jahr 1066
53	166	es war im Jahre 1492
24	1791	123 544
88	im Jahre 1376	1 234 456

QUIZ — VERB LIST
HOMEWORK   I, IV, II
VOCABULARY 145-146
TEXT B

V

Recite the multiplication table from 2 to 10 in German.

VI

Translate into German: 1. For three years I have not been able to work. 2. We shall see him as he is. 3. I hope you have not had him called. 4. We shall do nothing until you come. 5. I shall only (erſt) buy myself a new pair of suspenders when I can no longer wear the old ones. 6. I have no money and have consequently not been able to buy myself a new coat. 7. Bob cannot possibly (unmöglich) have done that. 8. He is said to have lost a lot of money. 9. He has had to do a lot of work all his life. 10. I don't know whether (ob) he is already at home.

VOCABULARY REVIEW

This list contains all the words used in Lessons I–XI inclusive. It should be treated by the student like the one on page 38.

ab	auf	bilden	daher	Durſt
Abend	Auge	binden	Dame	
aber	Augenblick	bis	dann	eigen
acht	aus	bitten	darum	eilen
all	außen	blau	daß	ein
allein	außer	bleiben	denken	einfach
als		blicken	denn	einig
alt	bald	blind	deutſch	einſt
an	befehlen	Blut	Dichter	elf
ander	beginnen	böſe	Dienſt	Eltern
anfangen	behaupten	brauchen	dieſer	empfinden
angenehm	bei	brechen	Ding	Ende
antworten	beide	brennen	doch	entſchließen
Arbeit	Beiſpiel	bringen	Donner	Erde
ärgern	Berg	Brücke	drei	Erfolg
arm	berichten	Bruſt	dringen	erkennen
Arm	beſonders	Buch	dumm	erklären
Art	beſſer	Bürger	dunkel	=erlei
Atem	beſtimmt		durch	erſt
auch	beweiſen	da	dürfen	erzählen

essen	geheim	heißen	klein	man
etwa	gehen	Held	Knochen	mancher
etwas	gehören	helfen	Kohle	Mann
	Geist	Hemd	kommen	mehr
Fach	Geld	her	können	meinen
fahren	genau	Herr	Körper	meist
fallen	genug	Herz	Kraft	Mensch
fangen	gerade	heute	kühl	merken
fast	gering	hier	kurz	Messer
Feder	gern	Himmel		mit
fehlen	Geschäft	hin	Land	mögen
Gold	geschehen	hinter	lang	möglich
fest	Geschichte	hoch	langsam	Mord
finden	Gesetz	hoffen	lassen	Morgen
folgen	Gestalt	Hölle	laut	müde
fort	gewiß	hören	leben	Mund
fragen	Glanz	Horn	lebendig	müssen
Frau	glauben	Hose	Lehrer	Mut
frei	gleich	hundert	leicht	Mutter
Freund	Glied		leiden	
Frieden	Glück	immer	leider	nach
froh	Gott	in	leise	Nacht
früh	Grenze	inner	leisten	nah
fühlen	groß	interessant	lernen	nämlich
führen	Grund	irgend	lesen	Natur
füllen	gut		letzt	neben
fünfzig		ja	leuchten	nehmen
für	Haar	Jahr	Leute	nein
fürchten	haben	je ... desto	lieben	nennen
Fuß	Hälfte	jeder	liegen	neu
	Hals	jemand	Lohn	neun
ganz	halten	jener	=los	nicht
gar	hängen	jetzt	lösen	nichts
geben	hart	jung	Lüge	nie
gebrauchen	hassen		Lust	noch
Geburt	Haus	kalt		nötig
Gefahr	heben	kaufen	machen	nur
gefallen	Heil	kein	Macht	
gegen	heiraten	kennen	Mädchen	ob
gegenüber	heiß	Kind	Mal	obgleich
		klar		

oder	Schreck	Stadt	Vater	werden
öffnen	schreiben	stark	verbieten	werfen
oft	schreiten	stehen	vergessen	wert
ohne	Schuld	steigen	verlangen	Wesen
Ohr	schwach	Stelle	verschwinden	Weste
	schwarz	sterben	versprechen	wider
Pferd	sechs	stets	Verstand	wie
Pflicht	Seele	Steuer	versuchen	wieder
plötzlich	sehen	still	verwandeln	wild
Preis	sehr	Stimme	viel	wirklich
	Seife	stoßen	vielleicht	wissen
raten	sein	Student	vier	wo
recht	seit	Stunde	vollkommen	Wohl
reden	Seite	suchen	von	wohnen
reichen	selbst		vor	wollen
reißen	setzen	Tag		Wort
retten	sieben	tausend	wach	wundern
Rock	singen	Teil	wahr	
rot	sinken	Teufel	während	Zahl
rufen	sitzen	tief	Wald	zehn
ruhen	Sklave	Tochter	wann	zeigen
	so	Tod	warten	Zeit
sagen	sofort	tragen	warum	Zeitung
scharf	sogleich	treffen	wechseln	ziehen
schätzen	Sohn	treten	weder ... noch	Zimmer
scheiden	solcher	trösten	weg	zittern
scheinen	sollen	Trotz	weil	zu
schenken	sondern	tun	weise	zurück
schicken	Sonne		weit	zurückkehren
schlafen	sonst	über	welcher	zusammen
schlagen	spät	übrigens	Welt	zwar
schließen	Spiegel	Uhr	wenig	zwei
schneiden	sprechen	um	wenn	Zweifel
schnell	springen	und	wer	zwingen
schon	Staat	unter		zwischen
schön				

LESSON XII

∿

TEXT A

Es ist gut, daß du etwas mehr Geld hast als früher. Es wäre gut, wenn du jetzt etwas mehr Geld hättest.—Es war gut, daß ich Geld bei mir hatte. Es wäre gut gewesen, wenn ich Geld bei mir gehabt hätte. Es wird gut sein, wenn du morgen etwas Geld mitnimmst.—Es würde gut sein, wenn du morgen etwas Geld mitnehmen würdest.—Wenn ich nur etwas mehr Geld 5 hätte! Wenn ich nur mehr Geld gehabt hätte!

Du bist hier und kannst mir helfen. Wenn du hier wärest, könntest du mir helfen. Wärest du hier, so könntest du mir helfen.—Du warst hier und konntest mir helfen. Wenn du hier gewesen wärest, hättest du mir helfen können. Wärest du hier gewesen, hättest du mir helfen können. Wärest du 10 hier gewesen, dann hättest du mir helfen können. Du hättest mir helfen können, wenn du hier gewesen wärest.—Wenn er nur hier wäre! Er könnte mir gewiß helfen.—Wenn er nur hier gewesen wäre! Er hätte mir gewiß helfen können.—Könnten Sie mir vielleicht helfen? Ich bin am Ende meiner Kraft und kann mir nicht selbst helfen. 15

Hätte ich gewußt, was ich heute weiß, so wäre ich nie von Hause weg= gegangen; und wenn du wüßtest, was ich weiß, so würdest du es auch nie tun.

Gut, daß er kein Geld hat! Wer weiß, was er damit gemacht hätte? Wer weiß, was er damit machen würde? 20

Ich möchte wissen, wo Fritz bleibt; er müßte schon hier sein. Er sollte uns nicht so lange warten lassen. Ich wollte, er ließe uns nicht so lange warten. Ja, er könnte wirklich etwas höflicher (courteous) sein.

Ich habe keine Lust, noch länger zu leben. Am liebsten spränge ich ins Wasser. Ich möchte am liebsten ins Wasser springen.—Wenn ich du wäre, 25 so würde ich nicht ins Wasser springen; du könntest dich erkälten (catch cold).—Ich hatte keine Lust, noch länger zu leben und wäre am liebsten ins Wasser gesprungen. Ja, ins Wasser hätte ich springen mögen.

Ich glaube nicht, daß ich meine Mutter wiedersehen werde. Aber wenn ich sie wiedersehen sollte, so würde ich ihr für alles danken (thank), was sie 30 für mich getan hat. Natürlich konnte sie nicht so viel tun, wie sie wollte. Aber sie hat getan, was sie konnte, und hätte gar nicht mehr tun können.—

147

Von meiner Mutter kann ich das leider nicht sagen. Ich wollte, sie hätte auch getan, was sie konnte. Sie hätte wirklich mehr tun können.

Wenn du mich genommen hättest, so wärest du heute glücklich, aber vielleicht ist es noch nicht zu spät. Wie wäre es, wenn wir heiraten würden? 5 Wenn du mich heiratetest, so würde ich alles für dich tun, und du würdest glücklich sein. Auch ich wäre glücklich, wenn du mich heiraten würdest.

Ist er noch nicht hier? Dann hat er nicht kommen können. Wenn er hätte kommen können, so wäre er schon hier.—Und warum, meinst du, hat er nicht kommen können?—Seine Frau könnte gestorben sein: ich weiß, sie 10 war sehr leidend.

Wenn Sie heute in die Armee (army) eintreten, sind Sie in zwei Jahren Offizier (officer). Wenn Sie heute in die Armee einträten, wären Sie in zwei Jahren Offizier. Wenn Sie heute in die Armee einträten, würden Sie in zwei Jahren Offizier sein. Wenn Sie in die Armee eintreten würden, so 15 wären Sie in zwei Jahren Offizier. Wenn du vor zwei Jahren eingetreten wärest, so wärest du heute Offizier. Wärest du vor drei Jahren eingetreten, so wärest du vor einem Jahr Offizier geworden.

VOCABULARY

der Arzt, ⸚e the physician
bauen to build
bedeuten to mean, signify
　die Bedeutung, —en the meaning;
　　significance
bekommen to get, receive
besitzen to possess
bewegen to move
blühen to *bloom*
drücken to press, squeeze
die Ehe, —n the marriage
die Ehre, —n the honor
einan'der each *other*
das Eis the *ice*
empfangen to receive
erinnern an to remind (of)
　erinnern an, sich to remember
erobern to conquer

ewig eternal, everlasting
fein *fine*
das Fest, —e the festival, *feast*
die Frucht, ⸚e the *fruit*
der Frühling the spring
der Garten, ⸚ the *garden*
die Gegenwart the present
gehorchen (*w. dat.*) to obey
gelten to be valid; be considered
grüßen, begrüßen to *greet*, salute
der Kopf, ⸚e the head
der Kreis, —e the circle
die Kunst, ⸚e the art
leer empty
legen to *lay*
leiten to conduct, *lead*
notwendig necessary
nun *now*

reich *rich*	warm, wärmer *warm*
der Reiz, –e the charm	das Wasser the *water*
schwer heavy, difficult	wehren, sich to defend oneself
das Silber the *silver*	die Weile the *while*, (period of) time
der Stuhl, -̈e the chair, (*stool*)	der Wein, –e the *wine*
das Tier, –e the animal, (*deer*)	wichtig *weighty*, important
träumen to *dream*	der Winter, —— the *winter*
übel *evil*	die Wissenschaft, –en the science
verlieren to *lose*	die Würde, –n the *worth*, dignity

IDIOMS

als ob, als wenn as if	nun einmal after all
bei weitem by far	was für what sort of

etwas nicht genau nehmen to be not too exacting

TEXT B

Historia von Dr. Johann Faust

Dritter Abschnitt · Faust will heiraten

Aus dem armen Gelehrten, dessen schönster Besitz seine Bücher gewesen waren, wurde durch die Kunst Mephistos über Nacht ein reicher Mann, dem seine Diener in schwerem Silber nur die feinsten Weine und die ausgesuchte=sten Delikatessen[1] vorsetzten und für den die Worte „Geld und Geldeswert" jede Bedeutung verloren hatten. Während z. B. die ärmeren Bürger der 5 Stadt im Winter nicht wußten, wie sie in ihren Häusern ein kleines Zimmer warm halten sollten, ließ Faust unter der Leitung Mephistos über seinem Garten, den er früher nie betreten hatte, aus himmelblauem Glas[2] ein Lusthaus bauen, in dem ewiger Frühling herrschte und in dem selbst im kältesten Winter exotische Orchideen blühten. 10

Die reichen Bürger der Stadt, für die die Universität nur ein notwendiges Übel zur Ausbildung von Ärzten, Pastoren und anderen „brauchbaren Menschen" war, hatten bis dahin auf den armen Gelehrten herabgesehen und ihn nur dann in ihre Häuser gebeten, wenn sie es aus irgendeinem Grunde für nötig hielten, einen sonst langweiligen Abend durch die Gegenwart eines 15 Mannes zu beleben, der zu einer anderen Welt gehörte, zu einer Welt, in welcher der Besitz des Goldes bei weitem nicht so wichtig ist wie die Erkenntnis seiner Natur. Nun aber, da Faust Geld hatte, empfing man ihn mit offenen

Armen auch in den „besten Kreisen"; und es galt bald als eine Ehre, zu den wenigen zu gehören, die in seinem Hause aus- und eingingen.

Natürlich wußten diese Kreise ganz genau, woher das neue Geld kam und was für Kreise Faust gezogen hatte, um es zu bekommen. Man hätte daher erwarten sollen, daß diese Bürger, die sich Christen nannten, sein Haus nie betreten hätten. Doch da Faust selbst über jene furchtbare Nacht nie sprach und ihnen Mephisto als einen Kollegen aus Spanien vorgestellt hatte, so tat man, als ob man von jener Nacht nie etwas gehört hätte. Hätten die guten Bürger gewußt, wer Mephisto war, so wären sie gewiß nicht so ruhig geblieben, wenn er, wie das öfter geschah, vor ihren Frauen und Töchtern höchst gottlose Gespräche führte und in der Brust dieser Armen ein Verlangen nach Dingen wachrief, von denen ihre gutbürgerlichen Seelen bis dahin noch nicht einmal geträumt hatten. Aber Künstler und Gelehrte gelten ja nun einmal als Menschen, die über gewisse Dinge etwas „freier" denken als andere, und man hielt sich daher sozusagen für verpflichtet, es im Hause Fausts mit der Moral[3] nicht so genau zu nehmen.

So war es für Mephisto ein leichtes, den Gelehrten, dem das Leben der großen Welt etwas Neues war, von seinen Studien abzuziehen. Es war ihm auch ein leichtes, ihn zu lehren, was es heißt, eine schöne Frau in den Armen zu halten.

Aber weder die guten Weine noch die ausländischen Früchte, weder die lauten Feste, von denen die Stadt nicht müde wurde zu reden, noch die schönen Frauen brachten dem Gelehrten jene große, stille Fülle des Lebens, auf die er gehofft und die Mephisto ihm versprochen hatte. Als das neue Leben nach einigen Jahren endlich den Reiz des Neuen verlor, da erkannte Faust sehr bald die innere Leere und Geistlosigkeit jener Menschen, die Mephisto ihm ins Haus geführt hatte. Ja, gerade jene Frauen, welche die Kunst, sich erobern zu lassen, nur darum so gut verstanden, weil sie noch nie geliebt hatten, riefen in Faust das Verlangen nach einem Menschen wach, den er lieben konnte. Zum größten Ärger Mephistos erklärte er ihm eines Tages: „Ich mag nicht länger mit diesen Menschen umgehen, die du mir ins Haus bringst. Sie können stundenlang reden, ohne etwas zu sagen; und ihre Frauen und Töchter, die dir sogleich ihre Seele verkaufen würden, wenn sie eine hätten, lassen mich kalt. Mich verlangt es nach einem Mädchen, das ich lieben kann, und wenn ich ein solches Mädchen finden sollte, so würde ich sie heiraten."

Obgleich Mephisto in den Augen der Bürger und im Beisein von anderen nur als ein befreundeter Kollege galt, so war er in Wirklichkeit doch, ganz wie der von Faust mit seinem eigenen Blute unterschriebene Kontrakt dies festgelegt hatte, ein Diener des Gelehrten gewesen, der, ganz gleich, was Faust von ihm verlangte, niemals nein gesagt hatte. Zwar war die leise Ironie, mit der Mephisto jeden Morgen den „Herrn Professor" begrüßte, 5 nie aus seiner Stimme geschwunden und hätte den Gelehrten daran erinnern sollen, daß er in der Gestalt dieses „Kollegen" wirklich den Teufel im Hause hatte. Doch was nun geschah, das hätte sich der gute Faust wohl auch dann nicht träumen lassen, wenn er etwas öfter an die wahre Natur seines Dieners gedacht hätte. 10

Dieser „Diener" verwandelte sich nämlich vor den Augen des Gelehrten wieder in einen Teufel. Sein hypnotischer Blick hielt Faust bewegungslos auf einem Stuhl, während er ihm mit eisig kalter Stimme erklärte: „Der Herr Professor hat wohl sein altes Fach, die Theologie, vergessen. Er sollte wissen, daß die Ehe ein Sakrament und ihm daher verboten ist. Das 15 Band zwischen zwei Menschen, die vor dem Altar versprechen, von nun an zusammen durchs Leben zu gehen, nur einen Willen zu haben und einander selbstlos zu dienen, ist ein Symbol jener Liebe, die Gott mit denen verbindet, die an ihn glauben. Und darum hast du, mein lieber Faust, ver= sprechen müssen, niemals einen Menschen lieben zu wollen. Denn in einem 20 Menschen, der wirklich liebt, lebt jene göttliche Kraft, die euch Menschen über das Tier erhebt. Und dies ist der Grund, mein lieber Herr Professor, warum dir alle Liebe verboten ist."

„Du hast mir nichts zu verbieten! Du bist mein Diener, nicht mein Herr, und Diener gehorchen, sie befehlen nicht", rief Faust, und die alte rebellische 25 Kraft, mit der er einst Mephisto gerufen hatte, gab seinen Worten etwas fast Übermenschliches.

Und dann geschah das Unglaubliche, das wahrhaft Teuflische, das Faust nie erwartet hätte. Ohne den geringsten Respekt[4] vor Fausts rebellischem Trotz, ohne Respekt[5] vor seiner Menschenwürde und von keinem Aber=so= 30 etwas=kann=man=doch=einfach=nicht=tun zurückgehalten, legte Mephisto dem wehrlosen Faust die Hände um den Hals und drückte, drückte mit wissen= schaftlicher Genauigkeit gerade so lange, bis Faust, dem schon die Augen vor dem Kopfe standen, wie leblos zurücksank. Dann setzte er sich eiskalt und unbewegt auf einen Stuhl und wartete. 35

„Womit kann ich dem Herrn Professor dienen?" fragte er wie sonst mit leiser Ironie, als Faust wieder zu sich kam.

„Laß mich allein!" antwortete Faust, und zum ersten Male wußte er, was er getan hatte, wußte, was es heißt, ohne Hoffnung zu leben.

[Fortsetzung folgt.]

NOTES. 1. delicacies, tidbits.   2. glass.   3. morality, morals.   4. *here:* fear. 5. respect.

Fragen

1. Was wurde aus dem armen Gelehrten? 2. Was setzten ihm seine Diener vor? 3. Was wußten die ärmeren Bürger der Stadt nicht? 4. Was ließ Faust über seinem Garten bauen? 5. Was war die Universität für die reichen Bürger der Stadt? 6. Wann hatten sie früher Faust in ihre Häuser gebeten? 7. Was war für Faust wichtiger als der Besitz des Goldes? 8. Wie empfing man Faust nun? 9. Was galt als eine Ehre? 10. Wer wußte ganz genau, woher das Geld kam? 11. Was hätte man erwarten sollen? 12. Sprach Faust über jene furchtbare Nacht? 13. Was taten die Bürger? 14. Was für Gespräche führte Mephisto mit ihren Frauen und Töchtern? 15. Was für ein Verlangen rief Mephisto in ihnen wach? 16. Als was für Menschen gelten Künstler und Gelehrte bei Bürgern? 17. Wozu hielten sich die Bürger verpflichtet? 18. Was war für Mephisto ein leichtes? 19. Was erkannte Faust nach einigen Jahren? 20. Was für ein Verlangen riefen die Frauen wach? 21. Was erklärte eines Tages Faust dem Teufel? 22. Was für ein Mädchen wollte er finden? 23. Wer war Mephisto in den Augen der Bürger? 24. Wie begrüßte Mephisto jeden Morgen den Gelehrten? 25. Was hätte sich Faust nicht träumen lassen? 26. Warum konnte sich Faust nicht bewegen? 27. Warum war ihm die Ehe verboten? 28. Was versprechen junge Menschen vor dem Altar? 29. Was lebt in jedem, der wirklich liebt? 30. Was erhebt den Menschen über das Tier? 31. Kann ein Diener seinem Herrn Befehle geben? 32. Was gab den Worten Fausts etwas fast Übermenschliches? 33. Wovor hatte Mephisto keinen Respekt? 34. Wie lange drückte er? 35. Was tat er, als Faust leblos zurückgesunken war? 36. Was sagte Faust, als er wieder zu sich kam? 37. Was wußte er zum ersten Male?

ENLARGING YOUR VOCABULARY

119. The Suffixes =chen and =lein. These suffixes are added to many nouns to form neuter diminutives. These so-called "diminutives" frequently express endearment, particularly in connection with young children and the family. Note that the stem vowel is usually umlauted. Examples:

der Arm	das Ärmchen		das Buch	das Büchlein
das Ende	das Endchen		der Fuß	das Füßchen	das Füßlein

Note especially:

die Frau	das Frauchen*
die Mutter	das Mütterchen, das Mütterlein
der Vater	das Väterchen, das Väterlein
———————	das Mädchen

WORD-BUILDING EXERCISE

Try to make an intelligent guess at the meaning of the following words and phrases:

bedeuten	die Blütezeit der deutschen	die Unehre
bedeutungslos	Dichtung	jemandem die letzte Ehre
Bedeutungslosigkeit	die Hochblüte	geben
unbedeutend	eine blühende junge Frau	einander
die Nebenbedeutung	eine verblühte Frau	miteinander
besitzen	drücken	nebeneinander
der Landbesitz	der Druck	auseinandergehen
der Besitzer	der Eindruck	empfangen
die Besitzerin	der Ausdruck	der Empfang
der Hausbesitzer	etwas ausdrücken	etwas in Empfang neh=
ein vom Teufel Besessener	das habe ich ausdrücklich	men
die Besessenheit	gesagt	der Empfänger
bewegen	bedrückt sein	die Empfängerin
die Bewegung	jemandem die Hand	für etwas empfänglich
bewegungslos	drücken	sein
eine bewegte Zeit	der Ehrenmann	die Empfänglichkeit
unbewegt	ehren	die Unempfänglichkeit
beweglich	jemanden verehren	erinnern an
unbeweglich	die hat einen Verehrer	ich erinnerte ihn an das
die Unbeweglichkeit	die Verehrung	alte Haus
blühen	ehrlos	ich kann mich an ihn nicht
die Blüte	die Ehrlosigkeit	erinnern

---

*das Fräulein means *young woman, unmarried woman.*

ich habe ihn in Erin=
  nerung
ewig
die Ewigkeit
der Ewige
ewiglich
sich durch eine große Tat
  verewigen
der Ewigkeitswert
die Frucht
fruchtlos
die Fruchtlosigkeit
viele Pflanzen werden von
  Insekten befruchtet
die Befruchtung
fruchtbar

ein fruchtbares Land
die Fruchtbarkeit
die Unfruchtbarkeit
Feldfrüchte
verbotene Früchte
die Hand
die Menschenhand
die Frauenhand
das Kinderhändchen
eine gute Handschrift
eine alte Handschrift
die Handarbeit
der Handarbeiter
die Handarbeiterin
der Kopf
die Kopfarbeit

der Kopfarbeiter
köpfen
kopflos
eine Kopflosigkeit
kopfgroß
das Köpfchen
ein siebenköpfiger Drache
  (dragon)
eine siebenköpfige Familie
leer
die Leere
etwas entleeren
blutleer
eine leerstehende Woh=
  nung

GRAMMAR

120. The Imaginative Subjunctive. The following *if*-clauses represent English patterns with which the student is entirely familiar, and which he uses every day:

Group I

PRESENT: If he is still living . . . (he is now eighty years old.)

PAST: If Frank really took that money . . . (he must have known that it was stealing.)

FUTURE: If John comes tomorrow . . . (we will take him along.)

Group II

PRESENT: If he were still living . . . (he would now be eighty.)
         If Henry really loved me . . . (he would not do that.)

PAST: If Bob had taken that train . . . (he would have been more comfortable.)

FUTURE: If the sun ever stood still, | (everybody would
        If the sun should ever stand still, | be terrified.)

An analysis of these two groups of *if*-clauses will show three things:

a. In the clauses of the first group, the speaker has an open mind as to the actuality of the facts involved; that is, he leaves it entirely open whether or not the old man is still living, whether Frank did or did not take the money, and whether John will or will not come tomorrow. All conditional sentences of this open type are expressed both in German and in English by the indicative.

b. In the *if*-clauses of the second group, the speaker assumes or imagines for the purpose of discussion a situation which, as far as he knows, does not exist; that is, he knows that the old man is dead, he knows that Bob did not take that train, and he knows that the sun will not stand still. All conditional sentences of this imaginary type are expressed in both German and English by verb forms which one might call the "imaginative subjunctive" or the "imaginative."

c. Since *If I were* is the imaginative of *I am*, since *If I had been* is the imaginative of *I was*, and since *If I should (would) be* is the imaginative of *I shall be*, we can set up the following table:

	Indicative		Subjunctive
PRESENT:	I am	PRESENT:	If I were*
	I stand		If I stood
	I love		If I loved
PAST:	I was	PAST:	If I had been
	I stood		If I had stood
	I loved		If I had loved
FUTURE:	I shall be	FUTURE:	If I should be
	I shall stand		If I should stand
	I shall love		If I should love

This table shows a rule, important for both English and German: In the *if*-clauses of Group II the irreality of the situation

---

*This *were* is one of the few forms in English that are easily recognizable as subjunctive. It gives us almost our only chance to show the learner an English form parallel to the German subjunctive. *weak*

Endings: Same as Past Ind. without (T)
Strong do not change stem vowels.

assumed is indicated by making the *past indicative* serve as the *present imaginative*, and by making the *past perfect indicative* serve as the *past imaginative*. The future of the imaginative can be expressed either by the past indicative (*If the sun stood still*) or by a special form with *should* as auxiliary (*If the sun should stand still*).

> NOTE. Both halves of the full conditional sentences of Group II, that is, both the *if*-clause and the conclusion which follows it, can be used independently. Thus *If he only had the money* expresses a desire and is a complete sentence; *He would like to travel* also expresses a desire and is a complete sentence.

121. The Present Imaginative. The present imaginative of weak verbs in German is identical with the past indicative. The present imaginative of strong verbs is formed from the past indicative by adding the endings of the weak verbs minus the ≠t≠ to the umlauted stem.* The modals are treated like weak verbs and add ≠te to the unchanged stem of the infinitive. Only mögen changes its stem from mög≠ to möch≠. Examples:

	STRONG VERBS			WEAK VERBS		
ich	läse	ginge	schnitte	lachte	hoffte	liebte
Sie	läsen	gingen	schnitten	lachten	hofften	liebten
du	läsest	gingest	schnittest	lachtest	hofftest	liebtest
er	läse	ginge	schnitte	lachte	hoffte	liebte
wir	läsen	gingen	schnitten	lachten	hofften	liebten
Sie	läsen	gingen	schnitten	lachten	hofften	liebten
ihr	läset	ginget	schnittet	lachtet	hofftet	liebtet
sie	läsen	gingen	schnitten	lachten	hofften	liebten

	AUXILIARIES			MODALS		
ich	wäre	hätte	würde	möchte	wollte	müßte
Sie	wären	hätten	würden	möchten	wollten	müßten
du	wärest	hättest	würdest	möchtest	wolltest	müßtest
er	wäre	hätte	würde	möchte	wollte	müßte

(Margin annotations: − ε, − εsτ, − ε, − εn, − ετ, − εn)

---

*Exceptions: ich hülfe, stürbe, würfe, from helfen, sterben, werfen; ich brächte, dächte, wüßte, from bringen, denken, wissen.

wir wären	hätten	würden	möchten	wollten	müßten
Sie wären	hätten	würden	möchten	wollten	müßten
ihr wäret	hättet	würdet	möchtet	wolltet	müßtet
sie wären	hätten	würden	möchten	wollten	müßten

122. The Past Imaginative. The past imaginative is formed by combining the present-imaginative forms of sein or haben with the past participle. Note that the indicative has three past forms, whereas the subjunctive has only one past, as shown below. Examples:

Verbs with sein	Verbs with haben
ich wäre gewesen, geworden	hätte gehabt, gesehen
Sie wären gewesen, geworden	hätten gehabt, gesehen
du wärest gewesen, geworden	hättest gehabt, gesehen
er wäre gewesen, geworden	hätte gehabt, gesehen
wir wären gewesen, geworden	hätten gehabt, gesehen
Sie wären gewesen, geworden	hätten gehabt, gesehen
ihr wäret gewesen, geworden	hättet gehabt, gesehen
sie wären gewesen, geworden	hätten gehabt, gesehen

NOTE. When the past participle of a modal takes the form of the infinitive (as explained in § 117), the past imaginative follows this pattern:

ich hätte kommen können, arbeiten müssen

Sie hätten kommen können, arbeiten müssen
du hättest kommen können, arbeiten müssen

er hätte kommen können, arbeiten müssen

wir hätten kommen können, arbeiten müssen

Sie hätten kommen können, arbeiten müssen
ihr hättet kommen können, arbeiten müssen

sie hätten kommen können, arbeiten müssen

Present Conditional

123. ~~The Future Imaginative.~~ The future imaginative is formed by combining the present imaginative of werden with the infinitive. Thus:

> ich würde haben, sein, werden
>
> Sie würden haben, sein, werden
> du würdest haben, sein, werden
>
> er würde haben, sein, werden
>
> wir würden haben, sein, werden
>
> Sie würden haben, sein, werden
> ihr würdet haben, sein, werden
>
> sie würden haben, sein, werden

Past Conditional

124. ~~The Future Perfect Imaginative.~~ The future perfect imaginative (which is rather rare today and does not occur in our Texts) is formed by combining the present imaginative of werden with the past infinitive. Thus:

> ich würde gehabt haben, gewesen sein, geworden sein
>
> Sie würden gehabt haben, gewesen sein, geworden sein
> du würdest gehabt haben, gewesen sein, geworden sein
>
> er würde gehabt haben, gewesen sein, geworden sein
>
> wir würden gehabt haben, gewesen sein, geworden sein
>
> Sie würden gehabt haben, gewesen sein, geworden sein
> ihr würdet gehabt haben, gewesen sein, geworden sein
>
> Sie würden gehabt haben, gewesen sein, geworden sein

125. Use of the Imaginative. The student will avoid making mistakes in German by observing the following simple rules:

a. Both *if*-clauses and conclusion-clauses follow the principles of time expression given for the imaginative in § 120, p. 154.

b. The würde-forms are used exclusively to refer to future time, that is, to activities which are not yet going on at the time of speaking. They are rare in *if*-clauses. Examples:

PRESENT

Wenn ich Geld hätte,
Hätte ich Geld, | (so) wohnte ich (jetzt) in einem besseren Haus.

Ich wohnte (jetzt) in einem besseren Haus, wenn ich das Geld dazu hätte.

PAST

Wenn ich das Geld dazu gehabt hätte,
Hätte ich das Geld dazu gehabt, | (so) hätte ich mir ein Haus gebaut.

FUTURE

Wenn er mir das Geld dazu gäbe, | (so) baute ich mir (morgen) ein Haus.
| (so) würde ich mir (morgen) ein Haus bauen.

Wenn er mir das Geld dazu geben würde, | (so) baute ich mir (morgen) ein Haus.
| (so) würde ich mir (morgen) ein Haus bauen.

126. Position of Subjunctive Forms. Subjunctive forms follow the same rules of position as indicative forms. It should be pointed out, however, that the omission of wenn and its replacement by verb-first position, which we have called "conditional inversion" (see § 72, p. 89), is especially frequent in the imaginative sentence. (Cf. *Had I known that you were coming, I should have waited for you.*)

127. The Subjunctive of sollen. When used in dependent clauses, the subjunctive of sollen expresses a remote possibility and not an obligation. Thus, the phrase Wenn er wirklich sterben sollte, like English *If he really should die*, has a special color of uncertainty and doubt. In main clauses, on the other hand, sollen retains its usual idea of obligation: Das sollten Sie wirklich nicht tun (*You really shouldn't do that*).

VERB LIST

Infinitive	Past	Past Participle	Present	
verlieren	verlor	verloren	verliert	*lose*
gelten	galt	gegolten	gilt	*to be valid*
besitzen	besaß	besessen	besitzt	*possess*
empfangen	empfing	empfangen	empfängt	*receive*
bekommen	bekam	bekommen	bekommt	*receive*

EXERCISES

I

Following the pattern idß habe Gelb, wenn idß Gelb hätte, change the following sentences to *if*-clauses:

1. Idß habe keine Kinber. 2. Du biſt ein Mann. 3. Er iſt geſtorben. 4. Sie kann nidßt kommen. 5. Wir konnten nidßts hören. 6. Sie hat heute nidßt kommen können. 7. Idß will morgen früh aufſtehen. 8. Idß werbe ſie heiraten. 9. Er läßt ſidß etwas ſagen. 10. Er ſprang ins Waſſer.

II

Following the pattern idß habe Gelb—Dann hätte idß Gelb, change the sentences in Exercise I into conclusion-clauses.

III

Following the pattern—idß habe Gelb, idß baue mir ein Haus; wenn idß Gelb hätte, baute idß mir ein Haus; wenn idß Gelb hätte, würbe idß mir ein Haus bauen; hätte idß Gelb, ſo baute idß mir ein Haus; hätte idß Gelb, ſo würbe idß mir ein Haus bauen—form complete conditions from the following sentence-pairs.

1. Er hat abſtehenbe Ohren, idß heirate ihn nidßt. 2. Der Teufel erſcheint, idß fürdßte midß nidßt. 3. Idß bin ein Mäbdßen, idß lerne kein Deutſdß. 4. Idß komme nodß einmal auf die Welt, idß werbe nidßt wieber Lehrer. 5. Idß weiß, wo er wohnt, idß kann ihm ſdßreiben.

IV

Following the pattern—idß habe Gelb, idß baue mir ein Haus; wenn idß Gelb gehabt hätte, hätte idß mir ein Haus gebaut; hätte idß Gelb gehabt, ſo hätte idß ein Haus gebaut—form complete conditions from the sentence-pairs given in Exercise III.

V

Translate into German: 1. If I had known that, I should not have bought her a (*use* kein) new house. 2. I am glad that I don't possess so much land; I shouldn't know what to do (*use* ſollen) with it. 3. It would be nice (ſdßön) if you wrote oftener, and it

would have been nice if you had written oftener. 4. You would
do me a great favor if you would visit us soon, and you would
have done me a great favor if you had visited us more often.
5. Unfortunately I have to get up every day at six o'clock; If I
could, I should sleep every day until ten. 6. I wish (wollte) she
were ten years younger; then I could marry her. 7. Without
money one can buy nothing; you really should have known that.
8. It would be best if you stayed here; alone, you couldn't find
the way through the forest. 9. If he had come to me, I should
have thrown him out. 10. With that man I should like to have
nothing to do; I should not have liked to have anything to do
with that man.

LESSON XIII

❦

Hattet ihr früher nicht ein Pferd?—Ja, aber der schwarze Teufel hat mich getreten. Und da habe ich ihn vor ein paar Tagen verkauft. Das tut mir leid, ich hätte ihn gerne gekauft.—Das hättest du früher sagen sollen. Jetzt ist es zu spät, jetzt ist er verkauft.

5 Du hättest diese dumme Geschichte gar nicht erzählen sollen. Meyer ist tot und liegt schon lange unter der Erde. Und was er vor zwanzig Jahren getan hat, ist heute vergessen.

Ich habe mich entschlossen, Deutsch zu lernen. Ich bin entschlossen, Deutsch zu lernen.

10 Natürlich möchte ich lieber warten, bis die Preise sinken. Aber was soll ich machen? Das Zusammenleben mit den Eltern meines Mannes ist nicht gerade angenehm. Außerdem erwarte ich im Frühling ein Kind. Nein, ob wir wollen oder nicht, wir müssen so bald wie möglich ein Haus kaufen. Wir sind einfach dazu gezwungen.

15 Fast zweihundert Menschen sollen bei dem Unglück verbrannt sein; aber Frau Meyer ist unter den wenigen, die gerettet wurden. Meyer bekam heute morgen ein Telegramm und weiß, daß sie gerettet ist.

„Das Abspringen während der Fahrt ist verboten."

„In Ihrem Alter heilt ein Knochenbruch oft nur sehr, sehr langsam, Frau
20 Meyer", sagte der Arzt. „Sie brauchen daher vor allen Dingen Ruhe. Je mehr Ruhe Sie haben, desto früher sind Sie geheilt. Auf keinen Fall aber dürfen Sie schwer heben."

Wir schicken jedes Jahr viele Pakete (parcels) nach Deutschland. Jedes Jahr werden Tausende von Paketen nach Deutschland geschickt. In den
25 letzten Jahren sind viele Millionen Pakete von Amerikanern nach Europa geschickt worden. Viele Millionen Pakete sollen während der letzten Jahre nach Europa geschickt worden sein.

Im August beginnt die Arbeit auf den Feldern oft schon vor Sonnen=aufgang. Auf allen Feldern wird dann gearbeitet, bis die Sonne untergeht
30 und es dunkel wird.

„Dann kam die Frau mit einem heißen Stein. Der wurde dem Kranken an die kalten Füße gelegt."

„Als die Mathematik das Dreikörperproblem nicht lösen konnte, wurde solange gesucht, bis ein anderer das Verlangte leistender Weg gefunden war."

Der „Führer" war leider ein glänzender Redner; und dies ist einer der Gründe, warum es diesem Menschen, der noch nicht einmal deutscher Staatsbürger war, gelang, die Macht an sich zu reißen. 5

Du könntest dich wirklich etwas eilen mit deinem Lesen. Der Vater kann jeden Augenblick nach Hause kommen; und du weißt, er fragt sogleich: „Wo ist die Zeitung?"—Laß mich nur noch schnell die letzte Seite lesen.

Zwischen dem ersten Faustbuch und dem „Faust" Goethes liegen fast zweihundert Jahre. Aber sowohl für seinen Helden wie für die Gestalt 10 Mephistos hat der Dichter vieles aus dem alten Faustbuch übernommen.

„Das Kind ist gefunden, das Kind ist gefunden!" rief draußen eine Frau mit singender Stimme.

Viele Tiere gebären lebendige Junge.

VOCABULARY

die Absicht, —en the intention

also therefore

beobachten to observe

das Bett, —en the *bed*

bitter *bitter*

das Blei lead

danken (*w. dat.*) to *thank*

erwähnen to mention

das Feuer, — the *fire*

der Fluch, ⸗e the curse

das Frühstück the breakfast

die Geburt, —en the *birth*

  gebären to *bear* (young)

gelingen (*impers.*) to succeed

das Gold the *gold*

greifen (nach) to *grip*; reach (for)

das Kleid, —er the dress

  die Kleider (*pl.*) the *clothing*

krank, kränker sick, ill

der Krieg, —e the war

lachen to *laugh*

  lächeln to smile

laufen to run, (*lope, leap*)

  der Lauf the course

nachdem' (*conj.*) after

nieder down, (*nether*)

  erniedrigen to lower, humble

niemand nobody (*cf.* jemand), (*no man*)

die Not, ⸗e the *need*; distress

oben up, *above*

der Ofen, ⸗ the stove, (*oven*)

das Paar, —e the *pair*

  ein paar a couple

das Pfund, —e the *pound*

rechnen, errechnen to *reckon*, figure, calculate

rein pure

schaffen, erschaffen to create, bring into existence

schmerzen to pain, (*smart*)

schreien to cry, *shriek*

schweigen to be silent

sicher certain, sure

ſorgen to care, (*sorrow*)	vorher (*adv.*) be*fore*
ſorgen für to see to it	wachſen to grow, (*wax*)
ſtechen to prick, *stick*	weinen to weep, (*whine*)
der Stich, —e the stabbing pain	die Weiſe, —n the way, manner,
der Stein, —e the *stone*	(*wise*)
ſtören to disturb	wenden to turn, (*wend*)
treiben to *drive*, impel	zahlen, bezahlen to pay

IDIOMS

auf dieſe Art und Weiſe in this way	iſt (nicht) zu ſehen is (not) to be
auf keinen Fall in no case	seen

TEXT B

Hiſtoria von Dr. Johann Fauſt

Vierter Abſchnitt · Fauſt will zu Gott zurückkehren

Am folgenden Morgen erwachte Fauſt wie einer, der einen böſen Traum gehabt hat und noch gar nicht ſicher iſt, ob es wirklich nur ein Traum war. Doch ſein Hals ſchmerzte; und als er ſich endlich zwang, einen ſeiner Diener zu rufen, da war jedes Wort wie ein Stich. Mephiſto, der ihn ſonſt jeden
5 Morgen mit einem ironiſchen „Nun,[1] hat der Herr Profeſſor heute gut geſchlafen?" begrüßt hatte, war nicht zu ſehen.

„Bring mir das Frühſtück heute ins Studierzimmer!" befahl Fauſt mit ſchwacher Stimme, nachdem ihm ſein Diener in die Kleider geholfen hatte. „Und ſorge dafür, daß ich nicht geſtört werde! Ich bin heute für niemanden
10 zu ſprechen."

Doch auch der Anblick ſeiner geliebten Bücher, die einſt ſeine ganze Welt geweſen waren, gab dem Gelehrten nicht jenes Gefühl froher Kraft wieder, das er am Abend vorher auf ſo erniedrigende Art und Weiſe verloren hatte. Ohne beſondere Abſicht und faſt ohne zu wiſſen, was er tat, griff er nach einer
15 ſchönen alten Handſchrift und fing an, darin zu leſen. Faſt ſchien es, als könnte er ſeine Ruhe wiederfinden. Dann aber ſtieß er auf die Stelle:

„Alles, was gut, alles, was liebenswert iſt, kommt von Gott.
Und nur ſolange man ihm, der es ſchenkt, dafür dankt, bleibt
es gut und liebenswert. Selbſt die beſten Dinge aber werden
20 bitter und verlieren ihren Wert, wenn man ihn, von dem ſie
kommen, aus Liebe zu dieſen Dingen verläßt."

Diese Worte Augustins[2] trafen den unglücklichen Faust wie ein Donner=
schlag. Er zitterte an allen Gliedern. Kraftlos warf er sich auf sein Ruhebett
und weinte bitterlich.

Die Erkenntnis, sich durch sein eigenes Tun für immer einem Wesen
übergeben zu haben, das im Bösen keine Grenzen kennt, brannte ich 5
schmerzend in seine Seele; und die Hoffnungslosigkeit seiner Lage, die un=
umstößliche Gewißheit, für alle Ewigkeit aus der Zahl jener Glücklichen aus=
geschlossen zu sein, deren ruheloses Suchen am Ende aller Tage gestillt
werden wird, war mehr als sein armes Herz ertragen konnte. „O, daß
ich nie geboren worden wäre!" schrieb er an jenem Morgen in sein Tagebuch. 10
Und auch wir, die wir dieses Tagebuch in den Händen gehalten haben, waren
dem Weinen nahe, als wir diese Worte lasen.

Von der Furcht getrieben, Faust könnte sich vielleicht von ihm abwenden
und zu Gott zurückkehren, versuchte Mephisto, den Gelehrten wieder für das
Studium der Elemente zu interessieren. Und die Dokumente der Zeit lassen 15
keinen Zweifel daran, daß es Dr. Faust unter der Leitung Mephistos gelang,
Blei in Gold zu verwandeln. Von den Bürgern Wittenbergs wurde nämlich
oft beobachtet, daß Faust, der im Laufe der Jahre bestimmt mehr Blei kaufte,
als in ganz Wittenberg zu finden war, immer dann besonders viel Geld hatte
und alle seine Rechnungen mit reinem Golde bezahlte, wenn ihm ein Kaufmann 20
aus Leipzig einige Tage vorher ein paar hundert Pfund Blei ins Haus
gebracht hatte. Und als nach dem schrecklichen Ende des Gelehrten sein Haus
von oben bis unten genau durchsucht wurde, fand man nur noch einen
geringen Teil des Bleis hinter einem aus feuerfesten Steinen gebauten Ofen,
der zur größten Verwunderung aller zur Hälfte mit vollkommen reinem 25
Gold gefüllt war.

Doch Faust, den der Gedanke an die Ewigkeit nicht mehr losließ, hatte
jedes Interesse für das Studium der Elemente verloren. Er hielt es noch
nicht einmal für nötig, das Geheimnis, wie man Blei in Gold verwandelt,
in seinem Tagebuch zu erwähnen. Wir wenigstens haben trotz langem Suchen 30
keinerlei Eintragungen dieser Art gefunden. Nur die merkwürdigen Worte:
„Alle Qualität beruht auf Struktur und Form", die er in jener Zeit ge=
schrieben haben muß, beweisen, daß Faust im Studium der Elemente weiter
fortgeschritten war als selbst die klassische Physik des neunzehnten Jahr=
hunderts. 35

Wohl aber berichtet dieses Tagebuch, wie Mephisto, der sich verpflichtet
hatte, alle Fragen des Gelehrten zu beantworten, immer wieder gezwungen

wurde, vom Abfall Luzifers, vom Wesen der Hölle und von der Austreibung Adams und Evas aus dem Paradies zu erzählen; alles Dinge, für die sich Faust nur darum interessierte, weil er die Hoffnung, der Macht des Teufels entkommen zu können, noch nicht ganz aufgegeben hatte.

5 „Eins habe ich übrigens nie verstehen können", meinte Faust eines Tages, als er mit seinem „Kollegen" wieder einmal von der Erschaffung der Welt gesprochen hatte. „Gott wäre nach meiner Meinung verpflichtet gewesen, von allen möglichen Welten nur die beste zu schaffen. Und doch hat er eine Welt geschaffen, die ich noch nicht einmal gut nennen würde, eine Welt, in 10 der es Teufel und Kriege und Krankheiten gibt und in der Tausende von Menschen jeden Tag tun, was sie nicht tun sollten."

„Du bringst mich auf einen wundervollen Gedanken, Faust! Wie wäre es, wenn ich einem deiner Nachfolger folgendes Argument eingäbe: ‚Wenn es einen Gott gäbe, so könnte er nur die beste aller Welten geschaffen haben. 15 Eine Welt aber, in der es Kriege gibt, ist nicht die beste. Also gibt es keinen Gott; und wenn es keinen Gott gibt, so gibt es auch keinen Teufel.' Und das sage ich dir, Faust, wenn es mir gelingen sollte, die Leute dahin zu bringen, daß sie weder an einen Gott noch an einen Teufel glauben, so werden sie sich in blutigen Kriegen zerreißen wie die wilden Tiere des Waldes. Alle 20 Bande der Natur werden sich auflösen. In fanatischem Glauben an irgendein in euren Professorenköpfen erdachtes System werden Eltern ihre Kinder, und Söhne und Töchter ihre Eltern ermorden, und Millionen werden in unsagbarer Not schreien: ‚Wenn es einen Gott gibt, warum schweigt er?'"

25 „Und wozu dies alles in einer Welt, die Gott einst gut nannte?" fragte Faust. „Trifft ihn nicht die Schuld an unserer Not?"

„Wieso?" erwiderte Mephisto. „Du verwechselst wieder einmal das Nichtkönnen mit dem Nichtwollen und vergißt, daß die Menschen zwar können aber nicht wollen. Hat der Ewige dich etwa gezwungen, mir deine 30 Seele zu verkaufen? Warst du nicht frei? Und war diese Freiheit nicht auch in deinen Augen dein höchstes Glück? War sie dir nicht lieber als dein Leben? Warum, mein Lieber, hast du in deinem Durst nach Wissen diese Freiheit mißbraucht? Du wolltest wachsen, nicht wahr? Du wolltest dein Wissen und deinen Geist um jeden Preis erweitern. Aber du hattest vergessen, daß 35 der Mensch nur an solchen Dingen wachsen kann, die größer sind als er. Und du, Faust, du bist in deinen eigenen Augen groß, größer als die Natur, in deren letzte Geheimnisse du eindringen wolltest, größer auch als er, von dem die Natur geschaffen wurde. Ich weiß es, denn ich kenne dich besser, als du dich selber kennst."

Faust war bei den Worten Mephistos langsam nachdenklich geworden. „Warst du nicht frei?" so hatte Mephisto gefragt. „Ist der Mensch nicht frei, solange er atmet?" sagte sich der Gelehrte. „Will Mephisto mir mit 5 diesem Wörtchen ‚war' etwa einreden, daß ich meine Freiheit verloren habe? Ich muß ihn fragen."

„Erinnerst du dich daran, daß in unserem Pakt geschrieben steht, daß du verpflichtet bist, alle meine Fragen zu beantworten und mir stets die reine Wahrheit zu sagen?" 10

„Ich weiß, daß du so dumm warst, zu glauben, ich, der Vater der Lüge, würde dir die Wahrheit sagen", antwortete Mephisto kühl und ironisch.

„Tust du's nicht, so ist unser Pakt gebrochen."

„So frage!"

„Kann ich noch zu Gott kommen?" 15

Mephisto schwieg.

Das zynische³ Lächeln um seinen Mund verschwand, und aus seinen Augen leuchtete hart und stark der Haß, der alte Haß des Teufels gegen uns Men= schen, die Gott, solange wir ihn hören wollen, nicht müde wird zu rufen.

„Antworte!" schrie Faust, und eine neue Hoffnung gab seiner Stimme 20 die alte Kraft.

Mephisto schwieg.

„Noch bin ich also frei!" rief Faust mit triumphierender Gewißheit.

„Noch bist du nicht gerettet!" antwortete Mephisto und verschwand mit einem wilden Fluch. 25

[Schluß folgt.]

NOTES. 1. *here:* well.   2. Saint Augustine, 354–430 A.D.   3. cynical.

Fragen

1. Wie erwachte Faust am folgenden Morgen? 2. Wozu zwang er sich endlich? 3. Wer war nicht zu sehen? 4. Was befahl Faust seinem Diener? 5. Was war einst seine ganze Welt gewesen? 6. Was hatte Faust am Abend vorher auf so erniedrigende Art und Weise verloren? 7. Was tat er ohne besondere Absicht? 8. Worin las er? 9. Wann sind die Dinge dieser Welt gut und liebenswert? 10. Wann werden sie bitter? 11. Was traf den unglücklichen Faust wie ein Donnerschlag? 12. Was tat er auf seinem

Ruhebett? 13. Was für einem Wesen hatte sich Faust übergeben? 14. Was war mehr als sein armes Herz ertragen konnte? 15. Aus der Zahl welcher Menschen war er ausgeschlossen? 16. Was schrieb er an jenem Morgen in sein Tagebuch? 17. Wer war auch dem Weinen nahe? 18. Was fürchtete Mephisto? 19. Was versuchte er daher? 20. Woran lassen die Dokumente der Zeit keinen Zweifel? 21. Was gelang Faust unter der Leitung Mephistos? 22. Was kaufte Faust sehr oft? 23. Wieviel Blei kaufte er jedesmal? 24. Wann hatte er immer besonders viel Geld? 25. Wer brachte ihm das Blei ins Haus? 26. Was fand man bei der Durchsuchung des Hauses? 27. Wo lag das Blei? 28. Womit war der aus feuerfesten Steinen gebaute Ofen gefüllt? 29. Was hatte Faust verloren? 30. Was hielt er noch nicht einmal für nötig? 31. Wie weit war Faust im Studium der Elemente fortgeschritten? 32. Wozu hatte sich Mephisto verpflichtet? 33. Wozu wurde Mephisto immer wieder gezwungen? 34. Warum interessierte sich Faust für diese Dinge? 35. Wozu war Gott nach der Meinung Fausts verpflichtet? 36. Was für eine Welt mußte Gott nach seiner Meinung schaffen? 37. Was für eine Welt hat Gott geschaffen? 38. Was gibt es in dieser Welt? 39. Was tun jeden Tag Tausende von Menschen? 40. Mit welchem Argument wollte Mephisto die Nichtexistenz Gottes beweisen? 41. Wann werden sich die Menschen in blutigen Kriegen zerreißen? 42. Was werden Millionen schreien? 43. Was war für Faust das höchste Glück? 44. Warum hat Faust seine Freiheit mißbraucht? 45. Was hatte er vergessen? 46. Wie lange ist der Mensch frei? 47. Was leuchtete aus den Augen des Teufels? 48. Was gab der Stimme Fausts die alte Kraft? 49. Wie verschwand Mephisto?

W O R D – B U I L D I N G   E X E R C I S E

Try to make an intelligent guess at the meaning of the following words and phrases:

die Absicht	die Bitterkeit	bittere Gefühle
nicht absichtlich, sondern unabsichtlich, d. h. nicht mit Absicht, sondern absichtslos	jemandem etwas verbittern	danken
	bitter werden oder verbittern	der Dank
		dankbar
		undankbar
in friedlicher Absicht	es war bitter, d. h. empfindlich kalt	Undank ist der Welt Lohn
bitter		Dankbarkeit

ich danke Ihnen für Ihren guten Rat

ich spreche Ihnen hiermit meinen wärmsten Dank aus

das Feuer

ein feuriger Wein

wenn das Haus brennt, ruft man schnell die Feuerwehr

fluchen

ein schwerer, gottloser Fluch

eine fluchwürdige Tat

wild fluchend verschwand er

der goldene Schnitt

goldig

der Griff

jedes Messer hat eine Schneide und einen Griff

der Berg ist zum Greifen nahe, in greifbarer Nähe

der Dichter greift zur Feder

jemanden kleiden oder jemanden bekleiden

die Kleidung

sich entkleiden

sich verkleiden

sie kleidet sich sehr gefällig

das Kinderkleidchen

der Kranke

das Krankenhaus

die Krankheit

krank werden oder erkranken

die Erkrankung

kränklich sein

das Krankenbett

die Knochenkrankheit

der erste und der zweite Weltkrieg

Kriege führen

der Krieger

die Kriegshinterbliebenen

die Kriegsgefangenen

seine kriegerischen Erfolge

mit jemandem auf dem Kriegsfuß leben

ein herzliches, sonniges Lachen

ein müdes Lächeln

das Lachgas

der Läufer

die Läuferin

der Schnelläufer

jemandem entlaufen

den Weg verlieren oder sich verlaufen

das ist der Lauf der Welt

im Laufschritt forteilen

niederreißen

niederdeutsch

hochdeutsch

niederdrücken

jemanden niederschlagen

die Niederlande

hoch und niedrig

Hohe und Niedrige

niedrige Berge

den niedrigsten Preis bezahlen

eine Notlüge

der Notschrei

bittere, schwere, drückende Not

in einer Notlage sein

hilf den Notleidenden

er ist ein guter Rechner

ein berechnender Mensch

er ist unberechenbar

er hat sich verrechnet

mit kühler Berechnung

die Rechenmaschine

der Schmerz

mir schmerzen alle Glieder

ich habe Hals-, Kopf-, Brustschmerzen

ein stechender Schmerz

seelische Schmerzen

empfindliche Schmerzen

geteilter Schmerz ist halber Schmerz

ein schmerzlicher Verlust

kurz und schmerzlos

eine schmerzstillende Arznei

der Schmerzensschrei

der Schreier

der Schrei

du Schreihals!

jemanden mit einem Messer erstechen

die Moskitos hatten ihm den ganzen Körper zerstochen

der Stein der Weisen

ein steiniger Weg

die Steinzeit

nach dem Gesetz Moses konnte eine Ehebrecherin gesteinigt werden

der Feldstein

die Steinkohle

der Steinwurf

steinhart

ein Steinchen

GRAMMAR

128. The Actional and Statal Passive. Observe the dual function of the phrases *to be sold* and *was sold* as used in the following sentences:

a. The furniture is *to be sold* to the highest bidder at three o'clock.

b. All this furniture has *to be sold* by three o'clock.

c. The furniture *was sold* to the highest bidder.

d. When we got there, all the furniture *was sold.*

The phrases *to be sold* and *was sold* in sentences *a* and *c* refer quite unmistakably to the *action* of selling. In sentences *b* and *d,* however, the same phrases refer just as clearly to a *state* brought about by action. The phrases *to be sold* and *was sold* are therefore in themselves ambiguous. They can refer to either an action or a state, and the difference between action and state is indicated only by the context—in sentences *a* and *b,* for instance, by shifting from "at three o'clock" to "by three o'clock."

Whenever such phrases as *to be sold, is sold, was sold,* etc. refer to an *action,* we use the term *actional passive.* But when these same phrases refer to a *state* brought about by action, we use the term *statal passive.*

Since German expresses the distinction between action and state by entirely different patterns, it is essential that the student familiarize himself with the difference in function of the English phrases given.

129. The Statal Passive. The so-called "statal passive" is formed by combining the forms of ſein with a past participle used as a predicate adjective. Examples:

Ich bin gerettet. Das Buch iſt heute vergeſſen.

In principle, the sentence Das Haus iſt verkauft does not differ from Das Haus iſt ſchön; and just as one can say "das ſchöne Haus," one can also say "das verkaufte Haus."

130. The Actional Passive. The actional passive is formed by combining the forms of werden with the past participle of a verb of action. In the compound tenses geworden drops the ge= and becomes worden.

Verbs of action frequently have an accusative object: Ich zwinge ihn. This accusative object becomes the subject of the actional passive: er wird gezwungen.

Some verbs of action have a dative object: Ich helfe dir. This dative object is retained as a dative in the actional passive, which is then always impersonal: Dir wird geholfen.

Many verbs of action may be used without any object at all. The actional passive of such verbs is impersonal and denotes the occurrence of the activity, without reference to a subject. A meaningless es is sometimes used to preserve verb-second position. Examples:

Hier wird gearbeitet. Work is done here.

Es wurde viel gelacht. There was much laughing.

Es braucht nicht gleich geheiratet zu werden. There is no immediate need of marriage.

131. Synopsis of the Actional Passive

	Indicative	Subjunctive (Imaginative)
PRESENT:	ich werde geliebt	ich würde geliebt
PAST:	ich wurde geliebt	
PRESENT PERFECT:	ich bin geliebt worden	ich wäre geliebt worden
PAST PERFECT:	ich war geliebt worden	
FUTURE:	ich werde geliebt werden	ich würde geliebt werden

PRESENT INFINITIVE: geliebt (zu) werden*

PAST INFINITIVE: geliebt worden (zu) sein*

For the full conjugation of the passive, see pages 207, 209.

132. Agent, Cause, and Instrument. In connection with the actional passive, von is used to designate the agent, whether personal or not; durch designates cause and instrumentality; and mit designates the tool. Examples:

Er wurde von seinem eigenen Sohn ermordet.

Er wurde durch seine Krankheit gezwungen, . . .

Er wurde mit einem Stein getötet.

---

*These infinitives occur in scientific German with remarkable frequency.

133. Participial Phrases. We have already pointed out that both the past participle (§ 93, p. 114) and the present participle in =end (§ 45, p. 56) may be used as attributive adjectives. Thus:

mit leuchtenden Augen
ein schreiendes Kind

ein vergessenes Buch
mein geliebter Vater

Since such adjectives retain their verbal character, they are frequently preceded, especially in scientific German, by all sorts of qualifying phrases of considerable length, which designate the subject, the object, and the circumstances of the action involved. English puts such a participle after its noun, but German leaves it, together with all its qualifying phrases, between the article and the noun. For example:

das entdeckte (discovered) Gesetz

das von Kepler entdeckte Gesetz

das im 17. Jahrhundert von Kepler entdeckte Gesetz

das im 17. Jahrhundert von Kepler nach langem Suchen entdeckte Gesetz

134. Participial Clauses. Both present and past participles, preceded by all their modifiers, may take the place of and function as dependent clauses with verb-last position. Thus:

Von der Furcht getrieben, . . .
Dann verließ Faust, eine Laterne in der Hand haltend, sein Haus.

VERB LIST

Infinitive	Past	Past Participle	Present
greifen	griff	gegriffen	greift
schreien	schrie	geschrieen	schreit
schweigen	schwieg	geschwiegen	schweigt
treiben	trieb	getrieben	treibt
gelingen	gelang	gelungen	gelingt
gebären	gebar*	geboren	gebiert*
stechen	stach	gestochen	sticht
schaffen	schuf	geschaffen	schafft
wachsen	wuchs	gewachsen	wächst
laufen	lief	gelaufen	läuft
wenden	wandte, wendete	gewandt, gewendet	wendet

*These forms are little used today.

EXERCISES

I

Following the pattern—ich liebe, ich werde geliebt, er liebt, er wird geliebt—recite aloud all indicative forms, active and passive, of lieben, schlagen, finden, ausschließen, beobachten.

II

Following the pattern—ich werde geliebt, ich würde geliebt; ich wurde geliebt, ich bin geliebt worden, ich war geliebt worden, ich wäre geliebt worden; ich werde geliebt werden, ich würde geliebt werden—recite the passive forms of the verbs in Exercise I.

III

Change the following sentences from active to passive: 1. Viele junge Menschen lesen dieses Buch. 2. Der Arzt beobachtete den Verlauf (course) der Krankheit. 3. Man sucht ihn im ganzen Lande. 4. Kein Mensch kann diesen Stein heben. 5. Dieses Haus muß ein Deutscher gebaut haben.

IV

Change the following sentences from passive to active: 1. Sind Sie beobachtet worden? 2. Im Hause Meyers wird viel gelacht. 3. Dieses Buch ist von einer Frau geschrieben worden. 4. Von wem wurde diese Geschichte erzählt? 5. Von wem wird dieses Haus gebaut? 6. In dieser Kleidung wirst du selbst von deiner Mutter nicht wiedererkannt werden.

V

Translate into German: 1. The whole work is already done. 2. There was always too much talking in that house. 3. His name will live and never be forgotten. 4. I cried for (um) help, but I was helped by nobody. 5. The value of the house was estimated at (auf) 10,000 marks. 6. In some countries much wine is drunk even today. 7. Meyer was saved; and when he was finally saved, he said, "Why has my wife not been saved, too?" 8. The house should have been built ten years ago. 9. If this question could only be answered! 10. I believe it will never be answered.

LESSON XIV

❦

TEXT A

„Ich bin krank!"—Mein Freund behauptet, er sei (wäre) krank.— „Ich war krank und konnte daher nicht kommen."—Mein Freund behauptet, er sei (wäre) krank gewesen und habe (hätte) daher nicht kommen können.

Letzten Abend sagtest du noch, du seiest (wärest) krank. Und heute willst
5 du schon wieder arbeiten?

Der Arzt behauptete, ich sei (wäre) krank und müsse (müßte) ins Bett gehen. Er meinte, wir äßen zu viel Fleisch (meat) und sollten mehr Sauerkraut essen. Auch sagte er, du hättest die letzte Rechnung noch immer nicht bezahlt.

10 Er tat, als ob (als wenn) er schliefe. Er tat, als schliefe er. Mir war, als ob (als wenn) ich gestorben sei (wäre). Mir war, als sei (wäre) ich gestorben. Ich dachte, ich sei (wäre) wirklich gestorben.

VOCABULARY

achten to heed; esteem
  verachten to despise
bereit ready
das Bild, —er the picture, image
decken to cover
  entdecken to discover
dort *there*
eben just; just now
einzeln single
entweder . . . oder either . . . or
erfahren to find out, learn; experience
fassen to grasp, seize
  die Fassung the composure
der Feind, —e the *foe*, enemy
fern *far* (away)
fließen to *flow*
fordern to demand, require
die Freude, —n the joy
  sich freuen (über) to be glad (of)

gemein common; *mean*, base
  allgemein general, universal
die Gesellschaft, —en the society; company
das Haupt, —er the *head*; chief
holen to fetch, take away
je ever
der König, —e the *king*
messen to measure
der Ort, —e the place; town
der Punkt, —e the *point*
der Raum, —e the *room*; space
das Reich, —e the realm, empire, kingdom
richtig *right*, correct
die Sache, —n the thing, affair
sammeln to collect, gather
  sich versammeln to assemble, meet
der Satz, —e the sentence

174

scheiden to separate, divide
  der Abschied the parting, leave-taking
die Schule, –n the *school*
  der Schüler, — the *scholar*, pupil
der Sinn, –e the *sense*; meaning
spielen to play
statt in*stead* of
die Sünde, –n the *sin*
  sündigen to *sin*
üben to practice, exercise
vergeben to *forgive*

das Volk, ⸚er the people, *folk*
voll *full*
  voller (*prep. w. gen.*) *full* of
voraus in advance, ahead
wählen to choose, elect
das Werk, –e the *work*
wirken to effect; *work* (something)
  die Wirkung, –en the effect
wünschen to *wish*
der Zahn, ⸚e the *tooth*
das Zeichen, — the sign, (*token*)
der Zweck, –e the purpose

IDIOMS

auf und ab back and forth, to and fro
ihm statt mir (to) him instead of me
Punkt elf just at, on the stroke of, eleven
statt zu arbeiten instead of working
usw. = und so weiter and so forth; etc.

TEXT B

Historia von Dr. Johann Faust

Fünfter Abschnitt · Das schreckliche Ende des Gelehrten

„An uns Teufeln gemessen, seid ihr Menschen im allgemeinen wirklich eine verflucht langweilige Gesellschaft", meinte Mephisto sarkastisch, als er sich nach einigen Tagen wieder sehen ließ. „Ich war in Eisleben und habe dort drei volle Tage am Sterbebett der Pastorin gesessen. Die Alte wollte und wollte einfach nicht sterben. Erst vor einer halben Stunde ist sie endlich ‚abgerufen' worden, wie ihr Mann so schön sagte. Häßlich war sie wie die Nacht. Trotzdem galt sie im ganzen Orte als eine gute Seele. Kein Mensch wußte, daß sie in Wirklichkeit ein wahrer Hausteufel war und ihrem Mann dreißig Jahre lang das Leben verbittert hat. Ich wußte es natürlich und hätte sie daher leider holen müssen. Aber gottseidank[1] sprach sie noch im letzten Augenblick das schöne Sätzchen: ‚Ich habe gesündigt usw.' Du kennst ja die Worte aus der Geschichte vom verlorenen Sohn.[2] Und da ist sie eben in den Himmel statt in die Hölle gekommen. Brrr! Pfui Teufel![3] Eine widerliche Sache!"

„Warum folgst du übrigens nicht ihrem guten Beispiel, Faust? Du weißt, du bist frei und kannst, wenn du willst, zu Gott zurückkehren. Du brauchst nur zu sagen: ‚Ich bin nicht besser als diese häßliche Alte; auch ich habe gesündigt und bin nicht wert, dein Sohn zu heißen.' Dann steht dir das

5 Himmelreich sofort weit offen und du brauchst nicht länger vor mir den großen Mann zu spielen. Ich bin bereit, dir zum Abschied den Hals zu brechen; denn, offen gesagt, auch du wirst mir langweilig."

Faust wußte: hinter den scheinbar so leicht hingeworfenen Worten Mephistos stand ein bitteres Entweder=Oder. Er mußte wählen, wählen

10 zwischen dem sofortigen Tode unter den brutalen Händen seines „Kollegen" und einem Leben, das keinen Sinn mehr hatte. Noch nie waren die Worte: „Wer sein Leben retten will, der wird es verlieren" so wahr gewesen, wie in diesem Augenblick. Und Faust wählte! Wählte in trotzigem Glauben an seine eigene Größe, und weil er nicht klein erscheinen wollte vor diesem

15 Mephisto, das sinn= und zwecklose Leben und damit den Weg in den ewigen Tod.

„Ja, ich habe gesündigt!" sprach er bitter, „aber nicht so wie die alte Pastorin. Meine Missetat ist zu groß, um vergeben zu werden."[4]

„Sieh da, die Worte Kains!" dachte Mephisto befriedigt. „Faust, jetzt

20 habe ich dich endlich so weit, wie ich dich haben wollte." Dann sagte er laut mit seiner alten Ironie: „Deine Studenten sind im Nebenzimmer ver= sammelt. Der Herr Professor sollte sie nicht länger warten lassen."

Doktor Faust war, was wir unseren Lesern zu berichten vergaßen, einer der besten Kenner Homers, die Deutschland je gehabt hat. Jeden Montag

25 versammelte sich in seinem Hause eine kleine Zahl fortgeschrittener Stu= denten, welche dem Gelehrten dankbar waren, daß er sie privatissime noch tiefer in das unsterbliche Werk Homers einführte. Und wenn Mephisto gerade Lust dazu hatte, so nahm er, den Faust auch seinen Schülern als „einen Kollegen aus Spanien" vorgestellt hatte, an diesen Sitzungen teil.

30 „Meine Worte sind leider zu schwach, Ihnen, meine Herren, ein rechtes Bild der Helden unseres großen Dichters zu geben", meinte Faust, nachdem er längere Zeit über einige besonders schöne Verse gesprochen hatte. „Ich wünschte, ich könnte seine Gestalten vor Ihren Augen noch einmal ins Leben rufen. Dann würden Sie verstehen, warum man von den Tagen Homers

35 und seiner Helden als von der Goldenen Zeit spricht."

„Mein Kollege hat gar nicht so unrecht! Rufen wir also die Helden Homers ins Leben zurück!" meinte Mephisto, rezitierte eine conjuratio aus dem Clavis de Magica, und zur größten Verwunderung der Schüler traten die Helden Homers auf ein Zeichen Mephistos einzeln und einer nach dem andern in den Seminarraum, nannten ihren Namen, sprachen ein paar Worte und verschwanden wieder. Die klassische Schönheit ihrer Körper hielt die Blicke der Studenten gefangen, und die Sprache ihrer fließenden 5 Verse war wie Musik.

Als letzte trat Helena in den Raum und rezitierte jene unvergeßlichen Verse aus dem dritten Gesang der „Ilias", die Faust einige Augenblicke vorher mit seinen Schülern gelesen hatte:

> „Hätt' ich doch lieber am bösen Tode Gefallen gefunden, 10
> Als ich mit Paris hierherkam, mein Ehezimmer verlassend,
> Alle die Meinen[5] und selbst mein Kind, das herzlich geliebte,
> Alle die lieblichen, die mich in jungen Jahren umgaben!
> Leider, das sollte nicht sein, drum muß ich vor Weinen vergehen."[6]

Das verächtliche Lächeln, mit welchem Faust das Tun Mephistos bis zu 15 diesem Augenblick beobachtet hatte, verschwand sofort, als Helena in den Raum trat. Ihre königliche Würde, der schmerzliche Ausdruck der tiefblauen Augen, das klassische Profil ihres Hauptes und die harmonische Bildung ihrer Glieder nahmen dem für alles Schöne so empfänglichen Faust die Sprache; und ihre herzzerreißenden Worte brachten ihn dem Weinen nahe. 20 Zum ersten Mal in seinem Leben verstand er, warum man noch in fernen Zeiten die Reize einer jeden Frau an der Vollkommenheit dieser Helena messen wird, bei deren Anblick sich Freunde in Feinde verwandelten und um deren Besitz das Volk der Griechen[7] zehn Jahre lang einen blutigen Krieg führte. 25

Noch lange, nachdem Helena verschwunden war, saß Faust mit Augen, die wie träumend in die Ferne blickten, schweigend vor seinen Schülern. Er merkte es nicht, daß diese Schüler unruhig wurden und mit vielsagenden, nicht gerade freundlichen Blicken auf den Gelehrten sahen. Mephisto rettete schließlich seinen Kollegen aus der immer unangenehmer werdenden Si= 30 tuation.

„Ich glaube", sagte er kühl, „die Herren können sich nun ein besseres Bild von der Schönheit und der Sprache der homerischen Helden machen. Es hätte keinen Sinn, die Wirkung ihres persönlichen[8] Erscheinens durch ein paar nichtssagende Worte abzuschwächen. Auf Wiedersehen, meine Herren! 35 Wir treffen uns, wenn Gott will, nächsten Montag wieder um dieselbe Zeit."

Als die Studenten gegangen waren und draußen vor dem Hause noch lange über das eben Gesehene sprachen, ging Faust mit Mephisto, der den Gelehrten genau beobachtet hatte, ins Studierzimmer zurück.

„Dein Durst nach klassischer Schönheit ist mir ganz neu", meinte der
5 Verführer. „Nun, vielleicht läßt er sich stillen." Mit diesen Worten verschwand er, und vor dem sprachlosen Gelehrten stand plötzlich—Helena.

„Der große Faust!" meinte sie ironisch und besah mit nicht mißzuverstehender Verachtung die nicht gerade athletische Gestalt des Gelehrten. „Paris war mir lieber!"

10 Das war nicht die Helena Homers, deren würdevolle Sprache dem Gelehrten soeben tief ins Herz gedrungen war. Was da vor ihm stand, war eine Kreatur Mephistos, seelenlos und böse, geschickt, ihn zu verführen. Doch Faust sah nicht die kalt berechnenden Blicke, mit denen diese Frau ihn maß, er sah nur die klassische Schönheit ihres nur leicht bedeckten Körpers.

15 Und von diesem Augenblick an war er, wie Mephisto dies richtig vorausgesehen hatte, ein Sklave, der willenlose Sklave einer Frau, die ihn weder liebte noch achtete und die ihn selbst in seinen eigenen Augen so tief erniedrigte, daß er unsäglich darunter litt und sie schließlich haßte, ohne sich von ihr freimachen zu können.

20 „Gott hat mich verworfen und vergessen", schrieb Faust in jenen Tagen in sein Tagebuch; und es schien ihm oft, als wollte dieses letzte und bitterste Jahr seines Lebens kein Ende nehmen.

Und doch gelang es dem Gelehrten ein paar Tage vor seinem schrecklichen Ende, sich von dem Einfluß, den diese Frau gegen seinen Willen auf ihn
25 ausübte, zu befreien: er stieß sie aus seinem Leben, als ob sie nie gewesen wäre.

Und noch einmal war er der alte Faust!

Den Tod* vor Augen, bat er seine Schüler zum letzten Male in sein Haus. „Meine Herren", begann er, als das Abendessen beendet war und die Uhr
30 zehn schlug, „Sie sehen mich heute zum letzten Male. Wie Sie wahrscheinlich erraten haben, habe ich aus Trotz gegen den Allmächtigen einen Pakt mit dem Verführer geschlossen. Meine Zeit ist nun abgelaufen. Wenn diese Uhr hier zwölf schlägt, ist mein irdisches Leben zu Ende. Und ich habe Sie, die ich ins Herz geschlossen habe, heute abend zu mir gebeten, um Ihnen allen zuzurufen:
35 Folgen Sie mir nicht nach!"

---

*The so-called absolute accusative, as used here, sometimes takes the place of a participial clause. Translate: (*with*) *death in prospect.*

Die Studenten konnten das Weinen nicht unterdrücken, als ihnen ihr geliebter und verehrter Lehrer nun erzählte, er habe schon als junger Mann darunter gelitten, daß er bei all seinem Suchen nach Wissen stets auf eine Grenze gestoßen sei, die er nicht habe überschreiten können. Aber statt weiter zu hoffen und zu arbeiten, habe er sich der schwarzen Magie zugewandt und 5 sei schließlich auf den Gedanken gekommen, einen Pakt mit dem Teufel zu schließen. Doch der geforderte Preis sei, wie er jetzt einsehe, zu hoch gewesen. Zwar habe er unter der Leitung Mephistos beim Studium der elementa ganz unglaubliche Entdeckungen gemacht und könne heute mit vollem Recht behaupten, seinen Kollegen um[9] Jahrhunderte vorauszusein. Aber der 10 Gedanke an die Ewigkeit habe ihn nie losgelassen und ihm die Freude an seinem Wissen verbittert. Ja, selbst die Frauen, die ihm Mephisto zugeführt habe, hätten ihn nach kurzer Zeit nicht mehr interessiert. Nur Helena habe fast ein ganzes Jahr lang eine Macht über ihn gehabt, gegen die er sich nicht habe wehren können. Und jetzt, am Ende seines Lebens, stehe er mit leeren 15 Händen und schwerem Herzen vor Gott und könne nur sagen, er habe die Freiheit, die ihm der Allmächtige geschenkt, in einer Weise mißbraucht, daß er vor sich selbst und seiner Sünde zurückschrecke. Trotzdem sterbe er als ein guter und böser Christ.[10] Als ein guter Christ, weil ihm seine Sünde leid tue und er Gott aus tiefstem Herzen um Vergebung bitte; als ein böser 20 Christ, weil er wisse, der Teufel werde seinen Körper holen. Aber er hoffe, Gott möge dem Teufel die Macht über seine Seele entziehen. Er fürchte zwar, seine Sünde sei so groß, daß auch Gott sie nicht vergeben könne.

Dann verabschiedete sich der Gelehrte von seinen fassungslosen Schülern. Punkt elf ging Faust in sein Studierzimmer. Die Studenten, die ihn in 25 seiner schweren Stunde nicht verlassen wollten, blieben im Nebenraum.

Keine Menschenseele hat je erfahren, ob Faust in jener letzten Stunde seines Lebens, als er mit sich und seinem Gott allein war, den Weg zurück fand oder nicht. Seine Schüler hörten ihn noch eine Zeit lang unruhig auf und ab gehen. Dann wurde es still. 30

Als die Uhr endlich zwölf schlug, hörten sie ihn einen lauten, durchdringenden Schrei ausstoßen, den Schrei eines Mannes, der sich gegen die letzte und schrecklichste Erniedrigung wehrt.

Am andern Morgen war das Studierzimmer leer. Doch auf dem Ruhebett, auf dem Faust einst so bitterlich geweint hatte, lagen ein paar ausge- 35 brochene Zähne und die beiden Augen des Gelehrten. Die hatte Mephisto ihm aus dem Kopf gedrückt.

NOTES. 1. thank God. 2. der Geſchichte . . . Sohn, Luke xv, 21. 3. Pfui Teufel! Devil take it! 4. Genesis iv, 13. 5. The capitalized possessives are frequently used in the plural to designate "family." 6. Iliad III, 173–176. 7. Greeks. 8. in person. 9. *here:* by. 10. Christian.

Fragen

1. An weſſen Sterbebett hatte Mephiſto geſeſſen? 2. Was ſagte der Paſtor ſo ſchön, nachdem ſeine Frau geſtorben war? 3. War die Paſtorin eine ſchöne Frau? 4. War ſie eine gute Frau geweſen? 5. Was ſagte ſie noch im letzten Augenblick? 6. Wo iſt die Paſtorin jetzt? 7. Wozu war Mephiſto bereit? 8. Was wußte Fauſt? 9. Zwiſchen welchen beiden Mög= lichkeiten mußte er wählen? 10. Warum wählte er ein ſinn= und zweckloſes Leben? 11. Was ſagte Kain, als er ſeinen Bruder Abel erſchlagen hatte? 12. Welchen großen Dichter kannte Dr. Fauſt beſonders gut? 13. Wer nahm an dieſen Sitzungen teil? 14. Was ſagte Fauſt ſeinen Studenten? (*Use indirect discourse in your answer.*) 15. Was meinte Mephiſto? (*Indirect discourse.*) 16. Wer trat zur größten Verwunderung der Schüler in den Seminarraum? 17. Was hielt die Blicke der Studenten gefangen? 18. Wer trat als letzte in den Raum? 19. Was nahm dem für alles Schöne ſo empfänglichen Fauſt die Sprache? 20. Was verſtand er zum erſten Mal in ſeinem Leben? 21. Was tat Fauſt, nachdem Helena verſchwunden war? 22. Was merkte er gar nicht? 23. Wer rettete ihn ſchließlich aus dieſer unangenehmen Situation? 24. Was ſagte Mephiſto zu den Studenten? (*Indirect discourse.*) 25. Wer erſchien Fauſt in ſeinem Studierzimmer? 26. Wozu wurde Fauſt in dieſem Augenblick? 27. Liebte oder achtete dieſe Helena ihn? 28. Was ſchrieb er in jenen Tagen in ſein Tagebuch? 29. Was gelang dem Gelehrten kurz vor ſeinem ſchrecklichen Ende? 30. Wen bat er noch einmal in ſein Haus? 31. Was wollte er ſeinen Schülern zurufen? 32. Was konnten die Studenten nicht unterdrücken? 33. Wann verab= ſchiedete ſich der Gelehrte von ſeinen faſſungsloſen Schülern? 34. Gingen die Studenten nach Hauſe? 35. Warum gingen ſie nicht nach Hauſe? 36. Fand Fauſt den Weg zurück? 37. Was hörten die Studenten, als die Uhr endlich zwölf ſchlug? 38. Was für einen Schrei ſtieß Fauſt aus? 39. Was lag am andern Morgen auf dem Ruhebett?

WORD-BUILDING EXERCISE

Try to make an intelligent guess at the meaning of the following words and phrases:

achten

mißachten

Achtung!

verachten

verächtlich

an jemandem achtlos vor=
  übergehen (pass by)

hochachtungsvoll

bereit

bereitstellen

bereiten

vorbereiten

die Vorbereitung

ich bin bereit

aber er ist unvorbereitet

bildschön

ein Bilderbuch

bildlich gesprochen

das Muttergottesbild

decken

die Decke

die Bettdecke

die Zimmerdecke

vor dem Feinde Deckung
  nehmen

bedecken

die Kopfbedeckung

etwas verdecken

etwas aufdecken

etwas zudecken

unbedeckt

entdecken

der Entdecker und seine
  Entdeckung

gute Erfahrungen machen

ein erfahrener Mann

ein unerfahrenes Kind

die Lebenserfahrung

fern

die Ferne

sich von jemandem fern=
  halten

der Fernsprecher oder das
  Telefon

sich von einem Ort ent=
  fernen

die Entfernung war groß

fließen

seine fließende Rede

der Fluß seiner Rede

der Wasserfluß

flüssige Kohle

die Flüssigkeit

verflossene Tage

der Einfluß

einflußreich

jemanden beeinflussen

die Freude

freudig

freudelos

sich über etwas freuen

sich auf das Kommende
  freuen

er war hocherfreut

eine unerfreuliche Sache

die Vorfreude ist die beste
  Freude

gemein

ungemein

allgemein

die Allgemeinheit

das ist gemeingefährlich

jemandem eine Gemein=
  heit sagen

die Gesellschaft

die menschliche Gesell=
  schaft

eine große Gesellschaft
  geben

sich gesellschaftlich un=
  möglich machen

Internationale Knochen=
  verwertungsgesellschaft

das Haupt

jemanden enthaupten

die Enthauptung

die Hauptstadt des Reiches

das gute Essen ist mir
  immer noch die Haupt=
  sache

hauptsächlich

messen

die Messung

der Wärmemesser oder
  das Thermometer

meßbar

unmeßbar

das Maß

maßlos

die Maßlosigkeit

mit dir kann ich mich nicht
  messen

der Punkt

der Standpunkt

der Blickpunkt

der Zeitpunkt
pünktlich sein
er ist unpünktlich
er ist die Unpünktlichkeit
selbst
das Pünktchen
der Raum
der Wohnraum
der Weltenraum
räumlich
der Arbeitsraum
der Lebensraum

die Sache
wer nur auf die Sache und
nicht auf die Person
sieht, ist objektiv oder
sachlich
unsachlich
die Spielsache
eine Ehrensache
der Satz
der Satzteil
ein Grundsatz oder ein
Prinzip

grundsätzlich oder prin=
zipiell
die Schule
die Abendschule
die Volksschule
die Kinderschule
das Schulhaus
jemanden schulen
ein geschulter Arbeiter
eine gute Schulung
die Schülerin
er ist ungeschult

GRAMMAR

135. Indirect Discourse. Any statement reported as direct discourse (in quotation marks) can be converted into a clause (without quotes) dependent on a verb of saying or thinking; such dependent clauses are said to be in "indirect discourse." Example:

> *Direct:* "I won't do it."
> *Indirect:* He said (that) he wouldn't do it.

In changing from direct to indirect discourse, German never alters the tense of the original statement. That is, if the original statement was made in the present, the indirect statement must also employ the present. The tense of the governing verb has no influence upon the tense of the indirect statement. However, in changing from direct to indirect discourse German usually replaces the indicative by the subjunctive. This replacement is obligatory when the governing verb is in the past; but there is a growing tendency to use the indicative for indirect statements when the governing verb is in the present. This is comparable to established English practice, thus:

> He says (that) he is sick.
> He said (that) he was sick.

Note that when daß is omitted, the dependent clause (according to the rule given in § 7, p. 18) has verb-second position.

136. Forms of Indirect Discourse. The forms of the imaginative subjunctive (§§ 121–124, pp. 156–158) *may* always be used in indirect discourse. However, German has a special set of subjunctive forms which are used *only* for indirect discourse. This set of forms—we will call it the "indirect-discourse subjunctive"—is not complete. Only the following forms are in use today:

a. The verb ſein has a complete set of forms in the present:

Indicative		Subjunctive	
ich	bin	ich	ſei
Sie	ſind	Sie	ſeien
du	biſt	du	ſeieſt
er	iſt	er	ſei
wir	ſind	wir	ſeien
Sie	ſind	Sie	ſeien
ihr	ſeid	ihr	ſeiet
ſie	ſind	ſie	ſeien

b. The six modals and wiſſen have a complete singular in the present:

dürfe	könne	möge	müſſe	ſolle	wolle	wiſſe
dürfeſt	könneſt	mögeſt	müſſeſt	ſolleſt	wolleſt	wiſſeſt
dürfe	könne	möge	müſſe	ſolle	wolle	wiſſe

c. All other verbs have only the third singular of the present in really active use today. Thus:

er habe	werde	ſehe	falle	eſſe	tue

d. Since the past subjunctive is formed by using either haben or ſein (§ 122, p. 156) as auxiliary, it follows that verbs conjugated with ſein have a complete set of past forms for indirect discourse, whereas verbs conjugated with haben have only the third singular, and are forced to use the imaginative subjunctive in all other cases. Thus:

ich fei gefallen

Sie feien gefallen

du feieft gefallen

er fei gefallen   er habe | gehabt
                                            | gefehen
                                            | gegeffen

wir feien gefallen

Sie feien gefallen

ihr feiet gefallen

fie feien gefallen

For complete tables of the indirect-discourse subjunctive see pages 201–211.

137. Als ob, als wenn, and als. The English sentence *He acted as if he were sick* means "He tried to say by his actions, 'I am sick.' " And the sentence *He acted as if he had been sick* means "He tried to say by his actions, 'I was sick.' "

The corresponding German phrase, er tat als ob or als wenn, is always followed by the subjunctive, and is treated like a verb of saying, just as in English. Thus:

> *Direct:* Er fagte: „Ich bin frant".
> *Indirect:* Er tat, als ob er frant fei (wäre).

> *Direct:* Er fagte: „Ich war frant".
> *Indirect:* Er tat, als ob er frant gewefen fei (wäre).

Note that according to § 72, p. 89, wenn or ob may be omitted, in which case the verb is placed immediately after als. Thus:

Er tat, als ob er frant fei (wäre) or als fei (wäre) er frant.
Er tat, als ob er frant gewefen fei (wäre) or als fei (wäre) er frant gewefen.

138. Indirect Questions and Demands. Direct questions with verb-first position become ob-clauses in indirect discourse. Thus:

> *Direct:* „Haft du Geld?"
> *Indirect:* Er fragte mich, ob ich Geld hätte.

> *Direct:* „Haft du ihn fchon gefehen?"
> *Indirect:* Er fragte mich, ob ich ihn fchon gefehen hätte.

Direct imperatives like Gib mir das Buch! and Gehen Sie hinaus! are treated in indirect discourse as if they had been given in the form Du sollst mir das Buch geben and Sie sollen hinausgehen. They are therefore changed to the following:

Er sagte, ich solle (sollte) ihm das Buch geben.
Sie sagte, er solle (sollte) hinausgehen.

VERB LIST

Infinitive	Past	Past Participle	Present
scheiden	schied	geschieden	scheidet
fließen	floß	geflossen	fließt
messen	maß	gemessen	mißt
vergeben	vergab	vergeben	vergibt
erfahren	erfuhr	erfahren	erfährt

EXERCISES

I

Change Faust's farewell speech to his students (p. 79, lines 1–23) into direct discourse.

II

With the help of your teacher, change the speech of Mephisto (p. 175, lines 1–14; p. 176, lines 1–7) into indirect discourse, leaving the forms of the imaginative subjunctive unchanged.

III

Translate into German, writing the dependent clauses with and without daß: 1. Fritz maintained he had not eaten for (seit) three days. 2. The doctor said I mustn't work so hard. 3. He said he would drive to Berlin tomorrow. 4. He claimed the house was already sold. 5. Yes, he told me the house had been sold just one hour before. 6. I dreamt I had died. 7. He acted as if he loved me. 8. You act as if you were sleeping, but I know you are awake. 9. He claimed he had been unable to find any red suspenders.

LESSON XV

༄

Exercise I

Following the pattern—id) fehe, er fah, wir haben gefehen, fie hatten gefehen, Sie werden fehen—give the corresponding active indicative forms of können, wiſſen, ſterben, lieben, beobachten, aufſtehen, unterſchätzen, ſitzen, ſetzen, einen Mann ſprechen hören, ſich ärgern, ſehen können, arbeiten müſſen.

Exercise II

Following the pattern—id) werde gefehen, er wurde gefehen, wir ſind gefehen worden, fie waren gefehen worden, Sie werden gefehen werden— give the corresponding passive indicative forms of beobachten, unterſchätzen, ſetzen, lieben, ſchlagen, ſtoßen.

Exercise III

Wherever this is possible, form the four infinitives of all verbs listed in Exercises I and II.

Exercise IV

Following the pattern—id) ſähe ihn, er würde gefehen, ich hätte ihn gefehen, er wäre gefehen worden, ich würde ihn ſehen, er würde gefehen werden—give all active and passive imaginative forms of ihn beobachten, ihn vergeſſen, ihn zurückſchicken, ihn aufhängen.

Exercise V

Following the pattern—er ſehe Fritz, Fritz werde gefehen, er habe Fritz gefehen, Fritz ſei gefehen worden, er werde Fritz ſehen, Fritz werde gefehen werden—give all the third person singular forms, active and passive, of the verbs listed in Exercise IV.

Exercise VI

Translate into German: 1. I am running. 2. He has died. 3. I should be glad. 4. When was he born? (*Use present perfect.*) 5. You ought to have known that. 6. He was being observed.

7. Will he be murdered? 8. Did he come? (*Use both past and present perfect.*) 9. He will be vexed. 10. He has to have read it. 11. He has had to read it. 12. He must have read it. 13. He ought to be loved. 14. They have not been able to work. 15. In order to be seen. 16. In order to be heard. 17. He must (has to) have been saved. 18. Let's forget him. 19. You will suffer. 20. We must die. 21. Have you ever loved? 22. Have they ever followed him? 23. Be not afraid. 24. It is bitter never to have been loved.

Exercise VII

Translate into German. 1. If I only knew whether he is still alive. 2. If I had known that he is sick, I should not have made (laſſen) him work. 3. He should have been here an hour ago. 4. The speaker asserted that the enemy was now beaten and would never again be able to endanger (gefährden) our country. 5. He acted as if he could not read, and claimed that he knew nothing about the whole matter. 6. Never has so much work been done in our land. (*Use impersonal passive.*) 7. Nobody has ever helped those poor children; now at last they will be helped. 8. If you would give me that book, I would read it tomorrow. 9. When I was young, I did not know that a young lady means "yes" when(ever) she says "perhaps." 10. I know him well, and I know he knows no German.

FINAL TEST

I. *Vocabulary*, German to English. Underscore the correct translation:

	a	b	c	d
1. werfen	to throw	to wail	to wait	to turn
2. Schuld	sorrow	soap	guilt	school
3. müde	merry	tired	mad	mighty
4. Hose	heart	head	suspenders	trousers
5. etwa	perhaps	it	too	something
6. darum	out of it	therefore	there	then
7. beweisen	to prove	to move	to wish	to know
8. zeigen	to choose	to count	to doubt	to show
9. arm	poor	small	frightened	able
10. Kraft	body	cold	strength	circle
11. schneiden	to give	to cut	to disappear	to say
12. stets	steady	simple	soon	always
13. während	whiling	waiting	during	assuring
14. ohne	only	without	any	above
15. wieder	again	why	whether	against
16. jener	that	every	any	inner
17. jeder	that	every	this	some
18. treffen	to draw	to carry	to hit	to climb
19. wichtig	important	real	wishful	waiting
20. wirklich	important	working	valid	real
21. verschwinden	to fail	to seek	to disappear	to suffer
22. Dichter	poet	artist	devil	scientist
23. berichten	to set right	to report	to direct	to read
24. ewig	ending	certain	earthy	eternal
25. Stelle	stone	stool	spot	stillness
26. Schluß	ending	shot	cut	sleep
27. Trost	trust	comfort	seller	demand
28. Trotz	trust	comfort	tread	defiance
29. Pflicht	pound	weight	duty	plight
30. fragen	to ask	to be afraid	to fill	to break
31. reißen	to write	to read	to tear	to rave
32. Reiz	writing	sickness	running	charm
33. sogleich	equal	at once	thus	as much as
34. eilen	to hasten	to eat	to worry	to be sick

188

35. Befehl	failure	feeling	command	fall
36. wehrlos	spineless	useless	needless	defenseless
37. Meinung	weeping	opinion	meaning	naming
38. letzt	last	poorest	neatest	dearest
39. lesen	to lay	to lie	to read	to lose
40. Geist	guest	devil	giver	spirit
41. Gruß	greeting	grit	gross	grasp
42. heben	to have	to live	to lift	to fetch
43. wohnen	to moan	to dwell	to wish	to wonder
44. Zweifel	double	trifle	twitter	doubt
45. friedlich	peaceful	freely	fairly	joyous
46. blühen	to rcmain	to bloom	to bcg	to look
47. bekommen	to come	to go	to get	to please
48. gerade	just	right	always	naturally
49. Dunkelheit	stupidity	darkness	doom	dream
50. Stunde	clock	standing	stillness	hour

II. *Vocabulary*, English to German. Underscore the correct translation:

1. to choose	suchen	zwingen	wählen	kaufen
2. to experience	berichten	behaupten	verlangen	erfahren
3. the head	Kopf	Herz	Hals	Gestalt
4. the number	Steuer	Zahl	Sache	Zeitung
5. to lie (flat)	lügen	legen	liegen	lesen
6. to lay	lügen	liegen	legen	lesen
7. to (tell a) lie	lügen	liegen	legen	lesen
8. special	sprechend	besonder	genau	sicher
9. now	nur	nie	oft	jetzt
10. to take	teilen	tragen	nehmen	machen
11. to name	nennen	nehmen	meinen	heißen
12. perhaps	eben	gerade	voraus	vielleicht
13. perfect	gut	wohl	vollkommen	schnell
14. the money	Gold	Geld	Zahl	Wert
15. the luck	Brücke	Glück	Schönheit	Schatz
16. to know (it)	wissen	können	kennen	sagen
17. to know (him)	kennen	wissen	können	sehen
18. never	niemand	nichts	nie	neben
19. ever	eben	je	erst	nie
20. the sense	Sinn	Sünde	Wahrheit	Verstehen

21. the sin	Sinn	Schuld	Sünde	Bosheit
22. rapid	fest	fast	wirklich	schnell
23. weak	wahr	schwach	arm	krank
24. to be sure	wahr	sicher	zwar	gewiß
25. yet	noch	nie	eben	jetzt
26. the blow	Schlag	Blume	Blüte	Zahl
27. the bloom	Schlag	Blume	Zahl	Blut
28. to set	sitzen	stehen	setzen	tragen
29. to sit	setzen	stoßen	besitzen	sitzen
30. the pain	Schlaf	Unruhe	Schmerz	Mißfallen
31. the cry	Ruhe	Schrei	Gesang	Heil
32. to weep over	beweinen	bewegen	schmerzen	übelnehmen
33. to move	beweinen	bewegen	beweisen	treten
34. the courage	Mund	Mord	Mut	Kraft
35. the mouth	Mut	Mord	Macht	Mund
36. to mention	erwachen	erwarten	erwähnen	sprechen
37. to expect	erwähnen	erwarten	erwachen	wechseln
38. already	schon	schön	spät	jetzt
39. beautiful	schön	schon	angenehm	gefällig
40. to fear	sich ärgern	fürchten	schrecken	erkennen
41. to be frightened	werfen	erkennen	sich fürchten	zweifeln
42. the hero	Herr	Herz	Heil	Held
43. the gentleman	Helfer	Herz	Held	Herr
44. the heart	Held	Heil	Herz	Hals
45. otherwise	je	sonst	eben	gerade
46. also	auch	also	darum	immer
47. the ear	Ohr	Ehre	Stunde	Uhr
48. time	Zeitung	Zeit	Tag	Absicht
49. to will	wünschen	erwidern	wollen	verlangen
50. to wish	wollen	erwidern	sorgen	wünschen

III. Give the English meanings of the following compounds and phrases:

1. die Geisteswissenschaften
2. die Zahnarztrechnung
3. die Lebenserfahrung
4. die Undurchdringlichkeit
5. ein Herrenhemdenverkäufer
6. die Kriegsschuldfrage
7. das Unaussprechliche
8. die Fortschrittlichkeit
9. die Unwiederbringlichkeit
10. rettungslos verloren
11. ein Zeitungsbericht
12. der wahrscheinlichste Treffpunkt

13. keine Berechnungsmöglichkeit 16. eine Naturnotwendigkeit
14. eine Vergeßlichkeitserscheinung 17. der steuerpflichtige Staatsbürger
15. ein Ferngespräch 18. der Welteroberer

19. eine Lebensversicherungsgesellschaft
20. ihre Geringschätzung wurde mir unerträglich

IV. Change the following sentence-pairs into unreal conditions:

1. Ich habe Geld. Ich kaufe mir ein neues Haus.
   Ich habe Geld. Ich werde mir ein neues Haus kaufen.
   Ich hatte Geld. Ich kaufte mir ein neues Haus.

2. Sie sind hier. Sie können mir helfen.
   Sie sind hier gewesen. Sie haben mir helfen können.
   Sie waren hier. Sie konnten mir helfen.
   Sie werden hier sein. Sie werden mir helfen können.

3. Sie werden beobachtet. Sie dürfen mich nicht mehr besuchen.
   Sie wurden beobachtet. Sie durften mich nicht mehr besuchen.
   Man wird Sie beobachten. Sie werden mich nicht mehr besuchen können.

V. *a.* Change to the actional passive:

1. Menschen dieser Art bezeichnet man als Gottsucher.
2. Ein junger Mann zog das Mädchen aus dem Wasser.
3. Man zwang ihn durch die Ermordung seines Vaters, sein Haus zu verkaufen.
4. Dazu hat man ihn gezwungen.
5. Dazu hätte man ihn gezwungen.
6. Dazu hätte man ihn zwingen können.

b. Change to the statal passive:

1. Man hat das Haus verkauft.
2. Man zwingt uns dazu.
3. Frau Meyer hat sich wieder verheiratet.
4. Als man den Stein endlich gefunden hatte, beruhigten sich alle sofort.

VI. Change to indirect discourse:

Er sagte: „Ich bitte Sie, mich in meiner letzten Stunde nicht allein zu lassen. Zwar weiß ich, daß der Teufel meinen Körper holen wird, aber ich hoffe, Gott wird es nicht erlauben, daß er auch meine Seele holt. Leider kann ein Mensch sein Leben nicht zweimal leben. Ein zweites Mal würde ich nämlich meine Seele dem Teufel nicht verkaufen."

VII. Verb Forms

Part A

Translate into German: 1. to have been loved. 2. you ought to love. 3. he has gone. 4. it is sold. 5. it has been sold. 6. is it bought? 7. it must have been sold. 8. we have had to sell it. 9. let us not be vexed. 10. he would have believed. 11. the (thing) reached. 12. don't read that. 13. I saw him read. 14. let us not be persuaded (überreden). 15. if you were reading.

Part B

Translate into English: 1. das Gesuchte. 2. gesucht zu haben. 3. ich hätte gebeten. 4. er ist vergessen. 5. wir sind gefallen. 6. er wäre gestorben. 7. sie soll gestorben sein. 8. sie haben schenken müssen. 9. ärgern Sie sich nicht. 10. er solle sich nicht ärgern. 11. er fürchte sich nicht. 12. ich hätte es getan. 13. er bäte. 14. ich hülfe. 15. er würde helfen.

VIII. Retranslation

Translate into German: 1. If I had not seized you at the last moment, you would now be dead. 2. The certainty of having lost his freedom took from him his pleasure in (an) life. 3. Only a year ago Mary claimed she was not thinking of marrying; now she already has a little son. 4. We forget our heroes rapidly, and a man whom every little child knows today can be forgotten (already) tomorrow. 5. You should not read the whole day long. Don't you see that your mother has too much to do, and that you could help her? 6. If you should say to me, "I love you," I should not believe (it of) you. 7. Only few people can say at the end of their lives, "I have attained what I wanted to attain." 8. Never shall I forget that you helped me in my extreme need. Without you I should have died. 9. She maintains that for thirty years he made her life hard. 10. When America was discovered, there were no wild horses there.

IX. Translate, keeping as close to the original as English vocabulary and syntax will allow. The point is to demonstrate your understanding of the text.

Part A

Wir müssen hier nun endlich die Frage stellen, ob das Suchen nach Glück ein sinnvolles Suchen ist oder nicht. Das Glück, so scheint es, hängt nicht allein von materiellen Lebensgütern ab; es hängt auch, oder vielleicht vor allem, an der Empfänglichkeit des Menschen. Diese aber leidet unter dem Suchen nach Lust. Sie ist am größten, wo ein geschenktes Gut nicht gesucht war; und sie ist am geringsten, wo es in heißem Verlangen gewünscht wurde. Das Verlangen selbst, so scheint es, vernichtet den Glückswert des Verlangten; und das Erreichen wird illusorisch, weil das Erreichte für den Verlangenden schon nicht mehr dasselbe Glück ist, das er suchte und das er erwartete. Das wirkliche Glück kommt immer von einer anderen Seite als man es meint. Es liegt immer da, wo man es nicht sucht. Es kommt immer als Geschenk und läßt sich dem Leben nicht abtrotzen. Denn es liegt in der Wertfülle des Lebens, die zwar immer da ist, sich aber nur dem öffnet, der seinen Blick auf diese Werte selbst richtet (directs) und nicht auf die Lust, die sie versprechen. (Nach Nicolai Hartmann, „Ethik")

Part B

In unstillbarem Drang nach unendlichen Fernen erreichten die Wikinger von ihrer Heimat in Skandinavien aus 786 Spanien, 859 das Innere Rußlands, 865 über Kijew Byzanz und 909 Persien. Um 1000 entdecken sie Amerika. Mit demselben Hunger nach Macht, nach geistiger Macht dringen abendländische Gelehrte des dreizehnten und vierzehnten Jahrhunderts in die Welt technisch-physikalischer Probleme ein, ohne sich dabei, wie ihre chinesischen und arabischen Kollegen, in tatfremden Spekulationen zu verlieren. Die Theorien dieser Gelehrten sind von Anfang an Arbeitshypothesen. Eine Arbeitshypothese aber braucht nicht im metaphysischen Sinne des Wortes „wahr" oder „richtig" zu sein; sie muß nur praktisch brauchbar sein. Eine Arbeitshypothese stellt man nicht auf, um die Geheimnisse der Natur zu erkennen, man gebraucht sie, um die Kräfte der Natur in den Dienst des Menschen zu stellen. Dieser Wille zur Macht, zur Macht über die Kräfte der Natur ist typisch für die Kultur des Abendlandes. (Nach Oswald Spengler, „Der Mensch und die Technik")

APPENDIX I

❧

KEY TO TEST I ON PAGE 99

A. PART A: 1. almost. 2. belongs. 3. danger. 4. simple. 5. against. 6. throws. 7. luck. 8. slow. 9. pointer. 10. omniscient.

PART B: 1. plötzlich. 2. zwingen. 3. kurz. 4. brauchen. 5. unmöglich. 6. Zahl. 7. Herz. 8. seit. 9. verlangen. 10. daher.

B. 1. repellently ugly. 2. afterglow. 3. woman who sleeps long. 4. man having power. 5. weakness. 6. human intelligence. 7. hour hand. 8. maternal happiness. 9. smart aleck. 10. joy of living.

C. 1. will, tut, ist, hat, redet, steht auf, weiß, wird, nimmt, stößt. 2. sei, seid, seien Sie, seien wir; werde, werdet, werden Sie, werden wir; gib, gebt, geben Sie, geben wir; falle, fallt, fallen Sie, fallen wir; hoffe, hofft, hoffen Sie, hoffen wir; ärgere dich nicht, ärgert euch nicht, ärgern Sie sich nicht; ärgern wir uns nicht; steh früh auf, stehen Sie früh auf, stehen wir früh auf; versprich, versprecht, versprechen Sie, versprechen wir; hänge dich nicht auf, hängt euch nicht auf, hängen Sie sich nicht auf, hängen wir uns nicht auf.

D.

jede junge Frau	dieser blinde Mann
jeder jungen Frau	dieses blinden Mannes
jeder jungen Frau	diesem blinden Mann
jede junge Frau	diesen blinden Mann
alle jungen Frauen	diese blinden Männer
aller jungen Frauen	dieser blinden Männer
allen jungen Frauen	diesen blinden Männern
alle jungen Frauen	diese blinden Männer
ein armer Blinder	ein schönes junges Mädchen
eines armen Blinden	eines schönen jungen Mädchens
einem armen Blinden	einem schönen jungen Mädchen
einen armen Blinden	ein schönes junges Mädchen
arme Blinde	schöne junge Mädchen
armer Blinder	schöner junger Mädchen
armen Blinden	schönen jungen Mädchen
arme Blinde	schöne junge Mädchen
keine große Stadt	keine großen Städte
keiner großen Stadt	keiner großen Städte
keiner großen Stadt	keinen großen Städten
keine große Stadt	keine großen Städte

E. mein; ihre; seinem; eure; Ihre; sein; dein; deine.

F. die Frau, deren Sohn; der Vater, dessen Tochter; der Vater, dessen Sohn; das Kind, dessen Mutter; die Kinder, deren Vater; die Kinder, deren Väter; der Mann, dem (welchem) wir helfen; die Frau, der (welcher) wir helfen; das Kind, dem (welchem) wir helfen; die Frau, die (welche) ich liebe; der Mann, den (welchen) ich liebe; das Kind, das (welches) ich liebe; die Männer, denen (welchen) wir helfen; die Frauen, denen (welchen) wir helfen; die Kinder denen (welchen) wir helfen.

G. er ist größer; ein interessanteres Fach; eine höchst unangenehme Arbeit; die unange= nehmste Arbeit; diese Arbeit ist am unangenehmsten, wenn . . . ; das schönste und intelligenteste Mädchen; ein schöneres und intelligenteres Mädchen; langsamer; er fährt am langsamsten, wenn . . . ; wir arbeiten heute höchst (sehr) langsam.

H. 1. Wer wirklich Arbeit finden will, kann immer Arbeit finden. 2. Sie brauchen mir keine Seife zu schicken; davon habe ich genug. 3. Ich lasse mich von Ihnen nicht mißbrauchen. 4. Wir müssen darauf sehen, daß die Macht des Staates nicht größer wird. 5. Sie dürfen nicht vergessen, daß er jünger ist als Sie. 6. Retten Sie mich und helfen Sie mir! Ich kann mir nicht helfen. 7. Wir verlangen, daß man den Arbeitern nicht ihr Recht nimmt, eine Organisation zu bilden. 8. Wir wissen nie, was wir wollen, und wollen immer, was wir nicht wissen. 9. Miß= verstehen Sie mich nicht, Herr Meyer! 10. Ich weiß, Sie hassen Ihren Vater, ohne es zu wissen.

APPENDIX II

❧

WORD ORDER

To the beginner, the arrangement of the German sentence often seems to be haphazard and arbitrary. As a matter of fact, no mechanical or even grammatical rules can be given to account for its extraordinary flexibility. However, there are certain "rules" after all, but they are psychological, not grammatical in nature, and only the position of the inflected verb can be said to be somewhat "mechanically" fixed. The following principles and observations may be helpful:

I. Position of the Inflected Verb

1. Verb-first position is found (*a*) In questions which can be answered by *yes* or *no*:

Haben Sie schon gegessen?

(*b*) In imperative sentences:

Gehen wir nach Hause!

(*c*) In conditional clauses which omit wenn:

Hätte ich Geld, so baute ich mir ein Haus.

2. Verb-second position is demanded of every main clause which does not fall under the categories of No. 1. The first element can be a word, a phrase, or a dependent clause. It is always one single psychological unit which furnishes the answer to just one question. (Cf. § 7, p. 18.)

3. Verb-last position is required in all dependent clauses which are introduced by a relative, a conjunction, or a question word. Only the "unintroduced" object clause after verbs of saying and thinking (for example, Ich glaube, er ist krank; Er sagt, er will kommen) show verb-second position. (See also § 40, p. 48.)

II. Initial Position

If the subject with its modifiers occupies "initial position," that is, if it is the first element in the sentence, it is generally not stressed. Thus:

Ich kann den jungen Mann leider nicht heiraten.

Any other sentence element in initial position is strongly stressed, and is brought forward for that very purpose. Thus:

Leider kann ich den jungen Mann nicht heiraten.
Den jungen Mann kann ich leider nicht heiraten.
Heiraten kann ich den jungen Mann leider nicht.

197

III. Prefix Position

1. The position of the separable prefix (§ 50, p. 59) is generally reserved for those elements of the sentence which contain, so to speak, the very heart of the statement. If this essential idea is contained in the subject, even the subject may assume that position. Thus:

Des Königs Name nennt uns heute **fein Lied, fein Heldenbuch.** There is today not even a song or a book of hero-lore which names that king

2. Separable prefixes occupy this position just because they complete or specify the meaning of the main verb to such an extent that their omission would take away the heart of the statement. Thus:

Ich stehe morgen früh um sechs Uhr **auf.**

This sentence would have no meaning at all if auf were omitted.

3. In general, all those elements which complete or specify the meaning of the verb may be considered as separable prefixes, as far as position is concerned, and therefore take prefix position. Thus:

Jeden Morgen ging er um sechs Uhr zum Bahnhof.

The verbal idea here is zum Bahnhof gehen (*not* just gehen).

Sie wurde furz nach dem Tode ihres Vaters **frant.**

Verbal idea: frant werden.

Ich schicke die 100 Mart meinem Sohn.

Verbal idea: dem Sohn (**nicht** der Bant) schicken.

Ich schicke meinem Sohn die 100 Mart.

Verbal idea: die 100 Mart (von denen wir gesprochen haben) schicken.

NOTE. A comparison of the last two sentences shows clearly that prefix position enables the speaker to make distinctions in news values. With 100 Mart in prefix position, the news is the fact that somebody gets that sum of money; with meinem Sohn in prefix position, the news is the fact that the 100 marks under discussion go to the son, not somebody else.

4. The order of adverbial phrases is also influenced by the law of prefix position. Generally, adverbial elements are arranged in the sequence *time, manner, place,* but only because, in the majority of cases, that is the order of increasing importance, and hence the place-adverb occupies prefix position. Thus:

Ich fahre jeden Morgen mit dem Omnibus in die Stadt, or
Ich fahre mit dem Omnibus jeden Morgen in die Stadt.

But the law of increasing importance may force an entirely different arrangement upon a sentence. Thus:

Dann ging er in seinem Studierzimmer noch lange unruhig auf und ab.

IV. Position of nicht

The position of nicht is not subject to any mechanical rule. However, the following suggestions may be helpful:

1. As long as nicht negates the expression as a whole, it stands in front of the word or phrase which occupies prefix position, or, if there is no "prefix," at the very end of the declaratory sentence. Thus:

> Ich glaube ihm nicht.
> Er ist heute nicht zu Hause geblieben.

Verbal idea: zu Hause bleiben.

2. In order to negate just one element of the sentence, nicht precedes it. Thus:

Nicht ich habe ihn gerufen.

Ich stehe morgen nicht um 6 Uhr auf.

Ich habe nicht dich gerufen (sondern einen andern). Contrast with Ich habe dich nicht gerufen.

V. Order of Objects.

See § 25, p. 27.

VI. The Complex Sentence

Since most dependent clauses have verb-last position, and, if they begin the sentence, count as the first "element" of it (remember that they always answer just *one* question), the verb of the initial dependent clause (in verb-last position) and the verb of the main clause (in verb-second position) will be adjacent to each other. Thus:

> Als ich jung war, war ich schön.
> Wenn ich Geld hätte, kaufte ich mir ein Haus.

Frequently, however, the dependent clause is summed up and, so to speak, repeated by such adverbs as da, dann, and so. These adverbs are not counted, and stand after the comma and before the main verb. Thus:

Als ich jung war, da war ich schön.

Hätte ich Geld (Wenn ich Geld hätte), so kaufte ich mir ein Haus.

IRREGULAR NOUNS

Regular are all nouns whose declension is fixed by the nominative singular and plural (cf. § 27, p. 33).

Irregular are those nouns whose declension is not covered by the rules given in § 27. In this book only seven such nouns are part of the vocabulary burden:

der Friede(n), der Glaube, der Held, der Herr. das Herz, der Mensch, der Name.

They are declined as follows:

SINGULAR

Nom.	Friede(n)	Glaube	Name	Held	Mensch	Herz	Herr
Gen.	Friedens	Glaubens	Namens	Helden	Menschen	Herzens	Herrn
Dat.	Frieden	Glauben	Namen	Helden	Menschen	Herzen	Herrn
Acc.	Frieden	Glauben	Namen	Helden	Menschen	Herz	Herrn

PLURAL

Nom.	——	——	Namen	Helden	Menschen	Herzen	Herren
Gen.	——	——	Namen	Helden	Menschen	Herzen	Herren
Dat.	——	——	Namen	Helden	Menschen	Herzen	Herren
Acc.	——	——	Namen	Helden	Menschen	Herzen	Herren

NOTE. Many nouns of non-German origin, such as Student, follow the pattern of Held.

AUXILIARY VERBS*

1. sein

Infinitives	Imperatives
(zu) sein, gewesen (zu) sein	sei! seid! seien Sie! seien wir!

	Indicative	Imaginative	Indirect Discourse
PRESENT	bin	wäre	sei
	bist	wärest	seiest
	ist	wäre	sei
	sind	wären	seien
	seid	wäret	seiet
	sind	würen	seien
PAST	war	wäre gewesen	sei gewesen
	warst	wärest gewesen	seiest gewesen
	war	wäre gewesen	sei gewesen
	waren	wären gewesen	seien gewesen
	wart	wäret gewesen	seiet gewesen
	waren	wären gewesen	seien gewesen
PRESENT PERFECT	bin gewesen	——	——
	bist gewesen	——	——
	ist gewesen	——	——
	sind gewesen	——	——
	seid gewesen	——	——
	sind gewesen	——	——
PAST PERFECT	war gewesen	——	——
	warst gewesen	——	——
	war gewesen	——	——
	waren gewesen	——	——
	wart gewesen	——	——
	waren gewesen	——	——
FUTURE	werde sein	würde sein	——
	wirst sein	würdest sein	——
	wird sein	würde sein	werde sein
	werden sein	würden sein	——
	werdet sein	würdet sein	——
	werden sein	würden sein	——

*Forms with du and ihr are given in lightface type; the polite form with Sie is identical with the third person plural. Cf. footnote on page 16.

2. haben

Infinitives		Imperatives
(zu) haben, gehabt (zu) haben		habe! habt! haben Sie! haben wir!

		Indicative	Imaginative	Indirect Discourse
PRESENT		habe	hätte	——
		haft	hätteft	——
		hat	hätte	habe
		haben	hätten	——
		habt	hättet	——
		haben	hätten	——
PAST		hatte	hätte gehabt	——
		hatteft	hätteft gehabt	——
		hatte	hätte gehabt	habe gehabt
		hatten	hätten gehabt	——
		hattet	hättet gehabt	——
		hatten	hätten gehabt	——
PRESENT PERFECT		habe gehabt	——	——
		haft gehabt	——	——
		hat gehabt	——	——
		haben gehabt	——	——
		habt gehabt	——	——
		haben gehabt	——	——
PAST PERFECT		hatte gehabt	——	——
		hatteft gehabt	——	——
		hatte gehabt	——	——
		hatten gehabt	——	——
		hattet gehabt	——	——
		hatten gehabt	——	——
FUTURE		werde haben	würde haben	——
		wirft haben	würdeft haben	——
		wird haben	würde haben	werde haben
		werden haben	würden haben	——
		werdet haben	würdet haben	——
		werden haben	würden haben	——

3. werden

Infinitives	Imperatives
(zu) werden, geworden (zu) fein	werbe! werbet! werben Sie! werben wir!

		Indicative	Imaginative	Indirect Discourse
PRESENT		werbe	würde	——
		wirft	würdeft	——
		wirb	würde	——
		werben	würben	——
		werbet	würdet	——
		werben	würben	——
PAST		wurbe	wäre geworben	fei geworben
		wurbeft	wäreft geworben	feieft geworben
		wurbe	wäre geworben	fei geworben
		wurben	wären geworben	feien geworben
		wurbet	wäret geworben	feiet geworben
		wurben	wären geworben	feien geworben
PRESENT PERFECT	bin geworben		——	——
	bift geworben		——	——
	ift geworben		——	——
	finb geworben		——	——
	feib geworben		——	——
	finb geworben		——	——
PAST PERFECT	war geworben		——	——
	warft geworben		——	——
	war geworben		——	——
	waren geworben		——	——
	wart geworben		——	——
	waren geworben		——	——
FUTURE	werbe werben		würde werben	——
	wirft werben		würdeft werben	——
	wirb werben		würde werben	werbe werben
	werben werben		würben werben	——
	werbet werben		würdet werben	——
	werben werben		würben werben	——

4. dürfen, müssen, sollen

Infinitives

(zu) dürfen, (zu) müssen, (zu) sollen; gedurft, gemußt, gesollt (zu) haben

	Indicative			Imaginative		Indirect Discourse		
PRESENT	darf	muß	soll		te	dürfe	müsse	solle
	darfst	mußt	sollst		test	dürfest	müssest	sollest
	darf	muß	soll	dürf=	te	dürfe	müsse	solle
				müß=				
	dürfen	müssen	sollen	soll=	ten	——	——	——
	dürft	mußt	sollt		tet	——	——	——
	dürfen	müssen	sollen		ten	——	——	——
PAST			te	hätte	gedurft	—		gedurft
			test	hättest	gemußt	—		gemußt
	durf=		te	hätte	gesollt	habe		gesollt
	muß=				or			or
	soll=		ten	hätten	dürfen	—		dürfen
			tet	hättet	müssen	—		müssen
			ten	hätten	sollen	—		sollen
PRESENT PERFECT	habe	gedurft		——		——		
	hast	gemußt		——		——		
	hat	gesollt		——		——		
		or						
	haben	dürfen		——		——		
	habt	müssen		——		——		
	haben	sollen		——		——		
PAST PERFECT	hatte	gedurft		——		——		
	hattest	gemußt		——		——		
	hatte	gesollt		——		——		
		or						
	hatten	dürfen		——		——		
	hattet	müssen		——		——		
	hatten	sollen		——		——		
FUTURE	werde		würde			——		
	wirst		würdest			——		
	wird	dürfen	würde	dürfen		werde	dürfen	
		müssen		müssen			müssen	
	werden	sollen	würden	sollen		——	sollen	
	werdet		würdet			——		
	werden		würden			——		

5. können, mögen, wollen

Infinitives

(zu) können, (zu) mögen, (zu) wollen; gekonnt, gemocht, gewollt (zu) haben

	Indicative	Imaginative	Indirect Discourse
PRESENT	kann mag will kannst magst willst kann mag will können mögen wollen könnt mögt wollt können mögen wollen	könn= möch= woll= te test te ten tet ten	könne möge wolle könnest mögest wollest könne möge wolle — — — — — — — — —
PAST	konn= moch= woll= te test te ten tet ten	hätte gekonnt hättest gemocht hätte gewollt or hätten können hättet mögen hätten wollen	— gekonnt — gemocht habe gewollt or — können — mögen — wollen
PRESENT PERFECT	habe gekonnt hast gemocht hat gewollt or haben können habt mögen haben wollen	—	—
PAST PERFECT	hatte gekonnt hattest gemocht hatte gewollt or hatten können hattet mögen hatten wollen	—	—
FUTURE	werde wirst wird können mögen werden wollen werdet werden	würde würdest würde können mögen würden wollen würdet würden	— — werde können mögen — wollen —

WEAK VERBS

1. ACTIVE

Infinitives   **Imperatives**

(zu) holen, geholt (zu) haben   hole! holt! holen Sie! holen wir!

	Indicative	Imaginative	Indirect Discourse
PRESENT	hole holſt holt holen holt holen	holte holteſt holte holten holtet holten	—— —— hole —— —— ——
PAST	holte holteſt holte holten holtet holten	hätte geholt hätteſt geholt hätte geholt hätten geholt hättet geholt hätten geholt	—— —— habe geholt —— —— ——
PRESENT PERFECT	habe geholt haſt geholt hat geholt haben geholt habt geholt haben geholt	—— —— —— —— —— ——	—— —— —— —— —— ——
PAST PERFECT	hatte geholt hatteſt geholt hatte geholt hatten geholt hattet geholt hatten geholt	—— —— —— —— —— ——	—— —— —— —— —— ——
FUTURE	werde holen wirſt holen wird holen werden holen werbet holen werden holen	würde holen würdeſt holen würde holen würden holen würdet holen würden holen	—— —— werde holen —— —— ——

2. ACTIONAL PASSIVE

Infinitives

geholt (zu) werden, geholt worden (zu) fein

	Indicative	Imaginative		Indirect Discourse	
PRESENT	werde geholt wirst geholt wird geholt werden geholt werdet geholt werden geholt	würde geholt würdest geholt würde geholt würden geholt würdet geholt würden geholt		werde geholt	
PAST	wurde geholt wurdest geholt wurde geholt wurden geholt wurdet geholt wurden geholt	wäre wärest wäre wären wäret wären	geholt worden	sei seiest sei seien seiet seien	geholt worden
PRESENT PERFECT	bin geholt worden bist geholt worden ist geholt worden sind geholt worden seid geholt worden sind geholt worden	—— —— —— —— —— ——		—— —— —— —— —— ——	
PAST PERFECT	war geholt worden warst geholt worden war geholt worden waren geholt worden wart geholt worden waren geholt worden	—— —— —— —— —— ——		—— —— —— —— —— ——	
FUTURE	werde geholt werden wirst geholt werden wird geholt werden werden geholt werden werdet geholt werden werden geholt werden	würde würdest würde würden würdet würden	geholt werden	werde geholt werden	

STRONG VERBS

1. ACTIVE

Infinitives		Imperatives
(zu) schlagen, geschlagen (zu) haben		schlage! schlagt! schlagen Sie! schlagen wir!

	Indicative	Imaginative	Indirect Discourse
PRESENT	schlage	schlüge	——
	schlägst	schlügest	——
	schlägt	schlüge	schlage
	schlagen	schlügen	——
	schlagt	schlüget	——
	schlagen	schlügen	——
PAST	schlug	hätte geschlagen	——
	schlugst	hättest geschlagen	——
	schlug	hätte geschlagen	habe geschlagen
	schlugen	hätten geschlagen	——
	schlugt	hättet geschlagen	——
	schlugen	hätten geschlagen	——
PRESENT PERFECT	habe geschlagen	——	——
	hast geschlagen	——	——
	hat geschlagen	——	——
	haben geschlagen	——	——
	habt geschlagen	——	——
	haben geschlagen	——	——
PAST PERFECT	hatte geschlagen	——	——
	hattest geschlagen	——	——
	hatte geschlagen	——	——
	hatten geschlagen	——	——
	hattet geschlagen	——	——
	hatten geschlagen	——	——
FUTURE	werde schlagen	würde schlagen	——
	wirst schlagen	würdest schlagen	——
	wird schlagen	würde schlagen	werde schlagen
	werden schlagen	würden schlagen	——
	werdet schlagen	würdet schlagen	——
	werden schlagen	würden schlagen	——

2. ACTIONAL PASSIVE

Infinitives

geschlagen (zu) werden, geschlagen worden (zu) sein

		Indicative			Imaginative		Indirect Discourse
PRESENT		werde	geschlagen	würde	geschlagen		
		wirst	geschlagen	würdest	geschlagen		
		wird	geschlagen	würde	geschlagen	werde geschlagen
		werden	geschlagen	würden	geschlagen	
		werdet	geschlagen	würdet	geschlagen	
		werden	geschlagen	würden	geschlagen	
PAST		wurde	geschlagen	wäre		sei	
		wurdest	geschlagen	wärest		seiest	
		wurde	geschlagen	wäre	geschlagen worden	sei	geschlagen worden
		wurden	geschlagen	wären		seien	
		wurdet	geschlagen	wärest		seiet	
		wurden	geschlagen	wären		seien	
PRESENT PERFECT		bin	geschlagen worden	——		——
		bist	geschlagen worden	——		——
		ist	geschlagen worden	——		——
		sind	geschlagen worden	——		——
		seid	geschlagen worden	——		——
		sind	geschlagen worden	——		——
PAST PERFECT		war	geschlagen worden	——		——
		warst	geschlagen worden	——		——
		war	geschlagen worden	——		——
		waren	geschlagen worden	——		——
		wart	geschlagen worden	——		——
		waren	geschlagen worden	——		——
FUTURE		werde	geschlagen werden	würde		——
		wirst	geschlagen werden	würdest		——
		wird	geschlagen werden	würde	geschlagen werden	werde geschlagen werden
		werden	geschlagen werden	würden		——
		werdet	geschlagen werden	würdet		——
		werden	geschlagen werden	würden		——

REFLEXIVE VERBS

Infinitives	Imperatives
ſich (zu) freuen, ſich gefreut (zu) haben	freue dich! freut euch! freuen Sie ſich! freuen wir uns!

	Indicative	Imaginative	Indirect Discourse
PRESENT	freue mich freuſt dich freut ſich freuen uns freut euch freuen ſich	freute mich freuteſt dich freute ſich freuten uns freutet euch freuten ſich	—— —— freue ſich —— —— ———
PAST	freute mich freuteſt dich freute ſich freuten uns freutet euch freuten ſich	hätte mich gefreut hätteſt dich gefreut hätte ſich gefreut hätten uns gefreut hättet euch gefreut hätten ſich gefreut	—— —— habe ſich gefreut —— —— ——
PRESENT PERFECT	habe mich gefreut haſt dich gefreut hat ſich gefreut haben uns gefreut habt euch gefreut haben ſich gefreut	—— —— —— —— —— ——	—— —— —— —— —— ——
PAST PERFECT	hatte mich gefreut hatteſt dich gefreut hatte ſich gefreut hatten uns gefreut hattet euch gefreut hatten ſich gefreut	—— —— —— —— —— ——	—— —— —— —— —— ——
FUTURE	werde mich freuen wirſt dich freuen wird ſich freuen werden uns freuen werdet euch freuen werden ſich freuen	würde mich freuen würdeſt dich freuen würde ſich freuen würden uns freuen würdet euch freuen würden ſich freuen	—— —— werde ſich freuen —— —— ——

COMPOUND VERBS

Infinitives	Imperatives
ab(zu)rufen, abgerufen (zu) haben	rufe ab! ruft ab! rufen Sie ab! rufen wir ab!

	Indicative	Imaginative	Indirect Discourse
PRESENT	rufe ab rufst ab ruft ab rufen ab ruft ab rufen ab	riefe ab riefest ab riefe ab riefen ab riefet ab riefen ab	—— —— rufe ab —— —— ——
PAST	rief ab riefst ab rief ab riefen ab rieft ab riefen ab	hätte abgerufen hättest abgerufen hätte abgerufen hätten abgerufen hättet abgerufen hätten abgerufen	—— —— habe abgerufen —— —— ——
PRESENT PERFECT	habe abgerufen hast abgerufen hat abgerufen haben abgerufen habt abgerufen haben abgerufen	—— —— —— —— —— ——	—— —— —— —— —— ——
PAST PERFECT	hatte abgerufen hattest abgerufen hatte abgerufen hatten abgerufen hattet abgerufen hatten abgerufen	—— —— —— —— —— ——	—— —— —— —— —— ——
FUTURE	werde abrufen wirst abrufen wird abrufen werden abrufen werdet abrufen werden abrufen	würde abrufen würdest abrufen würde abrufen würden abrufen würdet abrufen würden abrufen	—— —— werde abrufen —— —— ——

WEIGHTS,* MEASURES,* MONEY

SOME EQUIVALENTS

Weights

1 oz = 28,35 g	1 short ton = 907 kg	1 Pfund = 1.1 lb
1 lb = 453,6 g	1 g = 0.035 oz	1 Zentner = 100 Pfund
1 long ton = 1 016 kg	1 kg = 2.2 lb	1 Tonne = 1000 kg

NOTE. Pfund is no longer used officially.

Linear Measures

1 in. = 25,4 mm	1 mm = 0.039 in.
1 ft = 30,48 cm	1 cm = 0.39 in.
1 yd = 91,44 cm	1 m = 3.28 ft
1 mi = 1,6 km	1 km = 1093.6 yd, 0.62 mi

NOTE. Zoll (*inch*), Fuß (*foot*), Meile (*mile*), are no longer used.

Surface Measures

1 sq in. = 6,45 qcm	1 qcm = 0.155 sq in.
1 sq ft = 929 qcm	1 qm = 10.76 sq ft, 1.20 sq yd
1 sq yd = 0,836 qm	1 a = 120 sq yd, 0.025 acre
1 acre = 40,5 a	1 ha = 2.47 acres
1 sq mi = 259 ha, 2,59 qkm	

NOTE. Morgen, Quadratzoll, Quadratfuß, are no longer used; a = Ar.

Solid Measures

1 cu in. = 16,39 ccm	1 cdm = 61 cu in.
1 cu ft = 28,316 ccm	1 cbm = 1 cu yd + 8 cu ft + 547 cu in.
1 cu yd = 0,76 cbm	

Liquid Measures

1 pt = 0,47 l	1 l = 1.057 qt, 0.22 gal
1 qt = 0,95 l	1 hl = 22 gal
1 gal = 3,79 l	1 kl = 220 gal

---

*In these tables the comma stands for the decimal point in German figures.

Human Heights

5′ 0″ = 1,52 m	5′ 7″ = 1,70 m	6′ 2″ = 1,88 m
5′ 1″ = 1,55 m	5′ 8″ = 1,73 m	6′ 3″ = 1,91 m
5′ 2″ = 1,57 m	5′ 9″ = 1,75 m	6′ 4″ = 1,93 m
5′ 3″ = 1,60 m	5′ 10″ = 1,78 m	6′ 5″ = 1,96 m
5′ 4″ = 1,62 m	5′ 11″ = 1,80 m	6′ 6″ = 1,98 m
5′ 5″ = 1,65 m	6′ 0″ = 1,83 m	6′ 7″ = 2,01 m
5′ 6″ = 1,68 m	6′ 1″ = 1,86 m	

Temperatures

Fahrenheit	Celsius
212	100
104	40
100	38
98,6	37
90	32
80	27
70	21
60	15
50	10
40	4
32	0
30	− 1
20	− 7
10	− 12
0	− 18
− 10	− 23
− 20	− 29
− 30	− 34

Money

The monetary unit of Germany is the mark, divided into 100 pfennigs. Its exchange value is approximately $0.24.

COMMON STRONG AND IRREGULAR VERBS

Infinitive	Past	Past Participle	Third Singular	Meaning
anfangen	fing an	angefangen	fängt an	to begin
befehlen	befahl	befohlen	befiehlt	to command
beginnen	begann	begonnen	beginnt	to begin
bekommen	bekam	bekommen	bekommt	to get
beweisen	bewies	bewiesen	beweist	to prove
binden	band	gebunden	bindet	to bind
bitten	bat	gebeten	bittet	to request
bleiben	blieb	geblieben	bleibt	to remain
brechen	brach	gebrochen	bricht	to break
brennen	brannte	gebrannt	brennt	to burn
bringen	brachte	gebracht	bringt	to bring
denken	dachte	gedacht	denkt	to think
dringen	drang	gedrungen	dringt	to press (forward)
dürfen	durfte	gedurft	darf	to be permitted to
empfangen	empfing	empfangen	empfängt	to receive
empfinden	empfand	empfunden	empfindet	to feel
entschließen	entschloß	entschlossen	entschließt	to resolve
erfahren	erfuhr	erfahren	erfährt	to experience
erkennen	erkannte	erkannt	erkennt	to recognize
erschaffen	erschuf	erschaffen	erschafft	to create
erschrecken	erschrak	erschrecken	erschrickt	to be frightened
essen	aß	gegessen	ißt	to eat
fahren	fuhr	gefahren	fährt	to ride
fallen	fiel	gefallen	fällt	to fall
fangen	fing	gefangen	fängt	to catch
finden	fand	gefunden	findet	to find
fließen	floß	geflossen	fließt	to flow
gebären	(gebar)*	geboren	(gebiert)*	to give birth
geben	gab	gegeben	gibt	to give
gefallen	gefiel	gefallen	gefällt	to please
gehen	ging	gegangen	geht	to go
gelingen	gelang	gelungen	gelingt	to succeed
gelten	galt	gegolten	gilt	to be valid
geschehen	geschah	geschehen	geschieht	to happen
gleichen	glich	geglichen	gleicht	to equal
greifen	griff	gegriffen	greift	to grip
haben	hatte	gehabt	hat	to have
halten	hielt	gehalten	hält	to hold
hängen	hing	gehangen, gehängt	hängt	to hang
heben	hob	gehoben	hebt	to lift
heißen	hieß	geheißen	heißt	to be named

*Not much used today.

Infinitive	Past	Past Participle	Third Singular	Meaning
helfen	half	geholfen	hilft	to help
kennen	kannte	gekannt	kennt	to be acquainted with
kommen	kam	gekommen	kommt	to come
können	konnte	gekonnt	kann	to be able to
lassen	ließ	gelassen	läßt	to let
laufen	lief	gelaufen	läuft	to run
leiden	litt	gelitten	leidet	to suffer
lesen	las	gelesen	liest	to read
liegen	lag	gelegen	liegt	to lie (flat)
lügen	log	gelogen	lügt	to (tell a) lie
messen	maß	gemessen	mißt	to measure
mögen	mochte	gemocht	mag	to like to
müssen	mußte	gemußt	muß	to have to
nehmen	nahm	genommen	nimmt	to take
nennen	nannte	genannt	nennt	to name
raten	riet	geraten	rät	to advise
reißen	riß	gerissen	reißt	to tear
rufen	rief	gerufen	ruft	to call
schaffen	schuf	geschaffen	schafft	to create
scheiden	schied	geschieden	scheidet	to separate
schlafen	schlief	geschlafen	schläft	to sleep
schlagen	schlug	geschlagen	schlägt	to strike
schließen	schloß	geschlossen	schließt	to shut
schneiden	schnitt	geschnitten	schneidet	to cut
schreiben	schrieb	geschrieben	schreibt	to write
schreien	schrie	geschrieen	schreit	to cry
schreiten	schritt	geschritten	schreitet	to stride
schweigen	schwieg	geschwiegen	schweigt	to be silent
schwinden	schwand	geschwunden	schwindet	to disappear
sehen	sah	gesehen	sieht	to see
sein	war	gewesen	ist	to be
singen	sang	gesungen	singt	to sing
sinken	sank	gesunken	sinkt	to sink
sitzen	saß	gesessen	sitzt	to sit
sollen	sollte	gesollt	soll	to be expected to
sprechen	sprach	gesprochen	spricht	to speak
springen	sprang	gesprungen	springt	to spring
stechen	stach	gestochen	sticht	to stick
stehen	stand	gestanden	steht	to stand
steigen	stieg	gestiegen	steigt	to rise
sterben	starb	gestorben	stirbt	to die
stoßen	stieß	gestoßen	stößt	to thrust
tragen	trug	getragen	trägt	to bear
treffen	traf	getroffen	trifft	to hit
treiben	trieb	getrieben	treibt	to drive
treten	trat	getreten	tritt	to tread

Infinitive	Past	Past Participle	Third Singular	Meaning
tun	tat	getan	tut	to do
verbieten	verbot	verboten	verbietet	to forbid
vergeben	vergab	vergeben	vergibt	to forgive
vergessen	vergaß	vergessen	vergißt	to forget
verlieren	verlor	verloren	verliert	to lose
verschwinden	verschwand	verschwunden	verschwindet	to disappear
versprechen	versprach	versprochen	verspricht	to promise
verstehen	verstand	verstanden	versteht	to understand
wachsen	wuchs	gewachsen	wächst	to grow
wenden	wandte, wendete	gewandt, gewendet	wendet	to turn
werden	wurde	geworden	wird	to become
werfen	warf	geworfen	wirft	to throw
wissen	wußte	gewußt	weiß	to know
wollen	wollte	gewollt	will	to will
ziehen	zog	gezogen	zieht	to draw; march
zwingen	zwang	gezwungen	zwingt	to compel

GERMAN-ENGLISH VOCABULARY

𝒢𝓌𝓋

EXPLANATORY NOTE. As elsewhere in this book, special attention is paid in the vocabulary to the associative principle; hence English cognates are given in italic type wherever they seem to be helpful, and words are grouped in word-families under the parent stems. English words in parentheses are either (1) cognates not to be used in translating, or (2) words which might be used for translating in some places but not in others. Noun plurals are given, but only the genitives of irregular nouns (see page 200). Parts of strong and irregular verbs will be found in the verb list on pages 214–216. To assist the student, basic forms are given even though they may not occur in the text; hence, although the "vocabulary burden" of the book is about 585 words, this vocabulary contains about 1170 words which would be listed in any standard dictionary as separate entries. Not listed here, however, are upwards of 1200 compounds and locutions given in the sections entitled "Enlarging Your Vocabulary," most if not all of which will be immediately understandable to the student as soon as he has mastered the basic words from which they are derived. Thus the "vocabulary yield" of the book is about four times its "vocabulary burden."

ab *off*, away; down; ab und zu now and then; auf und ab up and down, to and fro; herab' down (toward me); hinab' down (away from me)

ab=brechen. *See* brechen

der Abend, –e *even*ing; das Abendessen, die Abendsonne

aber but, however

ab=fahren. *See* fahren

der Abfall. *See* fallen

ab=hängen. *See* hängen

ab=laufen. *See* laufen

ab=rufen. *See* rufen

der Abschied. *See* scheiden

der Abschnitt. *See* schneiden

abschreckend. *See* Schreck

ab=schwächen. *See* schwach

die Absicht, –en intention

ab=springen. *See* springen

ab=stehen, abstehend. *See* stehen

ab=wenden. *See* wenden

ab=ziehen. *See* ziehen

acht *eight*

achten to esteem; regard; verachten to despise, scorn; verächtlich contemptible; die Verachtung contempt

all *all*; alles everything; vor allem above all

allein' *alone*

allgemein. *See* gemein

allmächtig. *See* Macht

allwissend. *See* wissen

als (*conj.*) when; (*adv.*) than; as; als ob as if

also therefore, so

alt *old*; die Alte old woman; das Alter age; älter elderly. *Cf.* Eltern

an at; to; against

der Anblick. *See* blicken

ander= (*attrib. adj.*) *other*; different; next; etwas anderes something else; ändern to change, alter; anders (*adv. or pred. adj.*) different(ly); otherwise

an=fangen to begin; manage, contrive; der Anfang beginning

angenehm pleasant, agreeable; unangenehm unpleasant, disagreeable

an=halten. *See* halten

an=rufen. *See* rufen

an=sehen. *See* sehen

antworten to (give an) *answer*; beantworten to answer (a question)

arbeiten to work, labor; die Arbeit work, labor; der Arbeiter worker, laborer; der Arbeitgeber (work-giver), employer; der Arbeitnehmer (work-taker), employee; arbeitslos (workless), unemployed

ärgern to vex; sich ärgern to be vexed; der Ärger vexation, annoyance

arm poor; wretched

der Arm, –e *arm*

die Art, –en sort, kind; auf diese Art und Weise in this way

der Arzt, ̈–e physician, doctor (of medicine)

atmen to breathe; der Atem breath

auch also, too; even; auch nicht not . . . either

auf upon, onto; to; auf den Feldern in the fields

auf=blicken. *See* blicken

auf=geben. *See* geben

auf=halten. *See* halten

auf=laufen. *See* laufen

auf=lösen. *See* lösen

auf=springen. *See* springen

auf=stehen. *See* stehen

das Auge, –en *eye*

der Augenblick, –e (eye-glance), moment

aus *out* (of); from

die Ausbildung. *See* bilden

aus=brechen. *See* brechen

der Ausdruck. *See* drücken

der Ausgang, aus=gehen. *See* gehen

der Ausländer, ausländisch. *See* Land

aus=lassen. *See* lassen

aus=schließen. *See* schließen

außen outside; draußen outside, out of doors

außer (*outer*), outside of, apart from; außerdem apart from that, besides

aus=stoßen. *See* stoßen

aus=suchen. *See* suchen

die Austreibung. *See* treiben

aus=üben. *See* üben

bald soon; bald . . . bald now . . . now

das Band. *See* binden

bauen to build, construct

be=. *See* § 108, *p. 137*

beantworten. *See* antworten

bedecken. *See* decken

bedeuten to mean, signify; die Bedeutung meaning, significance

beenden. *See* Ende

befehlen to command, order

befreien. *See* frei

befreundet. *See* Freund

befriedigt. *See* Frieden

beginnen to *begin*; der Beginn beginning

die Begrenzung. *See* Grenze

behaupten to maintain, assert, claim

bei (in space), beside, with, near; in; in connection with; in spite of; bei Ihnen in your house; beim Essen at dinner; dabei' in that connection

beide (*pl.*) *both*; two

das Beisein the presence (of somebody)

das Beispiel, –e example; z. B. (zum Beispiel) for example, for instance

bekommen to get, receive

beobachten to observe

berechnend. *See* rechnen

bereit' ready

der Berg, –e mountain

berichten to report; der Bericht report

beruhen. *See* ruhen

besehen. *See* sehen

der Besitz. *See* sitzen

beson'der= (*adj.*) special; beson'ders especially

besser, best better, best; die Besserung betterment, improvement; reform

bestimmt definite(ly), certain(ly); without doubt

betreten. *See* treten

das Bett, –en *bed*; das Ruhebett couch, day *bed*

bewegen to move; bewegungslos motionless; unbewegt unmoved

beweisen to prove

bezahlen. *See* zahlen

das Bild, –er picture

bilden to form, make; **ſich bilden** to form (oneself); **die Bildung** formation; **die Ausbildung** forming, training, development, education

binden to *bind*, tie, fasten; **das Band** tie, *bond*; **der Band** book, volume; **der Bund** league; **verbinden** to connect, link, unite; **ſich verbünden** (*cf.* **Bund**) league oneself

bis (*conj.*) until; **bis dahin** up to that point; **bis auf, bis zu** (all the way) to

bitten to ask, request (somebody for something); invite; **bitte** please

bitter, bitterlich *bitter(ly)*; **verbittern** to *embitter*

blau *blue*; **tief blau** *deep-blue*

das Blei lead (mineral)

bleiben to remain, stay

bliden to look, glance; **der Blid** look, glance (*cf.* **Augenblid**); **der Anblid** sight

blind *blind*; **geblendet** *blinded*; **verblenden** to *blind*, make *blind*

blühen (*blow*), to bloom

das Blut *blood*; **blutig** *bloody*

böſe evil, wicked; **die Macht des Böſen** the power of evil

brauchen to need; use; **brauchbar** usable, useful. *Cf.* **gebrauchen**

brechen to *break*; **ab-brechen** to break off; cease; break off *or* down; **durchbre'chen** to break through, pierce; force (a passage)

brennen to *burn*; **brennend** burning, flaming; lighted; **verbrennen** to burn up; consume

bringen to *bring*; present (in print); **ein-bringen** to bring in; **mit-bringen** to bring along

die Brüde, –n *bridge*

die Bruſt, ⸚e *breast*, chest

das Buch, ⸚er *book*; **das Fauſtbuch** (Faust *book*), Faust chapbook; **das Tagebuch** (*daybook*), diary

der Bürger, — citizen, *burgher*; **gutbürger-lich** (*p. 150, line 12*) conventional; **der Staatsbürger** (*state*) citizen

da (*conj.*) since; (*adv.*) there; in that matter

da=. *See the end syllable or word*

dabei'. *See* **bei**

dafür', da'für. *See* **für**

daher', da'her therefore, on that account

dahin' (bringen) to that *or* such a point

die Dame, –n (*dame*), lady

damit', da'mit. *See* **mit**

damit', (*conj.*) in order that

danken to *thank*; **dankbar** thankful, grateful; **gottſeidank** thank God, fortunately

dann *then*

darin', dar'in. *See* **in**

darü'ber, dar'über. *See* **über**

darum', dar'um therefore, for that reason (*cf.* **warum**)

daß (*conj.*) *that*

davon', da'von. *See* **von**

dazu', da'zu. *See* **zu**

deden to cover; **bededen** to cover; **ent-deden** to discover; **die Entdedung** discovery

denken to *think*; **ſich denken** to imagine; **denken an** to be thinking of *or* to come to think of; **denken von** to have an opinion about; **erdenken** to think up; **zurüd'-denken** to think back; **der Gedanke** thought; idea, notion; **nachdenklich** thoughtful, reflective

denn (*conj.*) for; (*particle*; *see § 69, p. 79*) *usually not translated*

deutſch German (person); German (language); **Deutſchland** Germany; **der Deutſchlehrer** teacher of German; **die Deutſchſtunde** (German hour), lesson in German

der Dichter, — poet; **die Dichtung** poetry; poem, poetic work

dienen to serve; **der Diener** servant; **der Dienſt** service

dieſer *this*; **diesmal** this time (*cf.* **Mal**)

das Ding, –e *thing*; object

doch (*§ 69, p. 79*) but, yet; after all; **zeigt mir doch** do show me; **doch!** wrong!

der **Donner** *thunder*; der Donnerſchlag thunderpeal, thunderbolt

dort *there*

draußen. *See* außen

drei *three*

das **Dreikörperproblem'**. *See* Körper

dreißig *thirty*

dringen (*throng*), to press (onward, forward); dringen in to penetrate; durch= dringend piercing; ein=dringen to pierce, penetrate; eindringlich insistent(ly), urgent(ly)

drittens *third*(ly)

drücken to press, squeeze; der Ausdruck expression; unterdrü'cken to suppress; oppress

dumm stupid, *dumb*

dunkel dark; vague, obscure

durch *through*; by means of

durchbre'chen. *See* brechen

durchdringend. *See* dringen

durch=leſen. *See* leſen

durchſu'chen. *See* ſuchen

dürfen (§ 36, *p. 46*) to be permitted, allowed; darf ich? may I? du darfſt nicht you mustn't

der **Durſt** *thirst*; dürſten (nach) to *thirst* (after, for); der Wiſſensdurſt *thirst* for knowledge

eben *even*; just; ſoe'ben just now

die **Ehe**, –n marriage; das Ehezimmer marital room, conjugal room

die **Ehre**, –n honor; verehrt honored, revered

eigen *own*

eilen, ſich to hurry, haste(n)

ein *a, an*; one

ein= *prefix form of* in

einan'der each other, one another

ein=bringen. *See* bringen

ein=dringen, eindringlich. *See* bringen

einfach simple, simply; common, ordinary. *Cf.* Fach

der **Einfluß**. *See* fließen

ein=führen. *See* führen

ein=geben. *See* geben

ein=gehen. *See* gehen

ein=hängen. *See* hängen

einige (*pl.*) a few, some

einmal. *See* Mal

ein=reden. *See* reden

ein=ſchlafen. *See* ſchlafen

ein=ſehen. *See* ſehen

einſt *once* (in the past *or* future)

die **Eintragung**. *See* tragen

ein=treten. *See* treten

einzeln single, singly

das **Eis** *ice*; eiſig *icy*; eiskalt *ice-cold*

elf *eleven*

die **Eltern** (*pl.*) (*elders*), parents; die Voreltern forebears, ancestors

empfangen to receive; empfänglich receptive

empfinden to feel, sense; empfindlich sensitive

das **Ende**, –n *end*; am Ende at the end, ultimately; zu Ende at an end; endlich at last, finally; die Endung ending; beenden to end, terminate; enden to (come to an) end

die **Entdeckung**. *See* decken

entkommen. *See* kommen

entlaufen. *See* laufen

entſchließen, ſich to resolve, decide; ent= ſchloſſen determined; resolute(ly)

entſpringen. *See* ſpringen

entweder . . . oder either . . . or

entziehen. *See* ziehen

er=. *See* § 109, *p. 138*

erdacht. *See* denken

die **Erde**, –n *earth*; irdiſch earthy, earthly

erfahren to learn, find out (*cf.* fahren)

erfinden. *See* finden

der **Erfolg**, –e success (*cf.* folgen)

ergründen. *See* Grund

erheben. *See* heben

erinnern an to remind of; ſich erinnern (an) to remember; die Erinnerung recollection

erkennen to get to know; recognize; die Erkenntnis realization; (mental) grasp (of something)

erklären. *See* klar

=**erlei** kinds of; **keinerlei** no sort of

erleichtert. *See* leicht

ermorden. *See* Mord

erniedrigen. *See* niedrig

erobern to conquer, subdue (*cf.* oben)

erraten. *See* raten

die Erschaffung. *See* schaffen

erscheinen. *See* scheinen

erschrocken. *See* Schreck

erst only; not until; first; **erstens** first(ly)

ersterben. *See* sterben

ertragen. *See* tragen

erwachen. *See* wach

erwähnen to mention, refer to

erwarten. *See* warten

erweitern. *See* weit

erwidern. *See* wider

erzählen to relate, *tell* (a story)

essen to *eat*; **das Abendessen** (evening eating), supper, dinner

etwa perhaps, (I'd like to know, I wonder); about, approximately

etwas something; somewhat

ewig eternal, everlasting; **der Ewige** the Eternal (One); **die Ewigkeit** eternity

das Fach, ="er subject, field (of specialization) (*cf.* einfach)

fahren to drive, (*fare*), ride; go (away); dash, speed; **in die Höhe fahren** to start up; **ab-fahren** to leave, depart; **fort-fahren** to continue; **mit-fahren** to ride along; **zurück'-fahren** to drive back, return; **die Fahrt** trip, journey

fallen to *fall*; die (*e.g.* in battle); be mentioned; **jemandem in die Rede fallen** to interrupt; **der Fall** case; **auf keinen Fall** in no case, by no means, on no account; **jemanden zu Fall bringen** to cause someone's downfall; **der Abfall** the falling away, defection

fangen to catch; **auf-fangen** to catch up; **gefangen halten** to hold captive

fassen to seize, grasp (*also* with the mind); **die Fassung** composure; **fassungslos** disconcerted, unnerved

fast almost

das Faustbuch. *See* Buch

die Feder, –n feather; goose quill, pen

fehlen to be lacking; **mir fehlt nichts** I lack nothing

fein *fine*, choice

der Feind, –e *foe*, enemy

das Feld, –er *field*

fern *far*, distant, remote; **die Ferne** distance, space

fest firm, *fast*, steady; tight; **fest-legen** (*lay fast*), to determine, establish

das Fest, –e *feast*, festival, party

das Feuer, — *fire*; **feuerfest** fireproof

finden to *find*; think; **erfinden** to invent; **wieder-finden** to recover

fließen to *flow*; **fließend** flowing; **der Einfluß** influence

der Fluch, ="e curse; **verflucht** accursed

folgen to *follow* (*also* mentally); **die Folge** consequence; **folgend** following; **der Nachfolger** successor

fordern to demand

fort (*forth*), gone, away, on(ward); **fort-fahren** to continue; **fort-reißen** to carry away (*also figuratively*); **der Fortschritt** (step forward), progress; **fortgeschritten** advanced; **die Fortsetzung** continuation, sequel

fragen to ask, inquire; **die Frage** question; **fragend** inquiring(ly)

die Frau, –en woman; wife; Mrs.

frei *free*; **befreien** to set free, liberate; **die Freiheit** freedom, liberty; **sich frei-machen** to free oneself

die Freude, –n joy; **sich freuen** to rejoice, be glad

der Freund, –e *friend*; **die Freundin** (female) friend; **freundlich** friendly; **unfreundlich**; **befreundet (mit)** on friendly terms (with)

der Friede(n) (*see p. 200*) peace; **befriedigt** contented; **friedlich** peaceful

froh happy, joyous, glad

die Frucht, ="e *fruit*

früh early

der Frühling spring (of the year)

das Frühſtück breakfast

fühlen to *feel*; das Gefühl feeling

führen to lead; (ein Geſpräch) führen to conduct; (einen Krieg) führen to wage; ein=führen to lead into, introduce; verführen to lead astray, seduce, mislead; der Verführer tempter, seducer; der Verführte victim, the one misled; zu=führen to lead to (somebody)

füllen to *fill*; die Fülle *full*ness. *Cf.* voll

fünf *five*

fünfzig *fifty*

für *for*; dafür', da'für (in return) for that

die Furcht *fear*; furchtbar fearful, terrible

der Fuß, ⁔e *foot*; der Pferdefuß horse's hoof, cloven foot

ganz whole, entire(ly); quite; ein ganzes a whole; ganz und gar altogether

gar nicht not at all; gar nichts nothing at all

der Garten, ⁔ *garden*

gebären to give birth; geboren *born*; die Geburt *birth*; der Geburtstag birthday

geben to *give*; put; es gibt there is *or* are; auf=geben to give up; jemandem etwas ein=geben to suggest to someone; ſich überge'ben to surrender (oneself); umge'ben to surround, invest

geblendet. *See* blind

gebrauchen to use; die Gebrauchsgüter (*pl.*) utility *or* consumer goods; mißbrauchen to misuse; der Mißbrauch misuse. *Cf.* brauchen

der Gedanke. *See* denken

die Gefahr, –en danger; gefährlich dangerous; höchſtgefährlich highly *or* most dangerous

gefallen to please; mir gefällt I like

das Gefühl. *See* fühlen

gegen *against*; toward; compared to; gegen neun about nine

gegenü'ber over against, opposite; das Gegenüber the one opposite, vis-à-vis

die Gegenwart present (time)

geheim, Geheimnis. *See* heimlich

gehen to *go*; aus=gehen to go out; end; der Ausgang outcome, result; aus= und ein=gehen to go in and out (of a house); ein=gehen to enter; hinaus'=gehen to go out; über=gehen to go over (to), change (to); um=gehen mit to associate with, go around with; unter=gehen to go down, sink; vergehen to pass away, die; weg=gehen to go away

gehorchen to obey

gehören to belong; gehören zu to be one of. *Cf.* hören

der Geiſt, =er (*ghost*), the spirit; intellect; die Geiſtloſigkeit dullness, unintellectuality

das Geld, =er money (*cf.* gelten)

der Gelehrte. *See* lehren

gelingen to succeed; es gelingt mir I succeed

gelten (als) to be regarded (as), be considered (as) (*cf.* Geld)

gemein (*mean*), common; im allgemeinen in general

genannt. *See* nennen

genau precise, exact; etwas genau nehmen to be exacting about something; die Genauigkeit exactitude, accuracy

genug *enough*; genügen to be enough, suffice; genügend sufficient(ly); mir genügt es I am content *or* satisfied

gerade straight; straightforward; just (now); nicht gerade not exactly

gering slight, scant; geringer werden to decrease, diminish

gern(e) (lieber, am liebſten) willingly; ich gehe gern I like to go; ich gehe lieber I prefer to go; ich gehe am liebſten I like best (most) to go

der Geſang. *See* ſingen

das Geſchäft, –e business; shop

geſchehen to happen; mir geſchieht I am served (well *or* ill). *Cf.* Geſchichte

die Geſchichte, –n story; history; affair. *Cf.* geſchehen

die Geſellſchaft, –en society, company (*also as business term*); (*p. 175, line 2*) crew, gang

das Gefetz, –e law

das Gefpräch. *See* fprechen

die Geftalt, –en figure, shape

gewiß sure(ly), certain(ly); die Gewißheit certainty, assurance; im ungewiffen in uncertainty. *Cf.* wiffen

der Glanz gleam, light, brightness; glänzend brilliant(ly)

glauben to be*lieve*; der Glaube (*see page 200*) be*lief*; faith; unglaublich incredible

gleich equal(ly); *like*; es ift gleich it is all the same; ganz gleich, was no matter what, whatever; gleichen to resemble

gleich = fogleich. *See* fofort'

das Glied, –er member; die Glieder (*pl.*) limbs (of the body); das Mitglied member (of an organization)

das Glück *luck*; happiness; glücklich happy; fortunate; das Unglück misfortune; accident, catastrophe; unglücklich unhappy, wretched, unlucky

das Gold gold; golden *golden*

Gott God; der Gott, die Götter (pagan) *god*; göttlich godlike, divine; gottlos godless, impious, sacrilegious

greifen to *grip*, grasp; greifen nach to clutch at, reach for

die Grenze, –n boundary, border; limit; die Begrenzung limitation; grenzenlos limitless, boundless

groß *great*, large; die Größe greatness

der Grund, –e bottom; reason, *ground*(s); ergründen (get to the bottom), to fathom, explore

grüßen to *greet*; begrüßen to greet

gut *good*; well; gut tun to do well; es gut haben to have things as one would like them; das Gute the Good; Güter (*pl.*) goods (*also figuratively*); gutbür= gerlich (*see* Bürger)

das Haar, –e hair

haben to *have*

halb *half*; die Hälfte half; zur Hälfte half(way); halb (*in telling time; see* § 114, *p. 140*)

der Hals, –e neck, throat

halten to *hold*; keep; es für nötig halten to regard as necessary; halten von (jemandem) to have an opinion about (someone); an=halten to hold in *or* back (*e.g.* the breath); auf=halten to hold back, stop; zurück'=halten to hold back, restrain; halt machen to (come to a) halt

die Hand, –e *hand*; die Handfchrift (*see* fchreiben)

hängen to *hang* (down); an jemandem hängen to cling *or* be attached to someone; ab=hängen (von) to depend (on); ein=hängen to hang up (telephone receiver)

hart *hard*, harsh, severe

haffen to *hate*; der Haß hate, hatred; häßlich ugly

das Haupt, –er *head*; chief

das Haus, –er *house*; nach Haufe (toward) home; zu Haufe at home; der Haus= teufel devil in the home

heben to lift, (*heave*); erheben to raise, lift up

das Heil salvation, (*health*); heilen to *heal*, cure

heimlich secret(ly); das Geheimnis secret; mystery

heiraten to marry; das Heiraten marrying

heiß *hot*; ardent, burning

heißen to be named; to mean; er heißt his name is; wie heißen Sie what is your name? das Problem heißt the problem is; das heißt that is (to say)

der Held, –en, –en hero

helfen to *help*; was hilft es? what good is it? *or* what good does it do? die Hilfe help, assistance

das Hemd, –en shirt; das Unterhemd undershirt

her. *See* § 51, *p. 60*

herab'=fehen. *See* fehen

der Herr, –n, –en (*see page 200*) gentleman; Mr.; master; Lord (God); mein Herr sir; das Herrengefchäft men's-wear shop; herrfchen to be master, rule, prevail herum'=schlagen. *See* schlagen

das Herz, –ens, –en (*see page 200*) *heart*; herzzerreißend (*see* reißen)

heute *today*; heute abend *this evening*; heute morgen *this morning*

hier *here*; hierher'=kommen (*see* kommen); hier'mit, hiermit' *herewith*

der Himmel,— *sky*; heaven(s); himmelblau *sky-blue*; das Himmelreich (kingdom of) Heaven; himmlisch *heavenly*

hin. *See § 51, p. 60*

hinaus'=gehen. *See* gehen

hinaus'=kommen. *See* kommen

hin=reißen. *See* reißen

hinter *behind*, back of

hin=werfen. *See* werfen

hoch *high*; lofty; die Erhöhung *elevation, height*; höchst *most*; höchste Zeit *high time*; die Höhe *height*; in die Höhe fahren *to start up, go up in the air*

hochgelehrt. *See* lehren

der Hochmut. *See* Mut

höchstgefährlich. *See* Gefahr

hoffen (auf) *to hope (for)*; die Hoffnung *hope*; die Hoffnungslosigkeit *hopelessness*

holen *to fetch (away), carry off*

die Hölle *hell*

hören *to hear*

das Horn, –̈er *horn*

die Hose, –n (*hose*), (pair of) pants; die Unterhose *underpants*; der Hosenträger (pair of) suspenders

hundert *hundred*

immer *always*; für immer *forever*; immer noch, noch immer (still) always; immer wieder *again and again*

in *in*; into

inner *inner*; innerst *innermost*

das Interes'se, –n *interest*; interessant' *interesting*; (sich) interessie'ren *to interest (others or oneself)*

irdisch. *See* Erde

irgend *any (at all)*; irgendein *anyone (at all)*; irgendwelch *any (at all)*

ja *yes*; indeed; of course; *particle* (*cf. § 69, p. 79*)

das Jahr, –e *year*; das Jahrhun'dert (*year-hundred*), *century*

je *ever*

je ... desto: je größer, desto kleiner *the larger, the smaller*

jeder *every*; jedes Interes'se *all interest*; jeden Augenblick *any moment*

jemand *someone, somebody* (*cf.* niemand)

jener (*yonder*), *that (more remote) one*

jetzt *now*

jung *young*; der Junge *boy; son*; Junge (*pl.*) *young (ones)*

kalt *cold*; eiskalt *ice-cold*

kaufen *to buy*; auf=kaufen *to buy up*; verkaufen *to sell*; der Verkäufer *seller*

kein *no, not any*; keine mehr *not any more*

keinerlei. *See* =erlei

kennen (*ken*), *to know (by acquaintance), be acquainted with*; der Kenner (*knower*), *connoisseur*; der Menschen=kenner *one who knows men*

das Kind, –er *child*; die Kindesliebe *filial love*; kindlich *childlike*

klar *clear*; die Klarheit *clarity, lucidity*; erklären *to explain; declare*

das Kleid, –er *dress*; Kleider (*pl.*) *clothing*

klein *small, little*

der Knochen, — *bone*; der Knochenbruch *fracture (of a bone)*

die Kohle, –n *coal*; carbon

der Kohlenpreis. *See* Preis

kommen *to come*; zu spät kommen *to arrive too late*; entkommen *to escape*; hierher'=kommen *to come hither or here*; hinaus'=kommen *to get out*; mit=kommen *to come along (with someone)*; zusam'men=kommen *to come together, meet*

der König, –e *king*; königlich *kingly, regal*

können (*§ 36, p. 46*) *to be able*, (*can*)

der Kopf, –̈e *head*

ber **Körper,** — body; bas **Dreikörperpro=
blem'** problem of three bodies

bie **Kraft,** ⸗e force, power, strength;
kraftlos feeble

krank sick; ber **Kranke** the sick man; bie
Krankheit sickness

ber **Kreis,** –e circle (*also figuratively*)

ber **Krieg,** –e war

kühl *cool*(ly)

bie **Kunst,** ⸗e art(s); skill; ber **Künstler**
artist

kurz (*curt*), brief, short(ly)

lachen to *laugh,* **lächeln** to smile; bas
Lächeln smile

bie **Lage.** *See* **liegen**

bas **Land,** ⸗er *land;* country(side); nation, country, land; ber **Ausländer**
(*outlander*), foreigner; (**ausländisch**),
foreign; bas **Vaterland** fatherland

lang(e) *long;* **lange** (for) a long time; **zehn**
Jahre lang for ten years, ten years long

langgezogen. *See* **ziehen**

langsam slow(ly)

ber **Langschläfer.** *See* **schlafen**

langweilig. *See* **Weile**

lassen to *let;* leave, abandon; cause (to
be done), have (something done);
los=lassen to let go, release; **verlassen**
to leave, forsake

laufen to run, (*leap, lope*); ber **Lauf**
course; im **Laufe** in the course (of);
ab=laufen to run out; **entlaufen** to run
away, escape

laut *loud,* noisy; aloud. *Cf.* **Wortlaut**

leben to *live,* be alive; bas **Leben** life; **lebenb**
living; **leben'big** alive; **leblos** lifeless

leer empty; bie **Leere** emptiness

legen to *lay,* put; **fest=legen** (*lay fast*), to
establish. *Cf.* **liegen**

lehren to teach; ber **Lehrer** teacher; ber
Gelehrte (taught), learned man,
scholar; bie **Lehre** (*lore*), teaching,
doctrine; **hochgelehrt** highly learned

leicht *light,* slight; easy; **erleichtert** re-
lieved

leiden (*loathe*), to suffer; bas tut mir **leib**

I am sorry for that; er tut mir **leib** I
am sorry for him

leiber unfortunately

leise soft, gentle, low (sound *or* noise)

leisten to perform (service), achieve, ac-
complish (something)

leiten to *lead,* direct; bie **Leitung** direction, guidance

lernen to *learn,* memorize, study

lesen to read; bas **Lesen** reading; bas
Durchlesen reading, perusal; ber **Leser**
(male) reader; bie **Leserin** (female)
reader; **zerlesen** to read to pieces *or*
tatters

letzt *last,* final, ultimate; **zuletzt'** at last,
finally

leuchten. *See* **Licht**

bie **Leute** (*pl.*) people

bas **Licht,** –er *light;* **leuchten** to shine;
bie **Leuchte** shining light

lieben to *love;* like; **lieb** dear; **lieber**
dearer; **liebenswert** worthy of being
loved; **lieblich** lovely; **lieblos** loveless;
vielgeliebt much loved

lieber, am liebsten. *See* **gern**

liegen to *lie* (prone), be situated; bie
Lage situation. *Cf.* **legen**

ber **Lohn,** ⸗e wage; reward

=**los** -*less. See* **arbeits=, bewegungs=, fas=
sungs=, gott=, grenzen=, hoffnungs=, kraft=,
leb=, lieb=, macht=, ruhe=, seelen=, selbst=,
sinn=, sprach=, willen=, zwecklos**

lösen (*loosen*), to solve (problems), answer (questions); **auf=lösen** to dissolve

los=lassen. *See* **lassen**

bie **Lüge,** –n *lie,* falsehood; **lügen** to (tell
a) lie

bie **Lust,** ⸗e pleasure; **Lust haben** to have
a desire; bas **Lusthaus** summerhouse;
bie **Unlust** displeasure

machen to *make; do;* **wiedergut'=machen**
(e.g. ich mache wieder gut) to make good
again, make up for

bie **Macht,** ⸗e *might,* power; ber **Allmäch=
tige** the Almighty; **mächtig** mighty,
powerful; **machtlos** powerless

das Mädchen, — (*maid*), girl

das Mal, –e time, occasion; diesmal this (one) time; zweimal twice; einmal once, for once; someday (in future); das ist nun einmal so that's the way things are; sag mal (= einmal) tell me

man (*man*), one, people, they, we, you; *one may use also the passive in translating*

manch *many* a; manche (*pl.*) some

der Mann, ⸚er *man*, male human being; husband

die Männerstimme. *See* Stimme

mehr *more*, any more; nicht mehr not any more; vermehren to increase

meinen to *mean*; have an opinion; remark, say; think; die Meinung opinion

meist, meistens *most*(ly)

der Mensch, –en, –en (*see page 200*) human being, *man* (*generically*); kein Mensch not a soul, nobody; menschlich human; der Mitmensch fellow human, fellow man; übermenschlich superhuman

der Menschenkenner. *See* kennen

die Menschenseele. *See* Seele

der Menschenverstand. *See* verstehen

die Menschenwürde. *See* Würde

merken to *mark*, observe, notice, see; merkwürdig remarkable

messen to measure; an etwas gemessen measured by something

das Messer, — knife; das Rasier'messer straight-edge razor

miß= *mis-*

mißbrauchen, der Mißbrauch. *See* gebrauchen

die Missetat. *See* tun

mißverstehen. *See* verstehen

mit with; damit with it

mit=bringen. *See* bringen

mit=fahren. *See* fahren

mit=kommen. *See* kommen

mit=nehmen. *See* nehmen

mögen (*§ 36, p. 46*)

möglich possible; die Möglichkeit possibility; unmöglich impossible

der Montag. *See* § 31, p. 36

der Mord, –e *murder*; der Mörder murderer; ermorden to murder; der Selbst= mörder (*selfmurderer*), suicide

der Morgen, — *morn*ing; die Morgenstunde morning hour; die Morgenzeitung morning newspaper; morgen t*omorrow*

müde tired; er ist es müde, zu warten he is tired of waiting

der Mund *mouth*, lips

müssen (*§ 36, p. 46*) to have to, (*must*); du mußt nicht you don't have to

der Mut (*mood*), courage; der Hochmut arrogance, pride

die Mutter, ⸚ *mother*; die Mutterliebe mother love

nach after; toward; according to; nach Hause home(ward)

nachdem' (*conj.*) after

nachdenklich. *See* denken

der Nachfolger. *See* folgen

nach=sehen. *See* sehen

die Nacht, ⸚e *night*; nächtig nightly, nocturnal

der Nachtwächter. *See* wach

nah *near, nigh*; close; nearby; nächst *next*; die Nähe nearness, vicinity, proximity

der Name, –ens, –n (*see page 200*) name; nämlich you see, *namely*. *Cf.* nennen

die Natur', –en nature; character; natür= lich naturally; of course

neben beside; der Nebenraum, das Neben= zimmer adjoining room

nehmen to take (from); take (as wife *or* husband); die Ausnahme exception; mit=nehmen to take along (with you); das Recht nehmen to take *or* claim the right; teil=nehmen to take part, participate; überneh'men to take over, take

nein (*interj.*) *no*

nennen to *name*; sich nennen to call oneself; genannt called, named. (*Cf.* Name)

neu *new*

neun *nine*

nicht *not*

nichts *nought*, nothing

nichtsſagend. *See* ſagen

das Nichtwollen unwillingness

nie never; nie mehr wieder nevermore

nieder (*nether*), down; erniedrigen to humiliate; die Erniedrigung humiliation

niemand *no man*, nobody (*cf.* jemand)

noch still, yet; as yet; noch ein another, one more; noch nicht not yet; noch langſamer still slower

die Not, ⁻e *need*, necessity; distress

nötig necessary

notwendig necessary

nun *now* (*relative time*); von nun an from now on; nun well

nur only; nur noch feſter all the tighter; wie kannſt du nur? how *can* you?

ob whether, (I wonder) *if*

oben *above*; von oben bis unten from top to bottom

obgleich' (*conj.*) although

oder *or*

der Ofen, ⁻ (*oven*), stove

offen *open*; öffnen to open; ſich öffnen to open (of itself)

oft *often*; öfter more often; frequently

ohne without

das Ohr, –en *ear*

der Ort, –e place, town

das Paar, –e *pair*, couple; ein paar a few, a couple

das Pferd, –e horse; der Pferdefuß (horse's) hoof

die Pflicht, –en duty; ſich verpflichten to put oneself under obligation

das Pfund, –e *pound*

plötzlich sudden(ly)

der Preis, –e *price*; prize; um jeden Preis at any price; der Kohlenpreis price of coal

der Punkt, –e *point*; punkt elf at eleven sharp

das Raſier'meſſer. *See* Meſſer

raten to counsel, advise; erraten to guess; der Rat counsel, advice

der Raum, ⁻e *room*; space; der Nebenraum adjoining room; der Seminar'raum seminar room

rechnen (*reckon*), to figure, calculate; die Rechnung accounting, bill; berechnend calculating

das Recht *right*; ſein Recht his right(s); mit Recht justly, correctly; recht *right*; proper, true; es iſt mir recht it's all right with me; das iſt ihr nicht recht und nicht unrecht that neither pleases nor displeases her; recht haben to be right; du haſt ſehr recht you are quite right; unrecht haben to be wrong

reden to speak, talk; reden von to talk about (something); die Rede speech; jemandem in die Rede fallen to interrupt (someone); jemandem ein=reden to persuade *or* convince someone; die Vorrede preface, foreword

reich *rich*, wealthy

das Reich, –e empire; kingdom, realm; das Himmelreich (kingdom of) Heaven

reichen to *reach or* hand to (someone)

rein pure

reißen to snatch; draw; fort=reißen to carry away (*also figuratively*); hinreißend fascinating, captivating; herz=zerreißend heart-rending; zerreißen to tear to pieces

der Reiz, –e charm, attraction

retten to save, rescue; rettend saving

richtig *right*, correct, true

der Rock, ⁻e coat

rot *red*; ſich röten to grow red, redden

rufen to call; ab=rufen to call away; an=rufen to call (by phone); zu=rufen to call (out) to (someone)

ruhen to rest; beruhen auf to rest *or* be based upon; die Ruhe rest, quiet, peace; das Ruhebett day bed, couch; ruhelos restless(ly); ruhig quiet(ly) calm(ly); unruhig restless; anxious, disturbed, uneasy

die Sache, –n affair, business, matter

sagen to *say*, tell; nichtssagend (saying nothing), meaningless; unsagbar, unsäglich unspeakable; vielsagend (saying much), eloquent, expressive

sammeln to collect, gather; sich versammeln to collect, assemble. *Cf.* zusammen

der **Satz**, ⁀, das **Sätzchen**, — sentence; saying

schaffen, erschaffen to create; die Erschaffung creation

scharf *sharp*; keen; die Schärfe sharpness, keenness

schätzen to treasure, esteem, appreciate

scheiden to separate, divide; der Abschied parting; zum Abschied in farewell; sich unterschei'den to be distinct *or* distinguished from; sich verabschieden to take leave

scheinen to *shine*; seem; appear; erscheinen to appear, come into view; das Erscheinen appearing; scheinbar apparent, seeming

schenken to present, give

schicken to send

schlafen to *sleep*; ein-schlafen to go to sleep; der Langschläfer (long sleeper), sluggard; der Schlaf sleep

schlagen to strike, beat; throb, pound; sich herum'-schlagen mit wrestle with, struggle with. *Cf.* Donnerschlag

schließen to shut; conclude; aus-schließen to exclude; jemanden ins Herz schließen to take someone to one's heart; sich um etwas schließen to close around, enclose, clasp (something); der Schluß conclusion. *Cf.* entschließen

schmerzen (*smart*), to pain; schmerzend paining; schmerzlich pained

schneiden to cut; schneidend cutting; der Abschnitt (cut-off), section, chapter

schnell fast, quick

schon already; (*p. 25, line 19*) fast enough, all right

schön beautiful; nice, pleasant, lovely; fine; die Schöne beauty; die Schönheit beauty

der **Schreck**, *no pl.*, der **Schrecken**, — fright, terror; abschreckend frightening; erschrocken in alarm, terrified, startled; schrecklich terrible, fearful; zurück'-schrecken to shrink (in fear) (from)

schreiben (*scribe, script*), to write; schreiben an to write to; die Handschrift handwriting; manuscript; unterschrei'ben to subscribe to, sign

schreien to cry, scream; der Schrei cry, scream, *shriek*

schreiten to walk, step, pace, stride; fortgeschritten advanced; der Fortschritt progress, advance; der Schritt step, pace; überschrei'ten to step over, overstep, transcend

die **Schuld**, -en guilt; debt; blame, responsibility; schuld sein to be to blame

die **Schule**, -n school; der Schüler scholar, student

schwach weak; ab-schwächen to weaken, diminish

schwarz (*swarthy*), black

schweigen to be silent, mute; schweigend in silence

schwer heavy; solid (silver); with difficulty

schwinden. *See* verschwinden

sechs six

die **Seele**, -n *soul*; seelenlos soulless

sehen to *see*, look; see, *or* look, to it; sehen auf to look at; sehend seeing, able to see; an-sehen to look at; aus-sehen to look, appear; besehen to eye, survey, inspect; ein-sehen to realize, see (that something is true); herab'-sehen to look down (on somebody); nach-sehen to look after (in space); unsichtbar invisible; voraus'-sehen to see ahead, anticipate, foresee; wieder-sehen to see again; auf Wiedersehen! good-bye (till we meet again)

sehr very, very much

die **Seife**, soap; die Seifenblase soap bubble

sein to be

seit since; **seit Jahren** for years; **seitdem** since then

die Seite, —n side; page (of a book)

selber, selbst (my)*self*, (your)*self*, etc.; (*intensive*) even; **derselbe** the (self-)same; **selbstlos** selfless, unselfish

der Selbstmörder. *See* Mord

selbstverständlich. *See* verstehen

der Seminar'raum. *See* Raum

setzen to *set, seat*, place, put; **sich setzen** to seat oneself, sit down; **sich hin=setzen** to sit down; **vor=setzen** to place before. *Cf.* sitzen

sicher *secure*, sure, safe

sieben *seven*

das Silber *silver*

singen to *sing*; **das Singen** singing; **der Gesang** song

sinken to *sink*, drop, fall; become less; **zurück'=sinken** to drop *or* fall back

der Sinn, —e *sense*; sense, meaning; **sinnlos** senseless

sitzen to *sit*; dwell; **der Besitz** possession; **die Sitzung** session. *Cf.* setzen

der Sklave, —n, —n *slave*; **die Sklavenarbeit** slave labor

so thus, *so*, in such a way, like this; then; **nicht so ... wie** not like; **so ... wie** as ... as; **so?** (is that) so?

sofort', (so)gleich' at once, immediately; **sofor'tig** immediate

der Sohn, —̈e *son*

solch *such*

sollen (*§ 36, p. 46*) to be expected to, *shall*; **was soll ich tun?** what shall I do? **du sollst nicht** you mustn't, shouldn't; **sie soll** she is said to

sondern but

die Sonne, —n *sun*; **die Abendsonne** evening sun; **der Sonnenaufgang** sunrise

der Sonntag. *See § 31, p. 36*

sonst otherwise

sorgen (*sorrow*), to (take) care; **für etwas sorgen** to see to something

sowohl'. *See* wohl

spät late; **spätestens** at latest

der Spiegel, — mirror, (looking) glass

spielen to play

sprechen to *speak*; **das Gespräch** conversation; **sprachlos** speechless; **vor=sprechen** to speak before, dictate; **nicht zu sprechen** not to be spoken to (*i.e.* not seeing anybody)

springen to *spring*, jump, leap; run; **ab=springen** to jump off; **das Abspringen** jumping off (a train); **entspringen** to spring from, arise; **über=springen auf** to jump over to; **zerspringen** to burst; **das Zerspringen** bursting

der Staat, —en *state*; **der Staatsbürger** (state) citizen

die Stadt, —̈e city, town; **in die Stadt gehen** to go (in)to town; **die Vaterstadt** native town, city

stark (*stark*), strong

statt in*stead* (of)

stechen to *stick*, prick

stehen to *stand*; be written; **ab=stehen** to protrude; **abstehend** protruding; **auf=stehen** to get up; **der Stillstand** standstill

steigen to rise, go higher; **zum Steigen bringen** to cause to rise

der Stein, —e *stone*

stellen to place; **die Stelle** place, spot; passage (in a book); **jemanden vor=stellen** to introduce, present a person

sterben to die; **das Sterben** dying; **er=sterben** to die out, expire; **das Sterbebett** death-bed; **unsterblich** immortal

stets always

die Steuer, —n tax

still *still*, quiet; **sei still!** shut up! (*p. 135, line 1*); **die Stille** silence, stillness; **stillen** to quiet, satisfy; quench (thirst); **der Stillstand** standstill; **still=stehen** to stand still

die Stimme, —n voice; **die Männerstimme** male voice

stören to disturb

stoßen to thrust, shove; **auf etwas stoßen** to come (suddenly) upon something; **aus=stoßen** to utter, emit; **unumstößlich** (not to be overthrown), incontestable

der Student', –en, –en *student*; die Stu=
ben'tin female student; das Stu=
dier'zimmer study; das Studium study
der Stuhl, ⸚e (*stool*), chair
die Stunde, –n hour; die Deutschstunde
German hour *or* lesson; stundenlang
for hours
suchen to *seek*, look for; das Suchen
search; ausgesucht selected, choice;
durchsu'chen to search, look through.
Cf. versuchen
die Sünde, –n *sin*; sündigen to sin

der Tag, –e *day*; der Geburtstag birthday;
das Tagebuch (*daybook*), diary. *Cf.*
Montag, Sonntag (*see* § *31, p. 36*)
tausend *thousand*
der Teil, –e (*deal*), part; teil=nehmen to
take part, participate
der Teufel, — *devil*; teuflisch devilish
tief *deep*; tiefblau deep-blue; aus der
Tiefe from the deeps *or* depths
das Tier, –e (*deer*), animal, beast
die Tochter, ⸚ *daughter*
der Tod *death*
tragen (*drag*), to bear, endure; wear;
getragen worn (clothing); ertragen to
endure; die Eintragung entry (in a diary); unerträglich unbearable, unen-
durable
der Traum, ⸚e *dream*; träumen to dream;
träumend dreaming; sich etwas nicht
träumen lassen not to dream of something
treffen to strike, smite, hit; affect;
meet
treiben to impel, *drive*, urge; die Austrei=
bung (driving out), expulsion, banish-
ment
treten (*tread*), to step (on); betreten to
enter, step into; ein=treten to step
into, enter; zu jemandem treten to ap-
proach *or* step up to someone
trösten to comfort, console
der Trotz defiance; obstinacy; trotz
(*prep. w. gen.*) in spite of; trotzig defiant

trotzdem in spite of that
tun to *do* (to someone); act, behave
(as if); gut tun to do (one) good;
das Tun doing(s); die Tat action,
deed; die Missetat misdeed

übel *evil*
üben to practice; Einfluß aus=üben to
exert influence
über *over*; about, concerning; beyond;
über Nacht overnight
überge'ben. *See* geben
über=gehen. *See* gehen
übermenschlich. *See* Mensch
überneh'men. *See* nehmen
über=schreiten. *See* schreiten
über=springen. *See* springen
übrigens by the way, incidentally
die Uhr, =en watch, clock; acht Uhr eight
o'clock
um around, about, near; about, of, concerning; for; at (*e.g.* eight o'clock);
um mich her round about me; um
jeden Preis at any price
umge'ben. *See* geben
un= (§ *44, p. 56*)
unangenehm. *See* angenehm
unbewegt. *See* bewegen
und *and*
unerträglich. *See* tragen
unfreundlich. *See* Freund
ungewiß. *See* gewiß
unglaublich. *See* glauben
das Unglück, unglücklich. *See* Glück
die Unlust. *See* Lust
unmöglich. *See* möglich
unrecht. *See* Recht
unruhig. *See* ruhen
unsagbar, unsäglich. *See* sagen
unsichtbar. *See* sehen
unsterblich. *See* sterben
unter *under*(neath); among; unten down
(below)
unterdrü'cken. *See* drücken
unter=gehen. *See* gehen
das Unterhemd. *See* Hemd
die Unterhose. *See* Hose

unterſchei'ben. *See* ſcheiben
unterſchrei'ben. *See* ſchreiben
unterwegs'. *See* Weg
unumſtößlich. *See* ſtoßen

der Vater, ⸗ *father*
das Vaterland. *See* Land
der Vatermörder. *See* Mord
die Vaterſtadt. *See* Stadt
ver= (§ *97, p. 123*)
verabſchieden. *See* ſcheiben
verächtlich, die Verachtung. *See* achten
verbieten to *forbid*
verbinden, verbünden. *See* binden
verbittern. *See* bitter
verblenden. *See* blind
verbrennen. *See* brennen
verehrt. *See* Ehre
verflucht. *See* Fluch
verführen, der Verführer. *See* führen
vergeben to *forgive*; die Vergebung for-
  giveness
vergehen. *See* gehen
vergeſſen to *forget*
verkaufen, der Verkäufer. *See* kaufen
verlangen to *long* for, desire; demand,
  require; das Verlangen desire, longing,
  yearning
verlaſſen. *See* laſſen
verlieren to lose; der verlorene Sohn the
  prodigal son
vermehren. *See* mehr
verſammeln. *See* ſammeln
verſchwinden, ſchwinden to disappear
verſprechen to promise
verſtehen to understand; der Verſtand
  understanding, intelligence, (common) sense; der Menſchenverſtand human intelligence; mißverſtehen to misunderstand; ſelbſtverſtändlich (self-un-
  derstandable), of course; das Ver=
  ſtändnis understanding
verſuchen to *seek* (to do), attempt; der
  Verſuch attempt. *Cf.* ſuchen
verwandeln, ſich to change (oneself)
verwechſeln. *See* wechſeln
verwerfen. *See* werfen

die Verwunderung. *See* wundern
viel much
vielgeliebt. *See* lieben
vielleicht' perhaps, possibly
vielſagend. *See* ſagen
vier *four*; das Viertel *fourth*, quarter
das Volk, ⸗er (*folk*), people; nation
voll *full* (*cf.* füllen)
vollkommen (*full-come*), perfect(ly); die
  Vollkommenheit perfection
von from; of; davon of it, about
  it
vor be*fore*, in front of; in the presence
  of; vor allem above all; vor der Stadt
  outside *or* beyond the city
voraus in advance, ahead; voraus'=ſehen
  to anticipate, foresee
die Voreltern. *See* Eltern
vorher before
die Vorrede. *See* reden
vor=ſetzen. *See* ſetzen
vor=ſtellen. *See* ſtellen

wach *awake*; alert; erwachen to awake;
  der Nachtwächter night watchman;
  wach=rufen to call awake, elicit, call
  to life
wachſen (*wax*), to grow
wählen to choose, select; elect
wahr true; wahrhaft truly; die Wahrheit
  truth; wahrſcheinlich (seeming true),
  probable; nicht wahr isn't it so?
während (*prep. w. gen.*) during; (*conj.*)
  while
der Wald, ⸗er *wood*(s), forest
wann *when?*
warm *warm*
warten to wait; erwarten to expect,
  wait for, await
warum', war'um for what reason, why?
  (*cf.* darum)
was. *See* wer
was für what sort of
das Waſſer, — *water*
wechſeln to change; verwechſeln to mix
  up, confuse
weder . . . noch neither . . . nor

weg *away*; weg=denken to think away; weg=gehen to go away; weg=werfen to throw away

der Weg, -e *way*, road; way, means; unterwegs' on the way (somewhere)

wehren, sich to defend oneself; wehrlos defenseless, helpless

weil because

die Weile, -n *while*, time; langweilig boring, tedious

der Wein, -e *wine*

weinen (*whine*), to weep, cry; das Weinen weeping

weise *wise*; die Weisheit wisdom

die Weise, -n way, manner; eine Art und Weise a way (of doing something)

weit *wide*; far; erweitern to extend, expand, widen; weiter farther, further; bei weitem by far

welcher *which*

die Welt, -en *world*

wenden (*wend*), to turn; sich ab=wenden to turn away; sich zu=wenden to turn to *or* toward

wenig little, not much; wenige few; wenigstens at least

wenn if; *when*(ever)

wer whoever, he who; who? was *what*-(ever), which; what? was nur what in the world; nichts was nothing which

werden to become, grow; be; er wird he is going to be

werfen to throw; hin=werfen to throw down; verwerfen to cast aside, abandon; weg=werfen to throw away; zu=werfen to throw to (someone), cast (a glance) at (*p. 69, line 2*)

das Werk, -e (completed) *work* (*cf.* wirken)

der Wert, -e *worth*, value; wert worth, worthy; der Geldeswert value of money; wissenswert worth knowing. *Cf.* Würde

das Wesen, — essence, nature, *being*; creature, being. *Cf.* gewesen

die Weste, -n *vest*

wichtig (*weighty*), important

wider (*with*-), against; erwidern to reply, retort; widerlich repulsive

wie how? like; as; as if (*p. 151, line 34*); wieso? how so?

wieder again

wieder=finden. *See* finden

wiedergut'=machen. *See* machen

wieder=sehen. *See* sehen

wild *wild*; die Wildheit fierceness, intensity, unrestraint

der Wille. *See* wollen

der Winter, — *winter*

wirken (*work*), to have an effect; die Wirkung effect. *Cf.* Werk

wirklich real(ly); sincere, genuine; die Wirklichkeit reality, actuality. *Cf.* wirken

wissen to know (how); das Wissen knowing; knowledge; allwissend all-knowing, omniscient; wissensdurstig thirsty for knowledge

die Wissenschaft, -en science; wissenschaftlich scientific

wo *where*; woher' from where, whence

das Wohl (*weal*), welfare, good; wohl well; sich wohl fühlen to feel well; wohl probably, no doubt; wohl aber (*p. 165, line 36*) but it did report; sowohl wie as well as

wohnen to live, reside, dwell; das Wohn=zimmer living-room

wollen (*§ 36, p. 46*) to *will*, be willing; to want, desire (something); ich will nicht I don't want to, I won't; das Wollen act of will(ing); der Wille will; willenlos without will

das Wort word; Worte (*pl.*) words (*in context*); Wörter (*pl.*) words (*as in a dictionary*); der Wortlaut wording

wozu'. *See* zu

das Wunder, — *wonder*; miracle; sich wundern to be surprised; die Verwunderung astonishment; wundervoll wonderful

wünschen to *wish*

die Würde, –n worthiness, dignity; merk= würdig (worthy of remark), remark- able; die Menschenwürde dignity of man; würdevoll dignified. *Cf.* Wert

zahlen, bezahlen to pay

zählen (tally), to count; die Zahl num- ber

der Zahn, ⸗e *tooth*

zehn *ten*

das Zeichen, — (*token*), sign, signal

zeigen to show; sich zeigen to appear

die Zeit, –en (*tide*), time; die Goldene Zeit Golden Age

die Zeitung, –en (*tidings*), newspaper

zer= (§ 96, p. 122)

zerlesen. *See* lesen

zerreißen. *See* reißen

zerspringen. *See* springen

ziehen (*tug*), to draw, pull; draw (lines); ab=ziehen to draw away, divert; ent= ziehen to withdraw, take from; lang= gezogen long-drawn-out

das Zimmer, — (*timber*), room; das Ne= benzimmer adjoining room; das Stu= bier'zimmer (room for) study; das Wohnzimmer living-room

zittern to tremble, quiver; das Zittern tremor, quivering; zitternd trembling

zu *to*; *too*; at; Mut dazu' courage for it; zum Geburtstag for your birthday; wozu' what for, why

zu=führen. *See* führen

zuletzt'. *See* letzt

zurück' back

zurück'=denken. *See* denken

zurück'=fahren. *See* fahren

zurück'=halten. *See* halten

zurück'=kehren to return, come back (again)

zurück'=schrecken. *See* Schreck

zurück'=sinken. *See* sinken

zurück'=stoßen. *See* stoßen

zu=rufen. *See* rufen

zusam'men together

zusam'men=kommen. *See* kommen

zu=wenden. *See* wenden

zu=werfen. *See* werfen

zwar to be sure, indeed, admittedly

der Zweck, –e purpose, object; zwecklos purposeless

zwei *two*; zweitens second(ly)

der Zweifel, — doubt; zweifeln to doubt; der Zweifler doubter

zwingen to compel, force; sich zwingen to force oneself (to do something)

zwischen (*twixt*), between

zwölf *twelve*

ENGLISH-GERMAN VOCABULARY

꒜

NOTE. This vocabulary covers the retranslation exercises of all fifteen lessons, also Test I on page 99.

able: be able können
act (as if) tun (als ob)
advise raten
afraid: be afraid fich fürchten
again wieder
ago: ten days ago vor zehn Tagen
alive: be alive leben, am Leben fein
all all
alone allein
along: go along mit=gehen
already fchon
also auch
always immer
angry: be angry fich ärgern
answer beantworten
anybody jemand; not anybody niemand
anything: not anything nichts
as wie; as . . . as fo . . . wie
ask fragen
assert behaupten
at 8 um 8 (Uhr)
at last endlich
awake wach

back zurück
be fein
beautiful fchön
because weil
become werden
before (prep.) vor; (adv.) vorher
believe glauben
best am beften; your best Ihr Beftes
birthday der Geburtstag, –e
bitter bitter
book das Buch, ⁻er
born: be born geboren werden
break brechen
build bauen
but aber
buy kaufen
by bei, neben

call rufen; call up an=rufen
can: I can ich kann
change fich verwandeln
child das Kind, –er
claim behaupten; he claims er will
coat der Rock, ⁻e
come kommen; come back zurück=kommen
complete(ly) vollkommen
consequently daher
country das Land, ⁻er
cry fchreien

day der Tag, –e
dear lieb
defiant trotzig
demand verlangen
desire wollen
die fterben
disappear verfchwinden
do machen; tun
doctor der Arzt, ⁻e
dream träumen
drive fahren

each other einander
ear das Ohr, –en
early früh
eat effen
either: not . . . either auch nicht
end das Ende, –n
enemy der Feind, –e
enough genug
estimate (ein=)fchätzen
even (intensive) felbft; noch
evening der Abend, –e
every jeder
everything alles
eye das Auge, –n

father der Vater, ⁻
favor der Gefallen, —

235

finally endlich
find finden
follow folgen (*w. dat.*)
for für; seit (drei Jahren); for three years
  drei Jahre lang
force oneself sich zwingen
forest der Wald, ⸚er
forget vergessen
form bilden
friend der Freund, –e

German deutsch
get up auf=stehen
girl das Mädchen, —
girl friend die Freundin, –nen
give geben
glad froh
go out aus=gehen
grandmother die Großmutter, ⸚
great groß

hair das Haar, –e
hanged gehängt
hard (work) schwer
hate hassen
have haben; have to müssen; have (something) done machen lassen
hear hören
help helfen; die Hilfe
here hier
home: go home nach Hause gehen; at
  home zu Hause
hope hoffen
hour die Stunde, –n
house das Haus, ⸚er
however aber

if wenn
in in
in order to um zu
intelligent intelligent'
intend to wollen
interesting interessant'

just gerade

know (something) wissen; know (somebody) kennen; know (how) können

labor die Arbeit, –en
lady die Dame, –n
land das Land, ⸚er
last: at last endlich
late spät
learn lernen
let lassen; let oneself be seen sich sehen
  lassen
life das Leben, —
like to: I like to read ich lese gern
live leben; live on something von etwas
  leben; live (with) wohnen (bei)
long lang(e); his life long sein Leben lang;
  no longer nicht mehr
lose verlieren
lot: a lot of viel
loud(ly) laut
love lieben

maintain behaupten
make machen
man der Mann, ⸚er
mark (money) die Mark (*no pl.*)
marry heiraten
matter die Sache, –n
may: may I? darf ich?
mean meinen
meet treffen
merely nur
misunderstand mißverstehen
misused mißbraucht
moment der Augenblick, –e
money das Geld
morning der Morgen, —
mother die Mutter, ⸚
move (to) (*intr.*) ziehen (nach)
Mr. Herr
much viel; too much zuviel
murder ermorden
must: you must not Sie dürfen nicht, Sie
  müssen nicht

name der Name, –ens, –en
neck der Hals, ⸚e
need brauchen
never nie
new neu

night die Nacht, ⸚e
nine neun
no (interj.) nein; (adj.) kein
nobody niemand
not nicht
nothing nichts
now jetzt; nun

observe beobachten
o'clock: 8 o'clock 8 Uhr, 8
of course natür'lich
often oft
old alt
once einmal
one ein
only nur
or oder
order: in order to um zu
organization die Organisation', –en

pair (of suspenders). See suspenders
perhaps vielleicht
please bitte
poor arm
possess besitzen
possible möglich
power die Macht, ⸚e
protruding abstehend

question die Frage, –n

read lesen
really wirklich
red rot
report berichten
resolve (upon doing) sich entschließen (zu)
right das Recht, –e; (adj.) recht
run laufen

save retten
say sagen; is said to soll (§ 36, p. 46)
see sehen; see to it darauf sehen
send (to) schicken (an or dat.)
shine leuchten
shirt das Hemd, –en
shortly kurz

show zeigen
sick krank
simply einfach
since seit
sit sitzen
sleep schlafen
slow langsam
so so
soap die Seife
sold verkauft
some einige, manche
son der Sohn, ⸚e
soon bald
soul die Seele, –n
speaker der Redner, —
stand stehen
state der Staat, –en
stay bleiben
still noch
subject das Fach, ⸚er
suddenly plötzlich
suffer leiden
supposed: he is supposed to er soll
suspenders der Hosenträger, —

take (from) nehmen (w. dat.)
talk reden, sprechen
teacher der Lehrer, —
tell sagen
than als
that der, die, das; (conj.) daß
then dann; so, dann
there (was) es (war or waren)
think denken, meinen, glauben; think of
    denken an (acc.)
this dies(er); this evening heute Abend
three drei
through durch
throw out hinaus'=werfen
time die Zeit, –en
to zu; to Berlin nach Berlin
today heute
tomorrow morgen
too zu; auch
town: in town in der Stadt; into town
    in die Stadt
two zwei

ugly häßlich

unable: I am unable ich kann nicht

understand verstehen

unfortunately leider

unfriendly unfreundlich

until (*conj.*) bis

value der Wert, –e

very sehr

vexed: be vexed sich ärgern

visit besuchen

wait (for) warten (auf)

want: he wants to er will

way der Weg, –e

wear (clothes) tragen

well (*adj.*) gut

when (*§ 103, p. 127*) als; when(ever) wenn

where wo; to where wohin

whether ob

who (*rel.*) der

whole ganz

why warum

wife die Frau, –en

will wollen

wine der Wein, –e

with mit

without ohne

woman die Frau, –en

word das Wort, –e *or* ꞊er

work arbeiten; die Arbeit, –en; worker der Arbeiter, —

write schreiben

year das Jahr, –e

yes ja

young jung

yourself. *See § 79, p. 93*

GRAMMATICAL INDEX

❧

PRINTED IN THE UNITED STATES OF AMERICA